CONSTRUCTION DE MAISON À OSSATURE DE BOIS - CANADA

D1502506

La SCHL offre une vaste gamme de renseignements relatifs à l'habitation. Pour obtenir le titre de publications connexes, veuillez consulter le troisième de couverture.

This publication is also available in English under the title:
Canadian Wood-Frame House Construction 61010.

Canadä

Données de catalogage avant publication (Canada)

Kesik, Ted J. (Theodore Jonathan), 1954-
    Construction de maison à ossature de bois — Canada.

Éd. rev.
Publ. aussi en anglais sous le titre : Canadian wood-frame house construction.
Comprend des références bibliographiques et un index.
ISBN 0-660-95828-7
N° de cat. NH17-3/1997F

I. Maisons en bois — Canada — Conception et construction. 2. Construction à ossature de bois — Canada — Conception et construction. 3. Habitations — Construction — Canada. I. Société canadienne d'hypothèques et de logement. II.Titre.

TH4818.W6K4814 1998   694   C98-900059-1

Première édition comprenant les unités anglaises et métriques
Révision 1998
Réimprimé : 1998, 2001, 2003

Imprimé au Canada
Réalisation : SCHL

REMERCIEMENTS

La Société canadienne d'hypothèques et de logement tient à remercier les nombreuses personnes et leurs organisations qui ont contribué à cette édition de *Construction de maison à ossature de bois - Canada*.

Les personnes suivantes ont revu le contenu et se sont acquitté du rôle important de veiller à ce que l'ouvrage s'avère exact et utile pour les constructeurs et les formateurs en plus de correspondre à l'initiative de la Maison saine à la SCHL.

Rick Glanville, Camosun College, Victoria (Colombie-Britannique)
Louis Kane, Advanced Education and Labour, NBCC, Saint John (Nouveau-Brunswick)
Michael Nauth, Collège Algonquin, Nepean (Ontario)
Eric Jones, Conseil canadien du bois, Ottawa (Ontario)
Ross Monsour, Association canadienne des constructeurs d'habitations, Ottawa (Ontario)
Everett Dunham, SCHL
Darrel Smith, SCHL
Terry Marshall, SCHL

La SCHL tient également à manifester sa gratitude à l'égard des auteurs de l'ouvrage qui, en plus de rendre son contenu conforme à l'édition de 1995 du Code national du bâtiment du Canada, l'ont considérablement relevé par l'ajout de nouvelles caractéristiques.

Ted Kesik, Ryerson Polytechnic University, Toronto (Ontario)
Michael Lio, Michael Lio and Associates, Toronto (Ontario)

La SCHL est redevable au Conseil national de recherches et au Conseil canadien du bois de lui avoir permis d'exploiter les renseignements fournis qui se retrouvent dans les tableaux de l'ouvrage.

TABLE DES MATIÈRES

iii

PRÉFACE

Depuis la toute première édition de *Construction de maison à ossature de bois - Canada* publiée par la Société canadienne d'hypothèques et de logement en 1975, l'ouvrage constitue le premier moyen mis à la disposition des constructeurs, charpentiers et élèves en technologie du bâtiment pour faire l'apprentissage de la construction de maison à ossature de bois au Canada. La publication continue d'être l'ouvrage de référence le plus largement utilisé dans le domaine, dans les collèges communautaires et dans le cadre de programmes d'architecture de nombreuses universités.

La présente édition conserve le format pratique des précédentes, suivant le souhait exprimé par un vaste échantillon représentatif d'utilisateurs dans l'ensemble du Canada. La Société souhaite qu'ils continueront à lui faire part de toute suggestion d'améliorations.

L'incorporation des principes de la *maison saine* marque une tendance appréciable vers la conscientisation à l'égard des répercussions individuelles, sociales, environnementales et économiques du secteur de l'habitation au Canada et dans le monde entier. Les Canadiens ont encore de bonnes raisons d'être fiers des techniques de construction de la maison à ossature de bois.

Cette édition s'inscrit parmi les nombreuses activités poursuivant l'objectif d'offrir une gamme de choix d'habitations accessibles, abordables et écologiques au Canada.

MODE D'EMPLOI

Ce guide livre une description concise de la construction de maison à ossature de bois au Canada. Il renvoie également à des ouvrages offrant des renseignements plus approfondis. Le lecteur ne doit pas y voir là un ouvrage de référence exhaustif, mais plutôt un cadre propice à l'acquisition de connaissances et à la mise en pratique des techniques de la construction de maison à ossature de bois et des principes de la maison saine.

Construction de maison à ossature de bois - Canada est fondé sur les dispositions de l'édition 1995 du Code national du bâtiment, sans toutefois s'y substituer. Nous suggérons fortement au lecteur de se reporter au code du bâtiment et aux normes correspondantes en vigueur dans son secteur pour obtenir une série complète d'exigences pertinentes.

La structure de *Construction de maison à ossature du bois - Canada* respecte la séquence des travaux de construction d'une maison type. Les chapitres sont fondés sur les principaux aspects de la construction de maison à ossature de bois et reflètent les pratiques types. On peut s'attendre à ce que les pratiques varient d'une région à l'autre du pays. Les auteurs du guide invitent les utilisateurs à consulter les services du bâtiment, les gens de métier et les fournisseurs de leur localité au moment de concevoir et de construire une maison.

Les utilisateurs du présent guide auraient avantage à parcourir son contenu avant d'approfondir un sujet en particulier. Nous les encourageons à commencer par le début et à progresser selon les étapes de la construction lors de la planification et de la conception d'une maison. Par contre, le lecteur qui ne veut obtenir que des informations précises pourra s'en remettre au chapitre correspondant. Les constructeurs et gens de métier expérimentés continueront, nous l'espérons, à considérer ce guide comme un compagnon pratique sur le chantier, qui compte maintenant de nouvelles caractéristiques utiles.

La Société canadienne d'hypothèques et de logement (SCHL) estime grandement les opinions et points de vue des lecteurs. Elle accueillera favorablement toute suggestion de contenu nouveau ou amélioré. Elle a tout mis en œuvre pour livrer de l'information juste, mais, le cas échéant, veuillez lui signaler tout renseignement inexact ou incomplet. Vous êtes priés de bien vouloir prendre le temps de contribuer à améliorer cet ouvrage. Veuillez, selon le cas, transmettre vos observations au :

Centre canadien de documentation sur l'habitation
700, chemin de Montréal
Ottawa (Ontario)
K1A 0P7

DU NOUVEAU

La présente édition de *Construction de maison à ossature de bois — Canada* comporte plusieurs nouvelles caractéristiques destinées à mieux faire saisir les aspects pratiques, environnementaux et techniques de la construction à ossature de bois.

Depuis la toute première édition, la tendance constante vers l'amélioration de l'efficacité énergétique et une plus grande sensibilisation du besoin d'élaborer et de construire des habitations plus écologiques s'est manifestée. Il est reconnu que ces concepts idéaux doivent être transposés dans la pratique dans le but d'en tirer un avantage réel. L'objectif principal de ces nouvelles caractéristiques consistent à relier les concepts idéaux à des questions d'ordre pratique pouvant s'intégrer aux techniques de construction. S'il y a lieu, des renvois à des renseignements plus approfondis sont indiqués.

Pour une maison saine...

La SCHL s'est engagée à livrer au secteur canadien de l'habitation de l'information fiable sur la technologie tout à fait adaptée aux gens et à l'environnement. Le présent ouvrage fait également état des aspects pratiques issus des activités de la SCHL en matière de maison saine.

Les encadrés *Pour une maison saine,* commodément identifiés dans tout l'ouvrage, se présentent dans le format reproduit ci-dessous.

POUR UNE MAISON SAINE...

Les encadrés **Pour une maison saine...,** présentés dans tout l'ouvrage, visent à permettre à l'utilisateur d'envisager et d'appliquer les éléments suivants de la maison saine à la construction de maison à ossature de bois.

➜ Santé des occupants

➜ Efficacité énergétique

➜ Utilisation efficace des ressources

➜ Responsabilité en matière d'environnement

➜ Abordabilité

Les encadrés Pour une maison saine... sont destinés à aider l'utilisateur à faire des choix qui ne portent pas préjudice à la santé des occupants de la maison ni à l'environnement. Ils traitent d'enjeux qui, sans avoir encore trouvé de place parmi les exigences des codes du bâtiment, passent pour paver la voie à la construction d'habitations écologiques.

Encadrés À prévoir... et Rappel

De précieux conseils pratiques indiquent comment s'y prendre pour éviter, lors du stade de la planification et de la conception, les embûches d'importance entre les aspects connexes de la construction de maison.

Les encadrés, dont le mode de présentation est illustré ci-après, donnent de plus amples renseignements sur la façon de s'en servir pour bien planifier et construire une habitation.

À PRÉVOIR

Ces encadrés tendent à relever d'importants facteurs risquant d'influer sur les étapes ultérieures de la construction et à présenter des options pour y donner suite.

Nous vous proposons de revoir tous les encadrés *À prévoir* au cours de l'étape conceptuelle de la maison. Il s'avère beaucoup plus facile, et en général moins coûteux, de régler les conflits sur papier que sur le chantier.

→ Une flèche du genre met en évidence les facteurs essentiels à considérer lors de la consultation des encadrés *À prévoir...*

Les encadrés *À prévoir...* renvoient aux notes *Rappel* dans le but de garantir que les aspects fondamentaux sont traités comme il se doit à chaque étape de la construction.

RAPPEL

Ces notes visent à faire ressortir certains aspects des premiers stades de la construction qui risquent de se répercuter sur l'étape en cours. Ils font d'ailleurs l'objet d'un renvoi aux encadrés *À prévoir...*

Au cas où un encadré *À prévoir...* aurait été sauté, les notes *Rappel* indiquent de façon utile la nécessité d'aplanir les difficultés pouvant survenir lors des étapes initiales de la planification et de la conception, avant d'amorcer la construction proprement dite.

→ Une flèche du genre désigne les points à revoir au moment de consulter les notes *Rappel.*

Les notes *Rappel* peuvent également servir à dresser une liste de contrôle concise lors de l'examen des plans dans le but d'éviter les problèmes de construction.

Exemples d'utilisation des tableaux de dimensionnement

Des exemples montrent comment dimensionner les éléments structuraux types d'une maison.

EXEMPLE DE TABLEAU DE DIMENSIONNEMENT

Les exemples illustrant comment exploiter les tableaux de dimensionnement de l'Annexe ont pour objet d'aider les utilisateurs dans leur propre domaine d'application. Ils se retrouvent dans les chapitres consacrés à la charpente proprement dite de la maison.

En consultant les exemples, le lecteur pourra extraire des tableaux les données correspondantes au moment de dimensionner les éléments de charpente de la maison. Il lui incombe de vérifier auprès de son service du bâtiment local l'à-propos du dimensionnement des éléments structuraux de base.

L'utilisateur qui rencontre une situation non couverte par l'un ou l'autre des tableaux est invité à consulter un concepteur de structure.

Unités anglaises et métriques

Cette édition de *Construction de maison à ossature de bois - Canada* renferme les unités anglaises et métriques. Le Code national du bâtiment du Canada est fondé sur les unités métriques, si bien qu'elles ont préséance lorsqu'une interprétation rigoureuse des exigences s'impose. Par contre, les unités anglaises dominent dans le secteur technologique de la construction à ossature de bois. C'est pourquoi les unités anglaises sont indiquées en premier, suivies des exigences proprement dites du Code exprimées en unités métriques.

Tout a été mis en œuvre pour arriver à convertir de façon exacte les unités métriques en équivalents anglais; il appartient toutefois au concepteur et au constructeur de se conformer aux exigences du code du bâtiment en vigueur dans leur territoire.

Note : Vérifier auprès du service du bâtiment municipal les unités de mesure requises pour les plans de maisons.

MAISON SAINE

La sensibilisation accrue à la relation existant entre la santé des gens, l'environnement et l'économie a donné naissance à la notion de maison saine au Canada. La construction de maison à ossature de bois prédomine toujours au sein du marché canadien, offrant de nombreuses possibilités d'explorer et d'intégrer les principes de la maison saine. En réalité, la construction de maison à ossature de bois représente plus que jamais un choix écologique responsable. Le bois constitue une ressource renouvelable qui, en étant bien gérée et bien exploitée, peut accentuer notre qualité de vie, préserver notre environnement et raffermir notre économie.

Les principes de la maison saine présentés tout au long de l'ouvrage ont pour but de mettre le lecteur au courant des nombreuses options à sa disposition lors des différentes étapes de la construction d'une maison – depuis l'implantation du bâtiment jusqu'aux stades des revêtements intérieurs de finition et de l'aménagement paysager. Avant de traiter de l'un ou l'autre de ces sujets précis, le guide donne un aperçu des principes de la maison saine.

La maison saine découle d'un travail de collaboration soutenu par la SCHL permettant aux recherchistes, à l'industrie de la construction et aux groupes intéressés de s'engager dans une exploration continue des techniques de conception et d'élaboration traduisant le souci de l'environnement et de l'économie. La maison saine repose sur les cinq principes fondamentaux suivants.

ÉLÉMENTS DE LA MAISON SAINE

Les principes de la maison saine font tous appel à des éléments connexes et à ce titre doivent donc être envisagés à l'étape conceptuelle, avant de mettre la maison en chantier. En effet, il est alors plus facile de reconsidérer

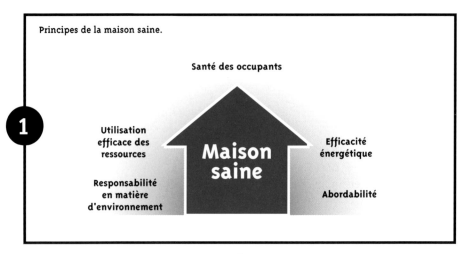

Principes de la maison saine.

Santé des occupants

Utilisation efficace des ressources

Responsabilité en matière d'environnement

Maison saine

Efficacité énergétique

Abordabilité

1

une décision et d'apporter les correctifs voulus. Intégrer ces éléments au cours de la construction revêt tout autant d'importance et fait toute la différence entre une idée saine et une maison saine.

Santé des occupants

Qualité de l'air intérieur. Réduire la quantité de contaminants des matériaux constitutifs du bâtiment (choix des matériaux) et éliminer les contaminants à la source, tout en comptant sur un apport d'air de l'extérieur (ventilation).

Qualité de l'eau. Choisir une source d'approvisionnement sûre en eau potable ou, à défaut, s'en remettre à un traitement domestique approprié pour extraire de l'eau les bactéries, les contaminants chimiques et le goût ou l'odeur désagréable.

Éclairage, insonorisation et radiations. Prévoir suffisamment de lumière du jour dans toute la maison, une bonne insonorisation contre les bruits de l'intérieur ou de l'extérieur, et éviter toute exposition aux champs électromagnétiques.

Efficacité énergétique

Performance thermique du bâtiment. Réduire la surface de l'enveloppe du bâtiment, améliorer l'isolation et l'étanchéité à l'air, et poser des fenêtres haute performance.

Énergie pour le chauffage, la climatisation et la ventilation. Choisir une source d'énergie domestique appropriée et se doter d'appareils à haute efficacité ayant la puissance tout indiquée.

Exploitation des énergies renouvelables. Orienter et fenêtrer le bâtiment de manière à profiter des gains solaires pendant les mois froids et à accentuer la ventilation naturelle et le refroidissement de la maison pendant les mois chauds.

Consommation d'électricité et demande de pointe. Faire usage de commandes destinées à éviter ou à réduire la consommation d'énergie électrique pendant les périodes de pointe, en général le matin et en début de soirée, et choisir des appareils électroménagers et d'éclairage efficaces.

Utilisation efficace des ressources

Énergie de production. Dans la mesure du possible, choisir des matériaux renouvelables, recyclés ou réutilisés et envisager les répercussions de la fabrication des matériaux sur l'environnement.

Gestion des déchets de construction. Faire un usage rationnel des matériaux dans le but de réduire les déchets, de favoriser leur réutilisation et enfin de recycler les déchets en matériaux utiles.

Eau. Installer des appareils sanitaires et accessoires de plomberie économiseurs d'eau à l'intérieur et planifier judicieusement l'aménagement paysager et le ruissellement naturel de l'eau en vue d'en réduire la consommation à l'extérieur.

Durabilité et longévité. Assurer la durabilité de l'ossature du bâtiment, de l'enveloppe thermique et des revêtements de finition.

Responsabilité en matière d'environnement

Émissions et sous-produits de la combustion. Choisir des matériaux tout indiqués fabriqués d'après des procédés de fabrication marquant le souci de l'environnement, et recourir à des appareils et à du matériel hautement efficaces, donnant lieu à peu d'émissions.

Eaux usées et eaux d'égout. Réduire la quantité d'eaux usées et d'eaux d'égout en économisant l'eau et compter sur une technique de traitement adaptée aux installations d'assainissement individuelles.

Planification communautaire et aménagement de terrain. Concevoir des collectivités viables bien situées pour réduire les dommages écologiques et mieux tirer parti du soleil et du vent.

Matériaux dangereux - Décharge et élimination. Éviter de recourir à des matériaux dangereux au cours de la construction et à la maison, en plus d'adopter le compostage et le recyclage.

Abordabilité

Abordabilité. Disponibilité de choix de logements convenables assortis à la fois d'un prix d'achat abordable et de faibles frais d'exploitation à long terme.

Viabilité de l'industrie de la construction. S'en remettre à des technologies simples mais efficaces, pouvant s'adapter à la vaste gamme de conditions climatiques ou de zones de marché du Canada et s'exporter à l'étranger.

Adaptabilité. Flexibilité du modèle et de la construction permettant de procéder à des rénovations efficientes et de s'en servir longtemps par la suite.

Commerciabilité. Satisfaire les véritables besoins des gens et tenir compte de l'évolution des tendances démographiques et des attentes des consommateurs à l'égard du logement.

CONSTRUCTION DE MAISON SAINE À OSSATURE DE BOIS

Il existe de nombreuses pratiques conformes aux principes de la maison saine à considérer avant de construire une maison. L'exposé précédent jette les bases de propositions, formulées à l'intérieur des chapitres, à suivre pour obtenir une maison saine. Le lecteur est invité à consulter le chapitre précédent intitulé *Mode d'emploi* pour s'orienter sur les façons de considérer et d'incorporer des solutions de rechange cadrant avec le concept de la maison saine dans la construction de sa propre demeure.

OUVRAGE DE RÉFÉRENCE

Matériaux de construction pour les personnes hypersensibles à l'environnement
Société canadienne d'hypothèques et de logement

À PRÉVOIR...

Les 4 R de la construction à ossature de bois

Bien des chapitres contiennent des encadrés *Pour une maison saine...* traitant de l'emploi approprié du bois dans le but de réduire les déchets et de faire un usage optimal de cette précieuse ressource. Ils sont présentés suivant une démarche que l'industrie de la construction désigne par les 4 R :

➜ **Revue** des méthodes et pratiques traditionnelles.

➜ **Réduction** de la production de déchets.

➜ **Réutilisation** des matériaux.

➜ **Recyclage** de ce qui était auparavant considéré comme des déchets.

Pour en savoir davantage sur la façon d'appliquer les 4 R de la construction à ossature de bois, veuillez consulter l'encadré *Pour une maison saine...* du chapitre intitulé **Ossature de la maison.**

CALENDRIER TYPE DE LA CONSTRUCTION D'UNE MAISON

En raison de la vaste gamme de styles et de tailles de maisons ainsi que des différences entre le constructeur professionnel et le bricoleur, il est difficile de dresser avec exactitude le calendrier type de la construction d'une maison. De nombreux facteurs interviennent, comme l'aménagement d'une seule maison ou de tout un lotissement, sans compter le temps, l'emplacement de même que la disponibilité de la main-d'œuvre et des matériaux.

Le calendrier type de la construction d'une maison décrit ci-après est fondé sur les techniques de construction à ossature de bois énoncées dans ce guide. Il présume que la construction d'une maison type de deux ou trois chambres est confiée à un constructeur moyen qui retient les services de sous-traitants. Il exclut cependant des aménagements spéciaux tels que solarium, piscine, garage individuel ou atelier. Avant d'entrer dans le vif du sujet, il serait intéressant de jeter un coup d'œil sur des statistiques du logement au Canada pour découvrir comment l'innovation en technologie de la construction à ossature de bois a raccourci le délai d'exécution des travaux.

La diminution constante du délai de construction dont fait foi la figure 2 s'explique largement par l'avènement des produits en panneaux (plaques de plâtre et contreplaqué), des éléments usinés (fermes de toit, blocs-fenêtres et armoires) ainsi que des tuyaux de plastique pour les besoins de plomberie sanitaire. Les outils

Statistiques canadiennes de la construction de maisons à ossature de bois.*

Année	1943	1956	1965	1975	1985	1995
Mises en chantier	59 900	115 420	155 128	180 952	180 000	110 993
Superficie moyenne	800 pi²	1 080 pi²	1 200 pi²	1 080 pi²	1 230 pi²	1 225 pi²**
Prix de vente moyen	5 500 $	13 000 $	17 400 $	35 500 $	80 500 $	103 000 $
Salaire horaire des charpentiers	1,05 $	2,30 $	3,46 $	8,30 $	18,37 $	26,20 $
Délai de construction minimal	30 semaines	20 semaines	10 semaines	9 semaines	8 semaines	8 semaines

2

* Ces statistiques proviennent de sources différentes. Elles témoignent certes de l'époque, mais ne sauraient aucunement être considérées comme définitives.
** Statistique fondée sur les données de 1990.

mécaniques et le matériel spécialisés ont également contribué à réduire les travaux manuels. Le passage de la construction d'une seule maison à des douzaines, voire des centaines à la fois, ne se reflète pas précisément dans ces statistiques, mais il se saurait aucunement être sous-estimé.

Ces statistiques ne s'appliquent pas directement à la construction type d'une maison individuelle dont il est ici question. Le lecteur est plutôt invité à s'en servir comme guide pour déterminer logiquement la période requise pour la construction d'une habitation. En général, 16 semaines suffisent du début jusqu'à la fin. Un bâtiment très grand ou exigeant beaucoup de soin de détail demandera peut-être 20 semaines ou davantage. Par contre, l'achèvement d'une petite habitation simple à réaliser pourrait n'exiger que de huit à dix semaines. Un tel délai ne tient évidemment pas compte du mauvais temps, des inspections, de la pénurie de matériaux, des articles ayant fait l'objet d'une commande spéciale ou encore des sous-traitants occupés ailleurs pendant la construction. La mise en chantier risque également d'accuser d'autres retards jusqu'à l'obtention du financement ou du permis de construire. La situation du constructeur de maisons individuelles qui jadis se livrait à son activité vers la fin du printemps, tout l'été et une partie de l'automne, n'a pas connu de grands bouleversements. Par la même occasion, les progrès réalisés dans le secteur du bâtiment ont fait de la construction une activité efficace à longueur d'année dans bien des régions du pays.

ÉTAPES DE LA CONSTRUCTION

La construction suit différentes étapes qui méritent d'être soigneusement planifiées, coordonnées et exécutées par le constructeur. Une brève description en est donnée à la suite de la séquence type des travaux de construction. Il faut prendre note que les chapitres qui suivent respectent cette séquence.

Plans, financement et permis

Il s'agit de l'étape précédant la construction. Le temps qu'il faut pour établir un jeu complet de plans, déterminer le coût estimatif de l'habitation, obtenir du financement, un permis de construire de même que toutes les autres approbations requises, varie énormément d'une région à l'autre du pays. Les dispositions en vue d'assurer l'accessibilité du chantier et l'alimentation électrique temporaire pourraient également être prises à ce stade-là. La figure 3 ne fait pas état de ces facteurs en raison de leur durée imprévisible, mais le calendrier d'exécution ne saurait en faire abstraction.

Implantation du bâtiment

La première étape de la construction correspond à l'implantation du bâtiment sur la propriété. Pour bien se conformer aux marges de recul qu'établissent les règlements municipaux par rapport aux limites de la propriété, peut-être faudra-t-il retenir les services d'un arpenteur-géomètre. Il est tout à fait essentiel de délimiter avec exactitude l'excavation en fonction de la profondeur et de la mise en

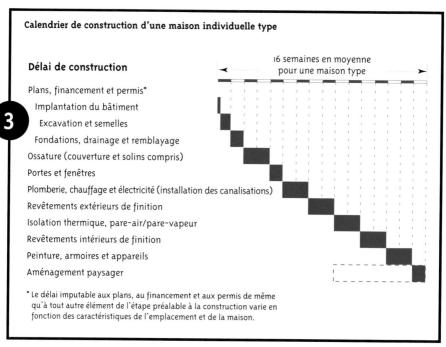

Calendrier de construction d'une maison individuelle type

Délai de construction

◄—— 16 semaines en moyenne pour une maison type ——►

Plans, financement et permis*
Implantation du bâtiment
Excavation et semelles
Fondations, drainage et remblayage
Ossature (couverture et solins compris)
Portes et fenêtres
Plomberie, chauffage et électricité (installation des canalisations)
Revêtements extérieurs de finition
Isolation thermique, pare-air/pare-vapeur
Revêtements intérieurs de finition
Peinture, armoires et appareils
Aménagement paysager

* Le délai imputable aux plans, au financement et aux permis de même qu'à tout autre élément de l'étape préalable à la construction varie en fonction des caractéristiques de l'emplacement et de la maison.

place des fondations. L'implantation s'exécute généralement en une journée pourvu qu'il ne faille pas établir les bornes de la propriété. Par contre, un aménagement qui tire parti du soleil et du vent, gère le ruisselle-ment des eaux et l'accumulation de neige tout en offrant une vue agréable exigera beaucoup plus d'effort.

Excavation et semelles

L'implantation du bâtiment terminée, l'excavation peut maintenant débuter. Souvent une seule journée suffit à condition de disposer du matériel correspondant et de pouvoir accéder à la zone à excaver. Creuser des tranchées pour enfouir les canalisa-tions des services, coffrer et couler les semelles, décoffrer les semelles, déterminer l'emplacement de la face extérieure des murs de fondation et des poteaux, et s'apprêter à exécuter

les fondations occuperont quelques autres journées.

Fondations, drainage et remblayage

La mise en place des fondations, comprenant la cure du béton et le décoffrage, demande plusieurs jours à un sous-traitant qualifié. La protection contre l'humidité, le drainage des fondations et le remblayage exigeront généralement une journée ou deux de plus. Des conditions exception-nelles dans des régions non viabilisées requerront parfois l'adoption de mesures supplémentaires pour assurer le drainage des fondations, comme l'aménagement d'un puisard, d'un fossé ou d'un puits perdu. Mettre de côté la terre végétale et la matière excavée se prêtant au remblayage évitera de devoir en importer ultérieurement. La couche granulaire et la dalle de plancher du sous-sol se mettront en place plus tard, après l'installation des canalisations de la plomberie du sous-sol.

Ossature

En général, un délai d'environ deux semaines permet d'achever l'ossature et de mettre en œuvre la couverture en vue d'assurer une protection contre les intempéries au cours des étapes subséquentes des travaux de construction, en présumant qu'une source de courant électrique temporaire permet d'utiliser les outils et le matériel. La cheminée et les escaliers réalisés sur place ou préfabriqués font habituellement partie des travaux de charpente. Les dispositions types prises avec les charpentiers sous-traitants varient d'une région à l'autre. Cette étape prendra une semaine si elle comporte également la pose des fenêtres et des portes extérieures. L'ossature des platelages s'effectue généralement à une étape ultérieure.

Portes et fenêtres

La pose des portes et fenêtres, qui se fait en général à l'achèvement des travaux de charpente, s'échelonne sur quelques jours, même une semaine. La pose complète comprend d'habitude les solins, les serrures et la quincaillerie connexe. Les pièces d'embrasure et les boiseries font généralement partie de la menuiserie de finition. L'entrepreneur chargé de la mise en œuvre de l'isolant thermique, du pare-air et du pare-vapeur s'occupe habituellement de parfaire l'étanchéité à l'air intérieure.

Canalisations de plomberie, de chauffage et d'électricité

Cette étape ne débute généralement pas avant que toute la charpente soit terminée. Les canalisations de plomberie partent de leurs points de raccordement aux services et se prolongent jusqu'à l'emplacement des appareils. On en profite généralement pour installer la baignoire et toute cabine de douche de taille importante, ainsi que le générateur de chaleur et le réseau de conduits ou de tuyaux, les conduits des ventilateurs d'extraction et le matériel de ventilation mécanique, dont le ventilateur récupérateur de chaleur (VRC). C'est à ce stade-ci que s'installent dans toute la maison les canalisations de l'installation électrique, des avertisseurs d'incendie, de la ligne téléphonique ou de transmission de données, ou de la cablôdistribution. Les travaux s'exécutent en l'espace d'environ deux semaines, sans toutefois s'étendre à des éléments tel le poêle à bois ou le foyer à feu ouvert.

Revêtements extérieurs de finition

Compte tenu du type retenu pour l'habitation, le revêtement extérieur de finition exige un délai d'une à deux semaines. S'il y a lieu, le pare-air extérieur se met généralement en œuvre à ce moment-là, mais il aurait pu tout aussi être mis en place au cours des travaux de charpente. La brique, le bardage et le stucco de même que les soffites, la bordure du toit, les gouttières, les descentes pluviales ainsi que le calfeutrage des portes et fenêtres s'exécutent en même temps que le revêtement extérieur de finition, lequel peut également s'étendre aux boiseries, aux menuiseries, à la peinture ou à la teinture extérieures.

Isolant thermique, pare-air et pare-vapeur

Les travaux qui s'inscrivent dans cette étape peuvent être exécutés au même moment que les revêtements extérieurs de finition, sous réserve que l'isolant thermique soit protégé de la pluie poussée par le vent. La mise en œuvre de l'isolant thermique ainsi que du pare-air et du pare-vapeur demande quelques jours lorsqu'elle comporte les détails d'exécution autour des points de pénétration, des appareils et des prises de courant.

Revêtements intérieurs de finition

Cette étape débute en général par la mise en place du revêtement de finition du plafond, des murs et du sol. La menuiserie de finition des portes intérieures, des bâtis et des boiseries, ainsi que les balustres et les mains courantes d'escaliers se posent tout de suite après avoir apprêté le plancher, le plafond ou les murs en vue de l'application de peinture ou de vernis. Les revêtements intérieurs de finition exigent un délai d'environ deux semaines, mais il pourrait être beaucoup plus long compte tenu des sortes de revêtements choisis.

Peinture, armoires et appareils

La peinture et le vernis s'appliquent au début de ce stade-ci. Les armoires et le dosseret en carreaux céramiques suivent ensuite. Pendant le déroulement des travaux, le plombier s'affaire

à raccorder les appareils sanitaires et l'électricien les circuits, les prises de courant, les interrupteurs, les appareils d'éclairage et les avertisseurs de fumée. Le branchement du générateur de chaleur, du chauffe-eau, de l'installation de ventilation mécanique, de la cuisinière et de la sécheuse s'effectuent à ce moment-là. L'entrepreneur de chauffage termine l'installation des grilles et registres du système à air pulsé, des radiateurs d'un système à eau chaude ou des plinthes électriques. Il arrive parfois qu'on en profite pour installer les appareils électroménagers tels que réfrigérateur, cuisinière, lave-vaisselle et sécheuse. Tous les corps de métier doivent vérifier que les appareils installés ont fait l'objet d'une inspection et fonctionnent sans anicroche, puis remettre au constructeur ou au propriétaire les modes d'emploi et garanties correspondants. La fin des travaux est marquée par un dernier nettoyage de l'habitation, étape nécessitant à peu près deux semaines.

Aménagement paysager

Cette dernière étape porte sur le nivellement définitif du sol, l'aménagement de la voie d'accès privée pour automobile, les marches, les allées, ainsi que la plantation d'arbres, d'arbustes et de couvre-sol. C'est le moment d'exécuter la terrasse et la clôture, la plomberie du système d'arrosage souterrain, le tout demandant environ une semaine. Évidemment la durée dépend de l'envergure de l'aménagement paysager et des particularités retenues, comme l'ajout d'une terrasse ou d'une piscine.

La figure 3 résume les étapes de la construction d'une maison, indiquant leur séquence et leur durée. Encore là, il ne s'agit que d'un guide. Il importe que le bricoleur ou le constructeur possédant peu d'expérience se renseigne sur la situation et les pratiques locales, en plus de se donner une marge de manœuvre de plusieurs semaines pour compenser les retards inévitables.

APPROBATIONS, PERMIS ET INSPECTIONS

Les approbations, les permis et les inspections reliés à la construction d'une maison constituent un processus passablement complexe pour le constructeur peu expérimenté ou bricoleur Qu'à cela ne tienne, les pratiques diffèrent d'une localité à l'autre. Quoi qu'il en soit, il importe de vérifier, avant d'aller de l'avant avec les plans et devis, que la propriété se trouve dans une zone résidentielle. À titre d'exemple, les propriétés situées dans des secteurs relevant d'un office de protection de la nature peuvent être assujetties à de nombreuses restrictions ou exigences en matière d'habitation. Ainsi certaines propriétés peuvent faire l'objet de règlements, conventions ou restrictions d'aménagement régissant les dimensions, l'emplacement et les revêtements de finition de la maison. Sans connaître au préalable les règlements de zonage et les directives environnementales pour la construction, il serait imprudent de passer à l'étape de la conception de la maison.

Les exigences concernant les plans, les permis et les inspections varient certes d'une région à l'autre du Canada, mais la plupart des municipalités se conforment aux énoncés fondamentaux du Code national du bâtiment du Canada à l'égard des plans. Ainsi, les plans doivent être faits à l'échelle et suffisamment détaillés pour permettre à l'examinateur de déterminer la conformité de la maison au Code. Les services du bâtiment indiqueront, pour la plupart, leurs préférences en matière de présentation des plans de maisons et les renseignements nécessaires pour obtenir un permis de construire. Des plans bien établis permettent également aux fournisseurs et aux sous-traitants de bien s'acquitter de leurs tâches. On se doit de confier à un concepteur compétent le soin de dresser un jeu complet de plans et devis, leur coût étant souvent plus que recouvré puisqu'ils évitent des suppléments et des difficultés imprévues.

La figure 4 illustre le processus des approbations, permis et inspections s'appliquant à une maison neuve. Le lecteur est invité à obtenir de son service municipal du bâtiment la liste complète des formules et méthodes à suivre. Dans certaines régions, peut-être faudra-t-il se plier à des exigences d'enregistrement et d'inspection supplémentaires prévues par le programme de garantie des maisons neuves. L'établissement du calendrier des inspections revêt beaucoup d'importance, puisqu'il permet d'éviter de longs retards. Il est conseillé de déterminer avec exactitude les travaux à effectuer avant de demander une inspection en parti-culier, et de s'enquérir du préavis requis. Ce point touche surtout les collectivités éloignées puisque l'ins-pecteur doit souvent parcourir une grande distance pour exercer son activité.

Les nombreux processus des approbations, permis et inspections en vigueur au Canada visent à assurer un niveau minimal de sécurité et de salubrité dans les maisons neuves. Bien saisir les exigences de la muni-cipalité et savoir prévoir empêcheront

Approbations, permis et inspections échelonnés des maisons neuves

AVANT LA CONSTRUCTION

- Approbation du zonage et approbation environnementale
- Plan d'implantation, épures et devis
- Permis de construire
  Permis de plomberie
  Permis de chauffage
  Permis de l'installation électrique
  Permis du service d'utilité public (gaz ou propane)
  Permis du service d'hygiène (puits et fosse septique)

PENDANT LA CONSTRUCTION

- Inspection de l'excavation et des semelles
- Inspection des égouts, des tuyaux de drainage, du service d'alimentation en eau et de la plomberie souterraine
- Inspection de l'installation électrique
- Inspection avant le remblayage
- Inspection des canalisations de plomberie, de chauffage et d'électricité
- Inspection de la charpente
- Inspection de l'isolation thermique et du pare-air/pare-vapeur
- Inspection préalable à l'occupation
- Inspection finale de la plomberie, du chauffage et de l'installation électrique

APRÈS LA CONSTRUCTION

- Inspection à l'achèvement des travaux (de l'intérieur et de l'extérieur)
- Certificat d'occupation

4

les formalités juridiques et administratives des travaux de construction de gêner la réalisation proprement dite de la maison. Les constructeurs et les sous-traitants pourront dès lors se concentrer sur la qualité de leur travail après que toutes les formalités pertinentes auront été bien remplies. Les chapitres suivants approfondissent ces étapes de la construction.

EMPLACEMENT ET EXCAVATION

DÉLIMITATION DE L'EXCAVATION

Avant de décider de l'emplacement exact de la maison, il importe de vérifier auprès de la municipalité ou du canton le recul et la marge latérale à respecter puisque ces exigences exer-

cent une influence déterminante sur l'implantation du bâtiment.

Il convient au préalable de toujours se faire confirmer par les entreprises de service public que les travaux d'excavation ne risquent pas de perturber les services enfouis, car le sectionnement de lignes téléphoniques, de conduites de gaz ou de

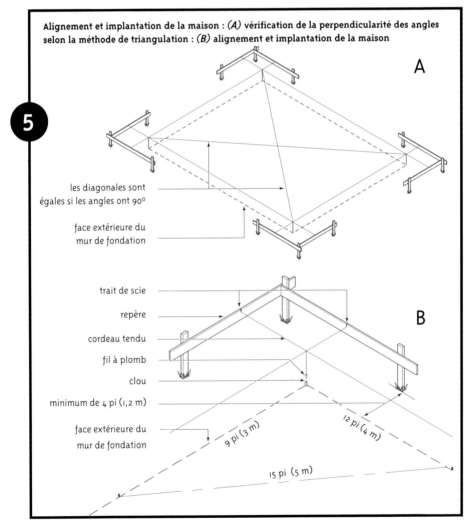

Alignement et implantation de la maison : (A) vérification de la perpendicularité des angles selon la méthode de triangulation : **(B)** alignement et implantation de la maison

A

5

les diagonales sont égales si les angles ont 90°

face extérieure du mur de fondation

trait de scie

repère

cordeau tendu

fil à plomb

clou

minimum de 4 pi (1,2 m)

face extérieure du mur de fondation

B

9 pi (3 m)

12 pi (4 m)

15 pi (5 m)

canalisations électriques pourrait s'avérer coûteux à réparer et occasionner des blessures corporelles.

Une fois le terrain dégagé, un arpenteur-géomètre établit le périmètre de la maison par rapport à l'emplacement exact des angles du terrain, en enfonçant avec précision de petits piquets marquant les coins de la maison et des clous en partie supérieure pour indiquer la face extérieure des murs de fondation.

Puisque ces piquets disparaîtront lors de l'excavation, il est de rigueur de compter sur d'autres jalons qu'on établit en prolongeant le tracé de la face extérieure des murs de fondation au-delà des coins déterminés et en fixant ces repères décalés à l'aide de piquets enfoncés dans le sol ou d'objets avoisinants permanents. Après l'excavation, ces piquets servent à constituer des repères (figure 5B). Les repères peuvent être dès lors mis en place pourvu que les fondations prennent une forme simple, que l'emplacement soit dégagé et l'excavation exécutée avec soin.

Les piquets délimitant l'excavation se trouvent généralement à entre 24 et 28 po (600 et 700 mm) au-delà des angles de la maison. La marge de manoeuvre facilite la manutention et le montage des coffrages, l'installation du tuyau de drainage, l'application de la protection contre l'humidité et la mise en œuvre de l'isolant extérieur, s'il y a lieu. On procédera à une excavation talutée lorsque la profondeur dépasse 4 pi (1,2 m) dans le but de stabiliser la pente et d'assurer la sécurité des travailleurs.

Par ailleurs, lorsque la forme des fondations diffère d'un simple rectan-

gle, l'excavation peut être délimitée autrement, soit en pulvérisant un trait de peinture fluorescente sur le sol.

DIMENSIONS DE L'EXCAVATION

Le plus souvent, le moyen le plus rapide et le moins coûteux de réaliser l'excavation consiste à recourir à un bouteur ou à une pelle mécanique. Au préalable cependant, toute la terre végétale doit être décapée et stockée pour réutilisation ultérieure. Le reste du sol excavé est habituellement transporté hors du terrain pour fins d'élimination, à moins qu'il puisse servir aux besoins de terrassement. La profondeur de l'excavation et, par conséquent, l'élévation des fondations est généralement fonction de l'élévation de la rue, des services d'alimentation en eau et d'égouts, de la configuration du terrain ainsi que du niveau définitif du sol autour de la maison. L'élévation des maisons avoisinantes et le tracé de drainage superficiel doivent également entrer en ligne de compte.

La hauteur libre du sous-sol et l'élévation du plancher au-dessus du niveau du sol influent également sur la profondeur de l'excavation. La hauteur libre du sous-sol doit correspondre tout au moins à 6 pi 5 po (1,95 m) sous les poutres ou solives, mais préférablement à 6 pi 7 po (2 m). Lorsque le sous-sol doit s'inscrire dans l'aire habitable, la hauteur libre doit équivaloir à 7 pi 7 po (2,3 m), soit la même hauteur que les autres pièces aménagées. L'élévation du rez-de-chaussée doit prévoir entre le niveau définitif du sol et le début du revêtement extérieur de finition (normalement l'arase des fondations) une distance minimale de 6 po (150 mm) pour la maçonnerie et le bardage métallique et 8 po (200 mm) pour le bardage en bois, en contreplaqué, en panneau de fibres dur et le stucco (figure 6), motivée par la volonté de réduire les dommages que causeraient la neige fondante ou les éclaboussures de pluie.

Parfois la profondeur de l'excavation sera dictée par la composition du sol. Peut-être devra-t-on creuser jusqu'à ce qu'un sol convenable soit atteint, ou agir autrement en raison de la proximité de la nappe phréatique ou d'un fond rocheux.

Le niveau du terrassement général autour de la maison doit se situer tout au moins à 4 po (100 mm) sous le niveau définitif du sol établi, de façon à tenir compte de la couche de terre végétale ou du revêtement en pavés.

La présence d'une couche granulaire sous la dalle de plancher du sous-sol motive à excaver en conséquence. Généralement, la profondeur est suffisante pour absorber l'épaisseur des semelles. Lorsque le sol s'asséchant bien autorise à recourir à une membrane de protection contre l'humidité sans déposer une couche granulaire en dessous, l'excavation s'arrête à l'élévation établie pour le dessus des semelles. Après coup, les semelles sont coffrées dans des tranchées suffisamment larges pour loger le tuyau de drainage à côté.

L'inclinaison du talus arrière est fonction de la composition du sol. Dans l'argile ou les autres sols stables, compte tenu de la profondeur de l'excavation, l'arrière peut prendre une

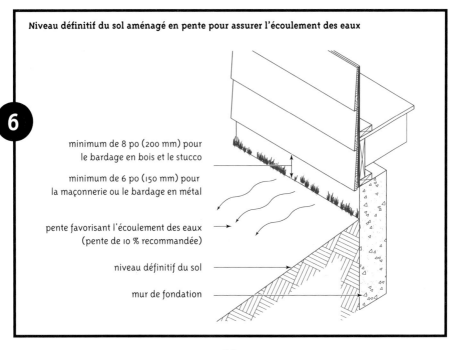

Niveau définitif du sol aménagé en pente pour assurer l'écoulement des eaux

6

minimum de 8 po (200 mm) pour le bardage en bois et le stucco

minimum de 6 po (150 mm) pour la maçonnerie ou le bardage en métal

pente favorisant l'écoulement des eaux (pente de 10 % recommandée)

niveau définitif du sol

mur de fondation

POUR UNE MAISON SAINE...

Orientation pensée en fonction du soleil, du vent et du ruissellement des eaux

Outre les exigences municipales régissant l'emplacement du bâtiment sur le lot, notamment le recul par rapport aux limites de la propriété, l'ensoleillement, les effets du vent et le ruissellement des eaux méritent considération. L'étude attentive de ces éléments protégera l'environnement, fera économiser l'énergie et favorisera l'aménagement d'une maison saine. Voici quelques points importants à retenir au moment de décider de l'emplacement et de l'orientation du bâtiment.

Ensoleillement

➜ Pour tirer parti du chauffage solaire passif, il est préférable d'orienter les fenêtres entre 15° sud-ouest et 20° sud-est. Penser à faire concevoir le plan et à orienter la maison pour profiter de l'énergie gratuite qu'offre le soleil.

➜ Les fenêtres haute performance d'aujourd'hui admettent de la lumière du jour et offrent une vue à profusion tout en économisant l'énergie et en favorisant le bien-être des occupants. L'exploitation du chauffage solaire passif est réalisable.

Direction des vents dominants

➜ Le vent assurera la ventilation naturelle par les fenêtres ouvrantes des façades au vent et sous le vent à condition d'être orientées selon la direction des vents dominants.

➜ Le nivellement du terrain et l'aménagement paysager bien exécutés réduiront l'effet des vents désagréables dans les aires d'agrément extérieures et la corvée du déneigement. Le bureau de météorologie local est en mesure de vous renseigner sur l'orientation des vents dominants au fil des saisons.

Assèchement du site et ruissellement des eaux

➜ Tenter de respecter le tracé naturel du ruissellement des eaux au moment d'assurer l'écoulement des eaux pluviales et de la neige fondante. Éviter d'implanter le bâtiment sur une dépression ou là où il s'opposerait au ruissellement naturel des eaux.

➜ Acheminer l'eau du toit et de la voie d'accès pour automobile vers des secteurs où elle pourra s'infiltrer dans le sol et réapprovisionner la nappe phréatique. Éviter de raccorder les descentes pluviales des gouttières au tuyau de drainage ou au puisard.

➜ Recueillir et stocker l'eau de pluie dans des barils ou dans une citerne en vue d'arroser le jardin ou le potager ou de laver les véhicules.

allure essentiellement verticale. Il faudra toutefois enlever, s'il y a lieu, le sable présent.

L'excavation ne doit assurément pas porter atteinte aux fondations des bâtiments avoisinants. Il faut toujours procéder avec soin lorsqu'on excave sous le niveau des semelles des bâtiments voisins. En pareilles circonstances, le service municipal du bâtiment devra être rejoint.

En hiver, l'excavation doit toujours faire l'objet de mesures de protection. Construire en sol gelé risque d'entraîner des ennuis coûteux et très difficiles à réparer.

IMPLANTATION DE LA MAISON

Au terme de l'excavation, l'étape suivante consiste à déterminer l'emplacement et l'élévation des semelles et des murs de fondation. La figure 7 montre un agencement pratique de repères à cette fin.

À partir de la face extérieure des murs de fondation déjà déterminée, on dispose trois piquets de longueur suffisante à chacun des angles à au moins 4 pi (1,2 m) des limites de l'excavation, puis on cloue les repères horizontalement, selon la figure 7, de sorte que leur dessus soit de niveau et à la même élévation. On tend ensuite

Mise en place des repères et établissement des angles en prévision de l'excavation

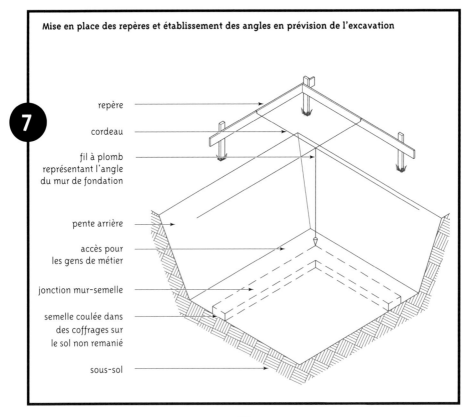

7

repère

cordeau

fil à plomb représentant l'angle du mur de fondation

pente arrière

accès pour les gens de métier

jonction mur-semelle

semelle coulée dans des coffrages sur le sol non remanié

sous-sol

un cordeau de menuisier en travers des repères opposés d'angles pris deux à deux, puis on lui fait suivre précisément la ligne de la face extérieure du mur de fondation, avant de pratiquer un trait de scie de 1/4 à 3/8 po (6 à 8 mm) de profondeur, ou d'enfoncer des clous à l'endroit où le cordeau croise les repères pour pouvoir être remis en position s'il était brisé ou déplacé. Après avoir pratiqué des entailles semblables dans tous les repères, on peut établir le périmètre des fondations de la maison.

Deux méthodes permettent de vérifier la perpendicularité des angles de la maison. La première consiste à mesurer les diagonales. Les diagonales de longueur égale attestent la perpendicularité des angles (figure 5A). La seconde méthode, dite de la triangulation, consiste à mesurer le long d'un côté de l'angle une distance en multiples de 12 po (300 mm) et le long du côté adjacent le même nombre en multiples de 16 po (400 mm). La diagonale, ou l'hypoténuse, comportera un nombre égal de multiples de 20 po (500 mm) si les angles sont d'équerre (figure 5B).

OUVRAGES DE RÉFÉRENCE

Glossaire des termes d'habitation
Société canadienne d'hypothèques et de logement
Code national du bâtiment - Canada 1995
Conseil national de recherches Canada

OUVRAGE DE BÉTON

Le béton, ordinaire ou armé, a différentes destinations dans la construction d'une maison : fondations, dalle de plancher du sous-sol et du garage.

BÉTON PRÊT À L'EMPLOI

Le béton prêt à l'emploi s'obtient presque partout. Au moment d'en commander pour les semelles, les murs de fondation et la dalle intérieure, il importe d'exiger une résistance minimale de 2 200 lb/po² (15 MPa). Le béton du plancher de garage ou de l'abri d'auto, du perron ou de la voie d'accès pour automobile doit avoir une résistance minimale de 3 600 lb/po² (25 MPa) et contenir entre 5 et 8 p. 100 d'air occlus. Le béton à air occlus se caractérise par de minuscules bulles d'air qui rendent le béton plus malléable et plus facile à mettre en place que le béton ordinaire, mais ce qui importe surtout, c'est qu'après avoir durci, il résiste beaucoup mieux au gel. Son emploi doit être envisagé pour tout ouvrage de béton extérieur et est recommandé pour d'autres destinations en vue d'augmenter la maniabilité et la durabilité. Dans les secteurs où le sol est susceptible de réagir en présence de sulfates, l'ajout d'adjuvants est recommandé pour protéger le béton.

MALAXAGE À PIED D'ŒUVRE

Il importe d'éviter d'ajouter de l'eau au béton pour faciliter sa mise en place, car l'addition d'eau réduit sa résistance, augmente sa perméabilité et le rend plus sensible au gel et au dégel. Pour obtenir encore plus d'ouvrabilité, il vaut mieux demander au fournisseur de béton d'en régler le dosage puisque le béton pourrait avoir besoin d'un plastifiant pour améliorer sa maniabilité et faciliter sa mise en place.

Lorsque le malaxage doit se faire à pied d'œuvre, l'eau et les granulats doivent être propres et exempts de matières organiques ou autres substances susceptibles de nuire à la qualité du béton. Les granulats doivent également avoir la bonne granulométrie.

L'entraîneur d'air doit être ajouté strictement selon les directives du fabricant car une trop forte quantité affaiblirait la résistance du béton. Il est recommandé de vérifier auprès du représentant du fabricant le dosage correspondant à une destination spécifique. Les entraîneurs d'air ne doivent s'utiliser que lorsque le béton est préparé dans un malaxeur motorisé.

Le béton des semelles et des murs de fondation ne doit pas comporter plus de 4,4 gallons (20 L) d'eau par quantité de ciment de 88 lb (40 kg) et celui de tout autre ouvrage, pas plus de 4 gallons (18 L) d'eau par quantité de 88 lb (40 kg) de ciment. Ces quantités sont fondées sur la teneur moyenne en eau des granulats.

Le dosage des granulats fins et gros, du ciment et de l'eau, doit être réglé de façon à produire un mélange qui se place bien dans les angles, sans ségrégation des constituants ni ressuage d'eau à la surface du béton. Les proportions mentionnées au tableau 2 sont généralement jugées satisfaisantes. Les dosages doivent contenir des granulats d'une grosseur d'au plus le cinquième de la distance entre les parois des coffrages verticaux et du tiers de l'épaisseur de l'ouvrage horizontal. L'affaissement du béton dosé selon le tableau 2 ne doit pas dépasser 6 po (150 mm) dans le cas des semelles et murs de fondation, et 4 po (100 mm) dans le cas des dalles sur sol.

MISE EN PLACE DU BÉTON

Le béton doit, dans la mesure du possible, être placé dans les coffrages en couches successives d'au plus 12 à 18 po (300 à 450 mm) d'épaisseur, sans tomber d'une hauteur supérieure à 5 pi (1,5 m) au risque d'entraîner la ségrégation des constituants. Au-delà de cette hauteur, la mise en œuvre doit faire appel à des tuyaux verticaux appropriés. Des chariots, brouettes ou goulottes sont de mise pour transporter le béton devant l'impossibilité de la bétonnière de s'approcher à un point quelconque des coffrages. Les goulottes doivent être fabriquées ou chemisées de métal, avoir le fond arrondi et présenter une pente de 1 : 2 à 1 : 3.

Le béton ne doit pas être déposé à un seul endroit, mais bien être étalé et nivelé à la pelle ou au râteau. Le serrage du béton peut se faire à l'aide de vibrateurs, mais non pour faciliter sa mise en place. Le béton peut également se mettre en place à l'aide d'une pompe, à condition de se prêter à cette destination.

S'il faut interrompre le bétonnage, la surface du béton mis en place doit être nivelée, et on doit lui laisser le temps de prendre suffisamment avant de la strier pour mieux la faire adhérer à la couche suivante. À la reprise du bétonnage, il convient de nettoyer et d'humecter la surface avant de la recouvrir d'une couche de coulis de 1/2 po (12 mm) constituée de 1 partie de ciment pour 2 parties de sable tout juste avant la prochaine couche de béton.

Le serrage uniforme du béton, au cours de sa mise en place, se fait à la main (dame ou pilon) ou de préférence avec un vibrateur.

Lorsque la température ambiante enregistre 5°C ou moins, ou qu'elle pourrait chuter à ce degré dans les 24 heures, le bétonnage doit, autant que possible, être reporté, mais si les travaux se poursuivent, le béton doit être tenu à une température se situant entre 50°F (10°C) et 77°F (25°C) pendant le malaxage et la mise en place et à une température minimale de 50°F (10°C) pendant 72 heures lors de sa cure. Pour ce faire, peut-être faudra-t-il chauffer l'eau de gâchage. Il faut se garder de placer du béton contre le sol gelé, et retirer des coffrages, le cas échéant, l'accumulation de glace ou de neige.

CURE DU BÉTON

La cure consiste à protéger le béton contre la perte d'humidité et à l'empêcher de sécher et de diminuer de volume plusieurs jours après sa mise en place. La fissuration des murs et du plancher de béton s'explique souvent par le manque d'attention porté à la cure. Il importe donc de faire subir au béton la cure appropriée pour assurer la résistance, l'étanchéité à l'air et la durabilité voulues. Pour favoriser la cure, les coffrages doivent rester en place aussi longtemps que possible, de préférence trois jours.

La cure des murs doit se poursuivre après le décoffrage pendant au moins une journée si la température du béton est maintenue au-dessus de 70°F (21°C) et pendant trois autres jours si elle est maintenue entre 50°F (10°C) et 70°F (21°C).

Un excellent moyen de poursuivre la cure consiste à disposer un tuyau d'arrosage perforé au sommet du mur et à laisser couler l'eau le long de ses parois. Lorsque la cure à l'eau est impraticable (par temps froid), la pulvérisation d'agents de cure préviendra l'évaporation. Si un produit d'imperméabilisation est appliqué sur le mur, il n'est plus nécessaire de poursuivre la cure de cette face.

Par temps chaud, le béton doit être protégé contre un assèchement rapide. Par temps chaud et sec, les coffrages en bois doivent être aspergés d'eau pour prévenir l'assèchement excessif du béton.

Par temps de gel, on peut protéger le béton frais à l'aide d'une épaisse couche de paille ou d'un matériau isolant. Il faudra peut-être, en outre, construire un abri et le chauffer à l'aide d'un générateur à combustible de façon à maintenir la température tout indiqué pendant la cure.

Quant à la dalle sur sol, on peut la recouvrir de toiles de jute maintenues continuellement humides ou de feuilles de polyéthylène pour obvier à toute perte d'humidité. Si le béton n'a pas bénéficié d'une cure d'environ une semaine, la surface de la dalle pourra présenter des traces inesthétiques de retrait, de fissuration ou d'affaiblissement quelconque.

La cure appropriée du béton constitue une étape importante de la construction à suivre pour éviter des ennuis coûteux.

OUVRAGES DE RÉFÉRENCE

Travaux de béton pour maisons et petits bâtiments
Association canadienne de normalisation

Comment éviter les problèmes avec le béton (vidéo)
Société canadienne d'hypothèques et de logement

SEMELLES, FONDATIONS ET DALLE

SEMELLES

Les semelles reçoivent les charges de la maison par l'intermédiaire des poteaux ou des murs de fondation et les transmettent au sol. Le type et les dimensions des semelles doivent se prêter à la composition du sol et être à une profondeur les mettant à l'abri de l'effet du gel. L'effet du gel sera évité par le drainage efficace autour des fondations dans le but d'éloigner l'eau du bâtiment. Dans certains cas, l'isolant thermique peut servir à protéger les fondations superficielles de l'effet du gel, mais cette technique exige d'en confier la conception à un expert en la matière.

La distance séparant la base des semelles et le niveau définitif du sol ne doit en général pas être inférieure à la profondeur de pénétration du gel. Le tableau 3 indique la profondeur minimale des fondations selon diverses conditions de sol. Si le terrain a été remblayé, les fondations doivent se prolonger au-delà du remblai jusqu'au sol non remanié ou être conçues en fonction du remblai.

Semelles filantes

Les dimensions des semelles filantes doivent correspondre aux exigences du code du bâtiment. Le tableau 4 les indique pour un sol moyennement stable. Par contre, si la distance de la nappe phréatique par rapport à la surface portante est égale à la largeur des semelles, les dimensions des semelles indiquées au tableau 4 devront être doublées. Le béton des semelles devra être coulé dans des

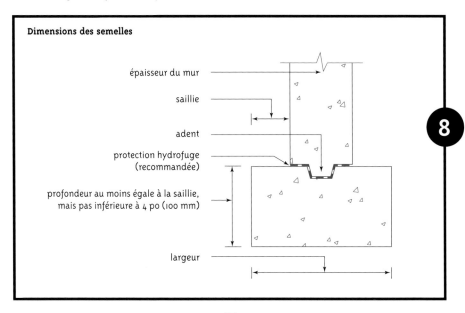

Dimensions des semelles

épaisseur du mur

saillie

adent

protection hydrofuge (recommandée)

profondeur au moins égale à la saillie, mais pas inférieure à 4 po (100 mm)

largeur

8

coffrages à moins que la nature du sol et les règles de conception autorisent à creuser des tranchées nettes.

Les semelles doivent faire saillie d'au moins 4 po (100 mm) de part et d'autre du mur; par contre, l'épaisseur des semelles non armées ne saurait être inférieure à la saillie sur le mur. Les semelles ne doivent jamais avoir moins de 4 po (100 mm) d'épaisseur (figure 8). Si la capacité portante du sol est plutôt faible, peut-être faudra-t-il prévoir des semelles armées encore plus larges. Les agents du bâtiment de la municipalité sont bien souvent en mesure de fournir de précieux conseils en ce sens.

Pratiquer un adent sur le dessus des semelles filantes constitue une excellente façon de permettre au mur de fondation de résister aux poussées latérales des terres.

L'excavation inégale des semelles ou trop profonde à certains endroits peut être compensée par un radier en matériau granulaire compacté qui nivelle le fond. La matière excavée ne doit cependant pas servir de base.

Les tranchées des canalisations passant directement sous les semelles doivent être remplies de béton.

Semelles en bois

Pour les fondations en bois traité, les semelles filantes en bois s'avèrent généralement plus pratiques et plus économiques que les semelles en béton. Les semelles en bois et la couche de drainage granulaire concourent à répartir les charges du bâtiment sur le sol non remanié. La brochure *Les fondations en bois traité* du Conseil canadien du bois renseigne sur les dimensions des semelles intérieures et extérieures et sur les techniques de construction.

Semelles isolées sous poteaux

Les semelles isolées (figures 9 et 10) doivent être disposées de manière à

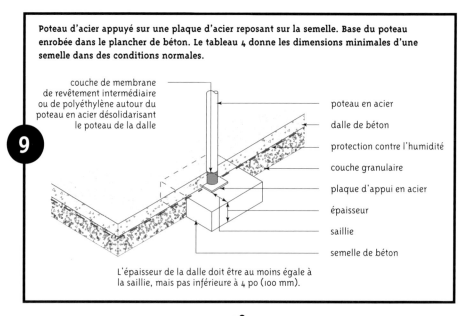

Poteau d'acier appuyé sur une plaque d'acier reposant sur la semelle. Base du poteau enrobée dans le plancher de béton. Le tableau 4 donne les dimensions minimales d'une semelle dans des conditions normales.

couche de membrane de revêtement intermédiaire ou de polyéthylène autour du poteau en acier désolidarisant le poteau de la dalle

9

poteau en acier

dalle de béton

protection contre l'humidité

couche granulaire

plaque d'appui en acier

épaisseur

saillie

semelle de béton

L'épaisseur de la dalle doit être au moins égale à la saillie, mais pas inférieure à 4 po (100 mm).

permettre de centrer les poteaux qu'elles soutiennent. Leurs dimensions varient en fonction de la pression admissible du sol et de la charge à supporter. Dans un sol moyennement stable, on utilise généralement des semelles de 4,3 pi² (0,4 m²) (environ 25 x 25 po) (640 x 640 mm) pour une maison de un étage et de 8 pi² (0,75 m²) (34 x 34 po) (870 x 870 mm) pour une maison de deux étages. Les semelles isolées non armées doivent avoir une épaisseur minimale de 4 po (100 mm), mais en aucun cas inférieure à l'empattement mesuré depuis le chant de la plaque d'appui jusqu'au chant de la semelle. La mise en place des semelles pour foyers et cheminées s'effectue en même temps que les autres semelles

Semelles en gradins

Un terrain très incliné ou un sol instable peut requérir des semelles en gradins, tout comme pour une maison à mi-étages. La partie verticale du gradin doit être coulée en même temps que la semelle. Chacun des gradins repose toujours sur le sol non remanié ou un remblai granulaire compacté et présente un parcours horizontal de niveau.

Les raccordements verticaux entre les semelles doivent être en béton d'au moins 6 po (150 mm) d'épaisseur et de la même largeur que les semelles (figure 11). Pour les pentes raides, plusieurs gradins pourraient s'imposer. Sauf sur le roc, la distance verticale séparant les gradins successifs ne doit pas dépasser 24 po (600 mm) et la distance horizontale entre les gradins ne doit pas être inférieure à 24 po (600 mm). Dans le sable ou le gravier, une distance verticale entre les gradins d'au plus 16 po (400 mm) est recommandée. Pour les pentes très abruptes où le respect de ces exigences se révèle impossible, il faudra recourir à des semelles spéciales.

Poteau de bois reposant sur une semelle de béton, une feuille de polyéthylène isolant le bois du béton. La base du poteau peut être imbibée d'un produit de préservation en guise de protection supplémentaire contre l'humidité.

poteau en bois

plancher de béton

10

protection contre l'humidité

couche granulaire

feuille de polyéthylène autour du poteau en bois

épaisseur

saillie

semelle de béton

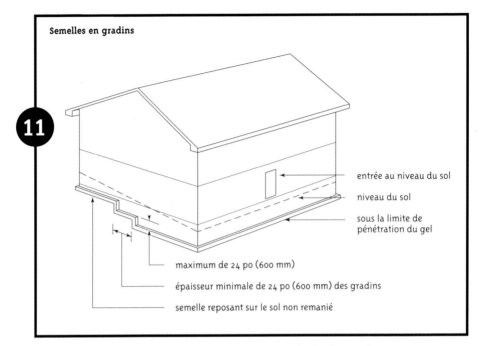

Semelles en gradins

11

entrée au niveau du sol

niveau du sol

sous la limite de
pénétration du gel

maximum de 24 po (600 mm)

épaisseur minimale de 24 po (600 mm) des gradins

semelle reposant sur le sol non remanié

FONDATIONS

Les fondations supportent le plancher, les murs, le toit et les autres charges de la maison (y compris la surcharge de neige et les occupants) et les transmettent aux semelles filantes. Les trois matériaux couramment utilisés sont le béton coulé sur place, les blocs de béton et le bois traité. Les fondations en béton préfabriqué ou en acier existent également.

L'épaisseur des murs de fondation en béton ou en blocs de béton varie de 6 à 12 po (150 à 300 mm) compte tenu de leur profondeur sous le niveau du sol et de l'appui latéral assuré par la charpente du plancher. Le tableau 1 indique l'épaisseur minimale des murs de fondation en béton coulé ou en blocs de béton, en sols stables.

En présence de sols instables, les murs de fondation doivent respecter les techniques éprouvées dans la localité ou être conçus expressément par un ingénieur.

Coffrages des fondations

Une couche de pierre concassée ou de gros granulats disposée au pourtour et en dessous de la dalle de sous-sol assure le drainage et dissipe, le cas échéant, la concentration de radon. Il est avantageux d'étendre d'avance la couche de pierre concassée autour des semelles de manière à présenter une surface de travail propre et sèche.

Les coffrages des murs doivent être ajustés à joints serrés, bien étayés et attachés pour résister à la pression du béton. Les coffrages réutilisables, fabriqués de contreplaqué ou d'acier, font appel à des tirants d'acier pour retenir ensemble les deux parois (figure 12). Pour le décoffrage, les extrémités des tirants sont rompues après la prise du béton. Faute de pouvoir se procurer de tels coffrages, on pourra toujours en construire avec du bois de construction (bouveté ou feuilluré) ou du contreplaqué et les renforcer par des éléments appropriés. On pourra les fabriquer en pans avant de les élever en position verticale.

Des pièces d'acier servant à la fois de tirants et d'espaceurs s'utilisent généralement pour consolider les coffrages et maintenir l'écartement voulu. En cas d'usage de tirants en fil d'acier, on fixe entre les parois des coffrages des entretoises en bois dont la longueur est égale à l'épaisseur définitive du mur. Ces entretoises en bois ne doivent pas être laissées dans le béton. Les tirants en fil d'acier

Coffrages et tirants

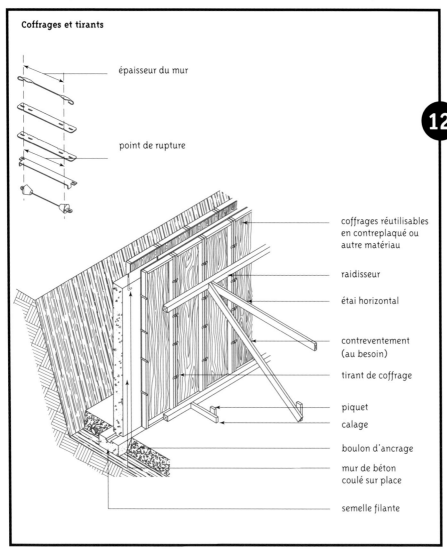

épaisseur du mur

point de rupture

12

coffrages réutilisables en contreplaqué ou autre matériau

raidisseur

étai horizontal

contreventement (au besoin)

tirant de coffrage

piquet

calage

boulon d'ancrage

mur de béton coulé sur place

semelle filante

maintiennent les coffrages solidement contre les entretoises. On pourra indiquer sur les coffrages, à l'aide de clous, de bandes indicatrices ou d'une ligne tracée au cordeau, jusqu'à quelle hauteur couler le béton.

De nouveaux coffrages isolants ont fait leur apparition sur le marché canadien. Ils éliminent l'opération de décoffrage et, dans certaines situations, procurent des avantages incontestables.

Les bâtis des fenêtres, portes et autres ouvertures du sous-sol, ainsi que les caissons destinés à loger les extrémités des poutres du plancher, se mettent en place lors du montage des coffrages. Des éléments de charpente et des renforts visent à tenir les coffrages à la verticale et en place jusqu'à la prise du béton (figure 13). Il importe de vérifier l'équerrage des bâtis en mesurant leurs diagonales.

Si les poutres en bois se trouvant au niveau ou sous le niveau du sol n'ont pas reçu de traitement de préservation, leur logement doit prévoir un dégagement frontal et latéral de 1/2 po (12 mm) pour favoriser la circulation de l'air (figure 14). Cette exigence ne vaut évidemment pas pour les poutres en acier.

Lorsqu'une cheminée en maçonnerie doit être incorporée dans un mur extérieur, c'est précisément à ce stade-ci qu'il faut en tenir compte.

Les coffrages doivent rester en place tant que le béton n'a pas acquis suffisamment de résistance pour pouvoir supporter les charges

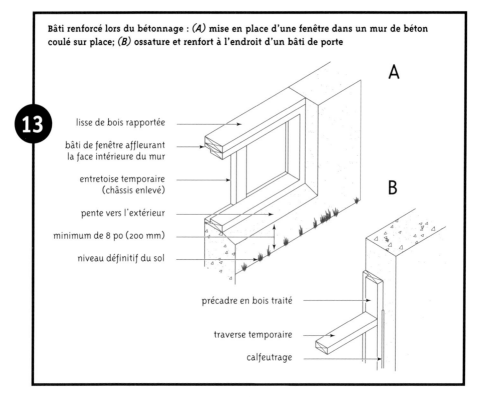

Bâti renforcé lors du bétonnage : *(A)* mise en place d'une fenêtre dans un mur de béton coulé sur place; *(B)* ossature et renfort à l'endroit d'un bâti de porte

13

A

lisse de bois rapportée

bâti de fenêtre affleurant la face intérieure du mur

entretoise temporaire (châssis enlevé)

pente vers l'extérieur

minimum de 8 po (200 mm)

niveau définitif du sol

B

précadre en bois traité

traverse temporaire

calfeutrage

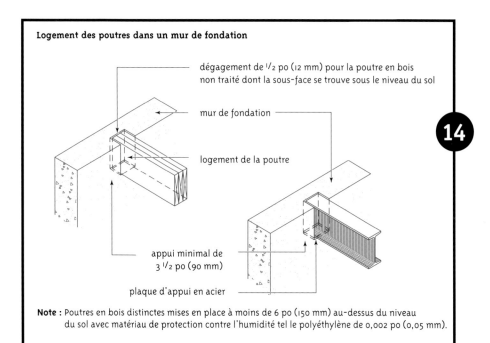

Logement des poutres dans un mur de fondation

dégagement de 1/2 po (12 mm) pour la poutre en bois non traité dont la sous-face se trouve sous le niveau du sol

mur de fondation

14

logement de la poutre

appui minimal de 3 1/2 po (90 mm)

plaque d'appui en acier

Note : Poutres en bois distinctes mises en place à moins de 6 po (150 mm) au-dessus du niveau du sol avec matériau de protection contre l'humidité tel le polyéthylène de 0,002 po (0,05 mm).

attribuables aux premiers travaux de construction. Il convient d'attendre au moins deux jours, de préférence une semaine, surtout par temps froid.

Après le décoffrage, trous et dépressions laissés par les tirants doivent être comblés au moyen de mortier de ciment ou d'un matériau de protection contre l'humidité.

Murs de fondation en béton coulé sur place

Le béton doit certes être mis en œuvre sans interruption, mais également être soumis à l'effet de pilons ou de vibrateurs qui en retireront les poches d'air et permettront de l'amener sous les bâtis de fenêtres et autres éléments encastrés.

Les boulons d'ancrage de la lisse d'assise doivent être placés pendant que le béton est encore plastique. Il s'agit généralement de boulons de 1/2 po (12,7 mm) espacés d'au plus 8 pi (2,4 m) (figure 15). L'extrémité de chaque boulon d'ancrage doit être encastrée d'au moins 4 po (100 mm) dans le mur de fondation et repliée ou déformée pour résister à l'arrachement. On prendra le soin de s'assurer que les boulons sont exempts d'huile et que le béton a durci de façon à réduire les effets du retrait.

Joints de retrait

Des fissures aléatoires risquent de se manifester dans les murs et la dalle de béton. Or, l'emploi de barres d'armature ou de joints de retrait verticaux bien placés et réalisés permettra de les éviter, sinon de les réduire (figures 16 et 17). Les joints de retrait s'exécutent en clouant des tasseaux de bois d'environ 3/4 po (20 mm) d'épaisseur, biseautés de 3/4 à 1/2 po (20 à 12 mm) aux parois internes des coffrages. Les rainures ainsi obtenues permettent de déterminer à l'avance l'emplacement probable des fissures attribuables au retrait du béton. On doit prévoir des joints de retrait dans les murs de plus de 82 pi (25 m) de longueur. Comme les murs plus courts sont également sujets à fissurer, il est recommandé d'en pratiquer.

Les joints de retrait doivent d'abord se pratiquer dans les plans de faiblesse naturels comme les baies de fenêtres et de portes, ainsi qu'à moins de 10 pi (3 m) des angles et de 20 pi (6 m) les uns des autres. Ils doivent être pratiqués le long des côtés des baies de fenêtres et de portes, le cas échéant. Au décoffrage, les rainures formées par les tasseaux devront être remplies d'un produit de calfeutrage de qualité (figure 17). Le matériau de protection contre l'humidité appliqué après le calfeutrage doit être compatible avec lui. À cet effet, on sera bien avisé de consulter son fournisseur au sujet de la compatibilité des matériaux de calfeutrage.

Murs de fondation en blocs de béton

Les blocs de béton existent en tailles et formes diverses, mais les plus courants sont fabriqués en dimensions modulaires de 8 po (200 mm) de hauteur, 16 po (400 mm) de longueur et 6, 8, 10 ou 12 po (150, 200, 250 ou 300 mm) de largeur. Les dimensions réelles sont de 3/8 po (10 mm) inférieures aux dimensions nominales afin de tenir compte de l'épaisseur du joint.

Les assises de blocs partent des semelles filantes, reposant sur un lit de mortier de 3/8 à 1/2 po (10 à 12 mm). Les joints n'auront pas plus de 3/4 po (20 mm) d'épaisseur, mais seront lissés pour mieux résister à l'infiltration d'eau. La première assise doit reposer sur un plein lit de mortier et les joints d'extrémité être bien remplis.

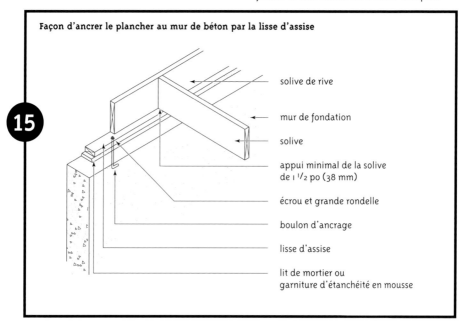

Façon d'ancrer le plancher au mur de béton par la lisse d'assise

15

solive de rive

mur de fondation

solive

appui minimal de la solive de 1 1/2 po (38 mm)

écrou et grande rondelle

boulon d'ancrage

lisse d'assise

lit de mortier ou garniture d'étanchéité en mousse

Diverses combinaisons de joints de désolidarisation entre la dalle et la semelle ou entre la dalle et le mur peuvent être employées conjointement.

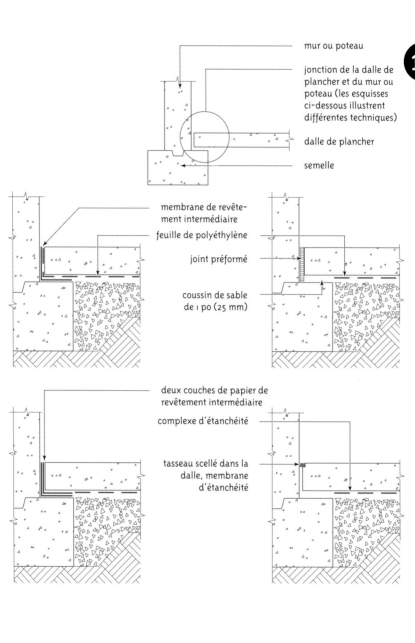

mur ou poteau

jonction de la dalle de plancher et du mur ou poteau (les esquisses ci-dessous illustrent différentes techniques)

dalle de plancher

semelle

16

membrane de revête-ment intermédiaire

feuille de polyéthylène

joint préformé

coussin de sable de 1 po (25 mm)

deux couches de papier de revêtement intermédiaire

complexe d'étanchéité

tasseau scellé dans la dalle, membrane d'étanchéité

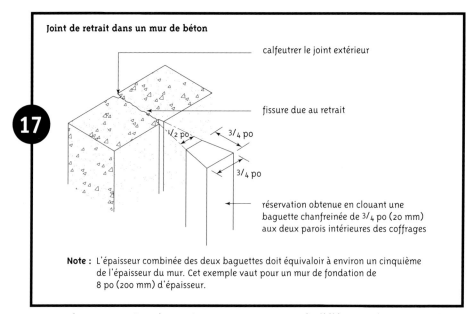

Joint de retrait dans un mur de béton

calfeutrer le joint extérieur

fissure due au retrait

$^1/_2$ po

$^3/_4$ po

$^3/_4$ po

réservation obtenue en clouant une baguette chanfreinée de $^3/_4$ po (20 mm) aux deux parois intérieures des coffrages

Note : L'épaisseur combinée des deux baguettes doit équivaloir à environ un cinquième de l'épaisseur du mur. Cet exemple vaut pour un mur de fondation de 8 po (200 mm) d'épaisseur.

Dans les autres assises, le mortier peut n'être appliqué qu'aux surfaces de contact des blocs. Lorsque le code du bâtiment exige de recourir à des pilastres (saillies formant poteaux) pour renforcer un mur ou soutenir une poutre, ces derniers doivent être placés à une hauteur leur permettant de bien supporter les poutres, s'il le faut. En pareille situation, ils devront souvent se trouver à une hauteur inférieure à l'arase des fondations.

Des blocs de béton spéciaux, tels les blocs universels, les blocs angulaires et les blocs de jambage, encadrent les baies de portes et de fenêtres de sous-sol. Par exemple, les blocs de jambage (figure 18) comportent une feuillure dans laquelle les bâtis se posent, améliorant ainsi la rigidité et l'étanchéité à l'air. On devra s'en remettre à des détails d'exécution semblables vis-à-vis l'appui et le linteau en vue d'obtenir le même effet.

Les murs en blocs doivent être couronnés d'éléments de maçonnerie pleins ou de béton massif de 2 po (50 mm), ou encore d'une assise de blocs remplis de mortier. En revanche, là où l'action des termites n'est pas à craindre, un madrier de bois de 2 po (38 mm) d'épaisseur et de même largeur que le mur pourra jouer le même rôle. Au niveau du sol, il faut faire obstacle aux courants de convection thermique dans les alvéoles des murs en éléments de maçonnerie creux en intercalant une feuille de polyéthylène entre les deux assises supérieures, en remplissant la dernière assise de mortier ou en faisant usage d'éléments de maçonnerie massifs.

Quoi qu'il en soit, le bardage doit recouvrir le mur de fondation d'au moins $^1/_2$ po (12 mm) pour que l'eau ne puisse pas atteindre l'arase des fondations. Les pilastres supportant des poutres seront couronnés d'éléments de maçonnerie pleins de 8 po (200 mm).

36

Blocs de béton pour fondations

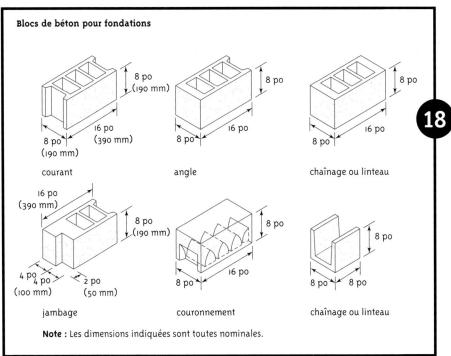

courant   angle   chaînage ou linteau

jambage   couronnement   chaînage ou linteau

Note : Les dimensions indiquées sont toutes nominales.

Mur en blocs de béton

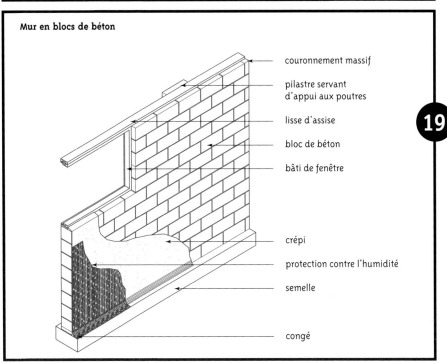

- couronnement massif
- pilastre servant d'appui aux poutres
- lisse d'assise
- bloc de béton
- bâti de fenêtre
- crépi
- protection contre l'humidité
- semelle
- congé

À PRÉVOIR...

Épaisseur minimale des murs de fondation devant supporter un mur extérieur isolé avec placage de maçonnerie

Pour déterminer l'épaisseur minimale des murs de fondation requise d'après le tableau 1 de l'annexe, il importe de prendre en considération :

➜ la charpente des murs extérieurs;

➜ l'épaisseur des matériaux isolants;

➜ la largeur de la lame d'air;

➜ l'épaisseur du placage de maçonnerie (brique ou pierre).

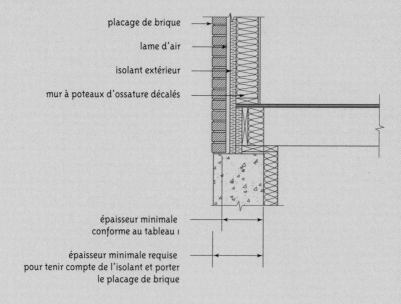

placage de brique
lame d'air
isolant extérieur
mur à poteaux d'ossature décalés
épaisseur minimale conforme au tableau ı
épaisseur minimale requise pour tenir compte de l'isolant et porter le placage de brique

Passer en revue les options et détails d'exécution au chapitre **Ossature murale**. Vérifier les chapitres intitulés **Revêtements muraux intermédiaires et revêtements extérieurs de finition** et **Isolation thermique** au moment de calculer l'épaisseur requise des murs de fondation devant supporter un placage de maçonnerie.

À PRÉVOIR

Ancrage de la lisse d'assise des fondations en béton ou en maçonnerie

Avant de couler les fondations en béton ou d'exécuter les dernières assises des fondations en éléments de maçonnerie, il est essentiel de déterminer le mode d'ancrage et d'appui des solives du plancher. La figure ci-après illustre les deux moyens les plus courants. En cas de recours à une lisse d'assise, sa position sur l'arase du mur doit être connue de façon à disposer les boulons d'ancrage dans son axe. Se référer au chapitre **Charpente du plancher** pour obtenir des précisions sur l'emploi et la mise en place des boulons d'ancrage.

Options d'ancrage et d'appui des solives de plancher

les solives de plancher se clouent à la lisse d'assise ancrée au mur de fondation en béton ou en maçonnerie

les solives de plancher s'encastrent en partie supérieure du mur de fondation en béton ou en maçonnerie

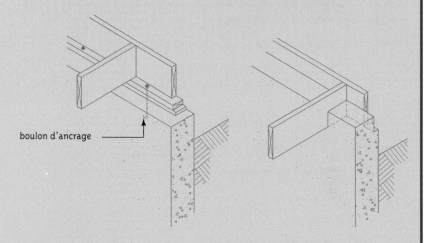

boulon d'ancrage

➜ La construction dans des secteurs susceptibles d'être exposés à des vents violents imputables à des ouragans ou des tornades dicte d'adopter des mesures supplémentaires pour ancrer la charpente du plancher aux fondations.

➜ Un concepteur en structure compétent saura fournir des indications précises en pareille circonstance.

Les murs de fondation en blocs qui viennent d'être montés doivent être protégés du gel. Le mortier qui gèle avant d'avoir eu le temps de prendre perd de son adhérence, de sa résistance et risque d'occasionner la rupture des joints. Les dosages de mortier doivent être conformes aux indications du tableau 5.

La face extérieure des murs en blocs de béton doit être recouverte d'une couche d'enduit de ciment portland de 1/4 po (6 mm). Il convient également de réaliser un congé à la jonction extérieure des semelles et du mur (figure 19). Le mur doit ensuite subir un traitement de protection contre l'humidité grâce à l'application d'une épaisse couche de matériau bitumineux par-dessus le crépi jusqu'au niveau prévu du sol. Pour ajouter à la protection aux endroits où l'eau s'accumule dans le sol, on pourra appliquer à la vadrouille deux couches d'une membrane saturée de bitume et recouvrir le tout d'une épaisse couche de matériau bitumineux. Cette protection préviendra les infiltrations d'eau au cas où se fissureraient les blocs ou les joints.

Fondations en bois traité

Les fondations en bois traité font appel aux mêmes techniques que l'ossature de la maison, sauf qu'elles requièrent

---

Reproduction de l'estampille de certification

20

Nom et symbole de la compagnie

(SA) **CERTIFIED** **0322**
CERTIFIÉ

PWF — FBT

L/B·P/C CCA 2577

L'estampille comprend les renseignements suivants :

(SA) - l'organisme de certification

0322 - la norme CSA 0322 en fonction de laquelle le matériau est certifié

PWF et FBT - l'usage prévu du matériau

L/B et P/C - l'usine est autorisée à certifier le bois et le contreplaqué

CCA (ou ACA) - le produit de préservation utilisé

2577 - les deux premiers chiffres désignent l'usine, les deux derniers l'année de traitement.

Fondations en bois traité : **(A)** semelles en bois et dalle de plancher en béton; **(B)** plancher en bois reposant sur des lambourdes; **(C)** plancher surélevé en bois; **(D)** semelle filante en béton (voir à la page suivante)

A

mur à ossature de bois type

niveau définitif du sol (pente minimale de 1 : 12)

bande d'assemblage

21

poteau mural traité

protection en contreplaqué traité

remblai

calage en bois traité de 2 x 4 po (38 x 89 mm) entre les poteaux (appui à la jonction des panneaux)

contreplaqué d'extérieur traité

lisse d'assise traitée

semelle traitée

polyéthylène (s'arrête au niveau du sol)

repère traité

dalle de béton

lit de gravier d'au moins 5 po (125 mm)

polyéthylène

minimum de 12 po (300 mm)

B

support de revêtement de sol en bois traité

solive de plancher traitée

polyéthylène

lambourde en bois traité

calage traité entre les poteaux (appui à la jonction des panneaux et fond de clouage pour le revêtement intérieur de finition)

lambourde de 2 x 6 po (38 x 140 mm)

support de revêtement de sol

C

solive de plancher

sablière traitée

poteau traité

lisse traitée

polyéthylène

Note : Les zones ombragées indiquent les élements imprégnés d'un produit de préservation.

Fondations en bois traité (suite) : **(D)** semelle filante en béton

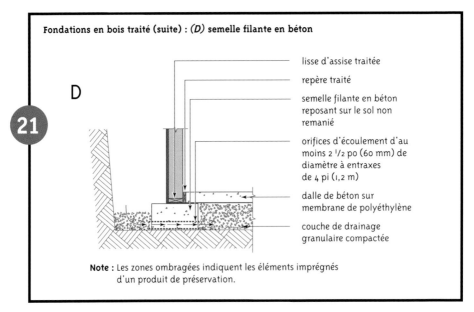

D

21

lisse d'assise traitée

repère traité

semelle filante en béton reposant sur le sol non remanié

orifices d'écoulement d'au moins 2 1/2 po (60 mm) de diamètre à entraxes de 4 pi (1,2 m)

dalle de béton sur membrane de polyéthylène

couche de drainage granulaire compactée

Note : Les zones ombragées indiquent les éléments imprégnés d'un produit de préservation.

des contreventements supplémentaires. Elles sont généralement constituées de semelles en bois traité sous pression déposées sur un couche de drainage granulaire, d'une lisse d'assise et d'une sablière en bois traité sous pression, de poteaux, fourrures et contreplaqué traité sous pression tenant lieu de parement extérieur, et de polyéthylène pour renforcer la protection contre l'humidité. Les espaces entre les poteaux peuvent être comblés d'isolant thermique et l'intérieur fini de manière à offrir une aire habitable bien isolée partiellement ou entièrement sous le niveau du sol.

Dans les fondations en bois traité, tout le bois employé doit être traité sous pression à l'aide de produits de préservation chimiques conformément aux prescriptions de la norme 080.15 de l'Association canadienne de normalisation (CSA). Les produits chimiques imprègnent les cellules du

bois en permanence à des niveaux de pénétration et de concentration qui rendent le bois très résistant aux micro-organismes entraînant la pourriture et aux attaques des insectes telles les termites. Une fois sec, le bois est inodore et légèrement coloré. Le bois de construction et le contreplaqué traités sous pression s'identifient par la marque de certification témoignant que le matériau a été traité dans une usine répondant aux exigences de la norme CSA 0322 (figure 20).

Les fondations en bois se prêtent aux bâtiments individuels ou collectifs de faible hauteur. Elles peuvent comporter une dalle de plancher en béton ordinaire, un plancher de bois reposant sur des lambourdes elles-mêmes déposées sur une couche de drainage granulaire, ou un plancher surélevé en bois (figure 21). Elles doivent être calculées pour supporter non seulement les charges verticales de la maison en plus de celles du plancher et du toit, mais aussi les charges exercées horizontalement par le remblai. Les dimensions, l'essence et la catégorie des poteaux et l'épaisseur du contreplaqué dépendent de l'espacement des poteaux, de la hauteur de remblayage et du nombre d'étages du bâtiment.

DALLE

La dalle de béton sert de plancher de sous-sol et d'assise à la maison ou partie de maison construite au niveau du sol. Dans un petit bâtiment, elle repose habituellement sur le sol et non sur des fondations périmétriques.

Dalle de plancher du sous-sol

La mise en place de la dalle de plancher du sous-sol survient généralement après l'achèvement du toit, des murs, l'installation des canalisations d'alimentation en eau, d'évacuation des eaux usées et de l'avaloir de sol. L'humidité qui se dégage pendant la cure du béton risque d'endommager sérieusement les revêtements de sol, les plaques de plâtre et les menuiseries. C'est pourquoi le sous-sol doit être bien ventilé pour laisser échapper l'humidité avant la pose des matériaux de finition précités.

La dalle de plancher doit avoir au moins 3 po (75 mm) d'épaisseur et présenter une pente en direction de l'avaloir de sol. On doit prévoir au moins un avaloir (ou un puisard) et le placer, le cas échéant, à proximité du coin buanderie.

Voici, en bref, un rappel des exigences à respecter, de la bonne façon de procéder et des étapes à suivre pour réaliser une dalle de plancher de sous-sol en béton.

1. Terminer l'installation des canalisations d'alimentation en eau et d'évacuation des eaux usées ainsi que les autres travaux du genre avant la mise en place de la dalle.

Semelles de béton reposant sur une couche de drainage granulaire

- revêtement intermédiaire
- poteaux du mur extérieur
- repère
- dalle de plancher en béton
- membrane de polyéthylène, sable ou autre matériau de désolidarisation
- couche de drainage granulaire
- minimum de 5 po (125 mm)
- sol non remanié

22

Note : Les zones ombragées indiquent les éléments imprégnés d'un produit de préservation.

Compacter le remblai des tranchées.

2. Prévoir un lit d'au moins 4 po (100 mm) de pierre concassée ou de gros gravier sous la dalle afin de parer à toute remontée capillaire de l'humidité et de faciliter l'adoption de toute mesure destinée à réduire la concentration de gaz souterrains, s'il y a lieu.

3. Poser une feuille de polyéthylène de 0,006 po (0,15 mm) ou un matériau de couverture en rouleau de type S pour protéger le plancher contre l'humidité. La protection contre l'humidité est surtout souhaitable lorsque la dalle est destinée à recevoir un revêtement de sol collé. Advenant la présence d'une nappe d'eau à faible profondeur, la protection de la dalle contre l'humidité, mise en œuvre selon les indications ci-dessous, permettra d'éviter les ennuis. Du polyéthylène recouvert d'au moins 4 po (100 mm) aux joints contrera l'infiltration de gaz souterrains (figure 22.).

4. Pour donner libre cours au léger mouvement dû au retrait de la dalle pendant le séchage et le tassement de la sous-couche, intercaler une garniture de joint préformée ou une double couche de papier de revêtement intermédiaire (figure 16) entre la dalle et le mur ou le poteau.

5. Après la mise en place et le serrage du béton, araser le béton au niveau voulu à l'aide d'une règle. Pour déterminer ce niveau, mesurer la hauteur désirée depuis la sous-face des solives de plancher bien de niveau. Pour aplanir les aspérités ou les dépressions et

enrober les gros granulats, lisser la surface sans délai à la règle, à la planchette ou par un autre moyen approprié. Les outils employés pour le béton à air occlus doivent avoir une surface en magnésium. Prendre soin de ne pas trop lisser le béton, sinon la durabilité de sa surface risque d'en souffrir.

6. Lorsque le béton a perdu de son lustre et durci quelque peu, l'exécution des bords, des joints et du lissage peut débuter. L'une ou l'autre opération entreprise alors qu'il reste encore de la laitance risque d'entraîner considérablement de farinage et d'écaillage.

7. Lorsqu'on désire éviter la formation aléatoire de petites fissures dans la dalle, il convient de pratiquer des joints de retrait appropriés. Les joints de retrait s'alignent sur les poteaux intérieurs et aux endroits où la largeur de la dalle change (figure 23). L'espacement maximal des joints de retrait se situe entre 15 et 20 pi (4,5 et 6,0 m) dans une direction ou dans l'autre. Les joints peuvent se faire dans le béton frais en y pratiquant des rainures à l'aide d'un outil de jointoyage dès que le béton a suffisamment durci. La profondeur des joints doit correspondre à peu près au quart de l'épaisseur de la dalle.

8. Aussitôt la finition de la dalle terminée, la cure du béton doit débuter et se poursuivre pendant au moins cinq jours à une température ambiante de 70°F (21°C) ou plus, ou pendant sept jours, à des températures se situant entre 50°F (10°C) et 70°F (21°C). La cure peut s'effectuer en recouvrant la dalle

Emplacement des joints de retrait

1. joints de retrait à moins de 10 pi (3 m) des angles
2. espacement maximal des joints de 20 pi (6 m)
3. joints le long d'un côté de l'ouverture
4. joint périmétrique entre le plancher et le mur
5. joint de retrait de la dalle de plancher
6. espacement maximal des joints de la dalle
   de plancher de 20 pi (6 m)
7. joint de retrait autour des semelles
   de poteau (voir Note)

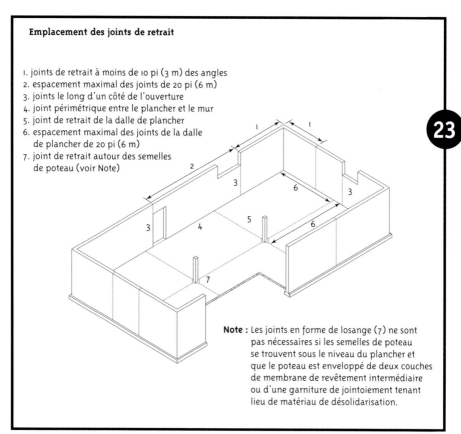

23

Note : Les joints en forme de losange (7) ne sont pas nécessaires si les semelles de poteau se trouvent sous le niveau du plancher et que le poteau est enveloppé de deux couches de membrane de revêtement intermédiaire ou d'une garniture de jointoiement tenant lieu de matériau de désolidarisation.

d'eau (après avoir obturé l'avaloir de sol) ou de jute tenu constamment humide. Si ces mesures s'avèrent impraticables, un produit de cure formant membrane pourra être appliqué sur le béton. Si le revêtement de sol est en carreaux, on vérifiera au préalable la compatibilité des agents de cure et des adhésifs.

Dalle sur sol

Puisque les exigences concernant la dalle sur sol ressemblent à celles qui valent pour la dalle de sous-sol (figure 24), les mêmes étapes et précautions s'imposent. La grande différence réside dans le besoin d'établir le niveau du plancher fini assez haut au-dessus du niveau définitif du sol pour que la pente de celui-ci permette d'éloigner l'eau de la maison. Le dessus de la dalle doit se situer à au moins 8 po (200 mm) au-dessus du niveau définitif du sol.

Il importe également de se rappeler d'enlever tous les débris, souches et matières végétales de la zone non excavée sous le bâtiment de façon à laisser la surface lisse exempte de dépressions molles et de damer le sol meuble.

Au pourtour de la dalle doit être mis en œuvre de l'isolant rigide hydrofuge qu'il faudra protéger de tout dommage matériel ou ultraviolet

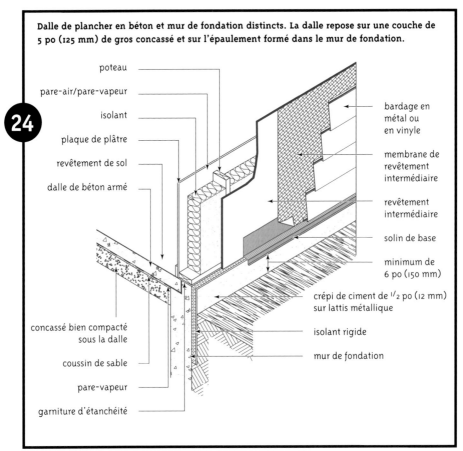

Dalle de plancher en béton et mur de fondation distincts. La dalle repose sur une couche de 5 po (125 mm) de gros concassé et sur l'épaulement formé dans le mur de fondation.

24

poteau

pare-air/pare-vapeur

isolant

plaque de plâtre

revêtement de sol

dalle de béton armé

concassé bien compacté sous la dalle

coussin de sable

pare-vapeur

garniture d'étanchéité

bardage en métal ou en vinyle

membrane de revêtement intermédiaire

revêtement intermédiaire

solin de base

minimum de 6 po (150 mm)

crépi de ciment de 1/2 po (12 mm) sur lattis métallique

isolant rigide

mur de fondation

par un crépi ou un matériau de finition en panneaux. La dalle doit également être armée, dans les deux sens, de barres (désignation métrique de 10M) d'environ 0,15 po (3,6 mm) d'épaisseur disposées à entraxes de 2 pi (600 mm) ou de treillis (désignation métrique de 152 x 152 MW9,1 x MW9,1) métallique soudé, formant des carrés de 6 po (152 mm), en fil d'acier de 0,15 po (3,4 mm) d'épaisseur.

Une chape n'est généralement pas requise puisque le talochage à la truelle mécanique donne une surface très lisse. Le cas échéant, la chape consistera en un mélange de 1 partie

de ciment et de 2 1/2 parties de sable de bonne granulométrie, appliqué en couche de 3/4 po (20 mm) d'épaisseur après la prise du béton de la dalle, puis truellé jusqu'à l'obtention d'une surface lisse.

La construction des semelles et fondations d'une maison comportant une dalle sur sol est assujettie à des exigences semblables à celles qui visent la réalisation d'un vide sanitaire et s'effectue de la même manière.

PROTECTION DES FONDATIONS CONTRE L'EAU ET L'HUMIDITÉ

Protéger la face extérieure des fondations contre l'humidité empêche l'eau du sol de s'y infiltrer. Le matériau de protection appliqué sur la face intérieure vise également à empêcher l'humidité en provenance des murs de fondation en béton ou en éléments de maçonnerie de parvenir jusqu'à l'ossature intérieure en bois qui retient l'isolant thermique ou les revêtements intérieurs de finition. La protection contre l'humidité prend de nombreuses formes. Plus souvent, une épaisse couche de matériau bitumineux, du polyéthylène ou un autre matériau en feuille s'utilisent à cette fin.

La protection contre l'eau, par contre, vise à contrer les sérieux ennuis reliés à la faible profondeur de la nappe phréatique. La protection contre l'humidité s'impose pour toutes les fondations, mais la protection contre l'eau n'est requise que pour celles qui sont soumises à des pressions hydrostatiques. Une telle situation mérite normalement l'attention spéciale d'un expert en la matière. Souvent des démarches particulières doivent être entreprises pour éliminer l'eau et les forces s'exerçant sur les fondations.

La portion des murs en béton ou en éléments de maçonnerie se trouvant sous le niveau du sol doit recevoir, en guise de protection contre l'humidité, une épaisse couche de matériau bitumineux sur la face extérieure depuis les semelles jusqu'au niveau définitif du sol. Une telle couche suffit généralement pour prévenir l'infiltration à la suite d'un orage ou à cause de l'humidité contenue dans le sol.

Il sera plus loin question de la mise en œuvre d'isolant de fibre de verre dense ou de matériaux de drainage destinés à renforcer la protection contre l'humidité.

Dans les sols s'asséchant mal, la protection des murs contre l'humidité peut s'avérer nécessaire; si tel est le cas, la protection consistera en une membrane imperméable constituée de deux couches de feutre saturé de bitumine, fixées au mur et l'une à l'autre, puis recouvertes de bitume liquide.

En présence de pressions hydrostatiques, l'imperméabilisation des fondations selon la technique indiquée précédemment ne suffit pas. La dalle de plancher doit également être imperméabilisée par une membrane intercalée entre deux couches de béton d'une épaisseur d'au moins 3 po (75 mm) chacune. La membrane du plancher doit être raccordée à celle du mur de manière à former un cuvelage parfaitement étanche. Dans bien des cas, les fondations soumises aux pressions hydrostatiques sont également équipées d'un dispositif de décharge de la pression d'eau prévenant les dommages structuraux.

Précisons que les fondations qui font l'objet de mesures d'imperméabilisation à l'eau n'ont pas besoin d'être protégées contre l'humidité. L'imperméabilisation à l'eau assure toute la protection que procure la protection contre l'humidité.

Le remblayage doit être effectué avec soin pour ne pas endommager la membrane d'imperméabilisation à l'eau, la membrane de protection contre l'humidité, l'isolant thermique ou la couche de drainage.

La protection contre l'humidité s'impose également sur la face intérieure du mur en béton ou en éléments de maçonnerie en contact avec l'ossature intérieure en bois servant de support à l'isolant thermique ou aux revêtements intérieurs de finition. La membrane de protection, placée entre le mur de fondation et l'ossature intérieure, empêche l'humidité du mur de fondation de parvenir jusqu'à l'ossature de bois. Elle doit partir du plancher du sous-sol pour se terminer au niveau du sol.

DRAINAGE DES FONDATIONS

Dans la plupart des endroits, l'assèchement des murs et de la dalle de plancher présuppose l'évacuation des eaux souterraines. Le drainage est de rigueur dans la majorité des régions, sauf s'il peut être démontré que cela n'est pas nécessaire. Le drainage des fondations consiste généralement à disposer un tuyau au pourtour du sous-sol et parfois à pourvoir le mur d'une couche de drainage. Une couche de matériau granulaire se substitue souvent au tuyau de drainage périmétrique, comme indiqué ci-dessous.

Le tuyau de drainage doit être posé sur le sol non remanié contre les semelles, sa partie supérieure se trouvant sous le niveau de la dalle de plancher ou du vide sanitaire, et légèrement incliné vers l'égout, puis recouvert d'une couche minimale de 6 po (150 mm) de gros gravier propre ou de pierre concassée (figure 25).

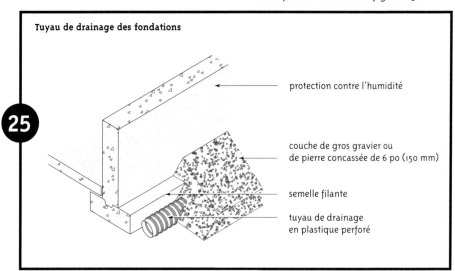

Tuyau de drainage des fondations

25

protection contre l'humidité

couche de gros gravier ou de pierre concassée de 6 po (150 mm)

semelle filante

tuyau de drainage en plastique perforé

Le tuyau de drainage doit être raccordé par un joint étanche à l'égout pluvial ou à tout autre conduit d'évacuation satisfaisant. Il est essentiel d'assurer un drainage approprié pour éviter l'infiltration d'eau dans le sous-sol; dans certains cas; peut-être faudra-t-il recourir à un puisard.

En sols humides, des drains latéraux disposés sous la dalle de béton peuvent s'imposer de façon à empêcher les pressions hydrostatiques de s'exercer sur les murs et la dalle de sous-sol. À noter que le drainage des fondations ne vise pas à régler la situation de la nappe phréatique peu profonde. La conception de bâtiments aménagés au-dessus d'une nappe phréatique peu profonde exige normalement l'intervention d'un ingénieur ou d'un architecte.

Les fondations en bois traité nécessitent à la fois une couche granulaire et un puisard. Le fond de l'excavation doit être incliné de manière à favoriser l'écoulement vers le puisard d'où elle sera évacuée par gravité ou pompage. La couche granulaire doit se prolonger d'au moins 12 po (300 mm) au-delà des semelles et être compactée si elle a plus de 8 po (200 mm) d'épaisseur.

Cette technique faisant appel à la couche de drainage vaut pour toutes les sortes de fondations. Les semelles en béton qui reposent sur le sol non remanié doivent comporter, à intervalles de 4 pi (1,2 m), des ouvertures de 2,5 po (60 mm) de diamètre permettant d'évacuer l'eau en direction du puisard (figure 26).

Dans certaines régions du pays, les codes du bâtiment prescrivent de poser une couche de drainage murale. On veillera donc à consulter au préalable son service municipal du bâtiment. Les matériaux constituant la couche de drainage, qui s'appliquent

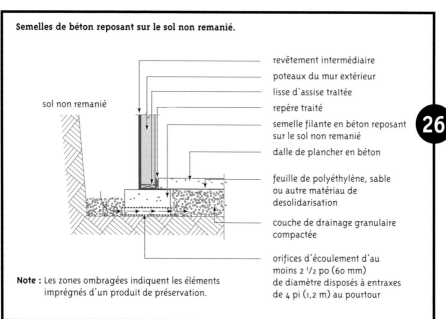

Semelles de béton reposant sur le sol non remanié.

sol non remanié

revêtement intermédiaire
poteaux du mur extérieur
lisse d'assise traitée
repère traité
semelle filante en béton reposant sur le sol non remanié
dalle de plancher en béton

26

feuille de polyéthylène, sable ou autre matériau de desolidarisation

couche de drainage granulaire compactée

orifices d'écoulement d'au moins 2 1/2 po (60 mm) de diamètre disposés à entraxes de 4 pi (1,2 m) au pourtour

Note : Les zones ombragées indiquent les éléments imprégnés d'un produit de préservation.

normalement sur la face extérieure du mur de sous-sol, visent à diriger l'infiltration d'eau de pluie venant en contact avec le mur de fondation jusqu'au tuyau de drainage et ainsi à empêcher l'eau de s'introduire dans le sous-sol par les fissures et, le cas échéant, les trous de passage des tirants peu étanches.

La couche de drainage murale s'entend généralement d'isolant de fibre minérale de 3/4 po (19 mm) ou plus d'épaisseur, d'une masse volumique minimale de 3,6 lb/pi^3 (57 kg/m^3) ou d'un autre matériau correspondant offert dans le commerce. En revanche, on pourra avoir recours à un remblai en matériau granulaire. Il importe avant tout que la couche de drainage achemine l'eau vers le tuyau de drainage pour éviter la formation de flaques d'eau à la

base du mur de fondation. Le remblai granulaire entourant le tuyau de drainage doit aussi couvrir la base de la couche de drainage murale.

À l'instar des murs de fondation, les eaux de ruissellement doivent s'éloigner des fenêtres de sous-sol. En effet, les fenêtres de sous-sol aménagées sous le niveau du sol doivent être pourvues d'une paroi de puits de lumière (figure 27), le plus souvent en acier galvanisé ondulé pour en accroître la résistance. Les parois de puits de lumière existent en différentes dimensions pour convenir à différentes fenêtres. Quant à celles en béton, les coffrages sont mis en place, puis le béton coulé après le compactage du remblai.

Lorsque le remblai n'est pas constitué d'un matériau granulaire, le fond du puits de lumière doit être

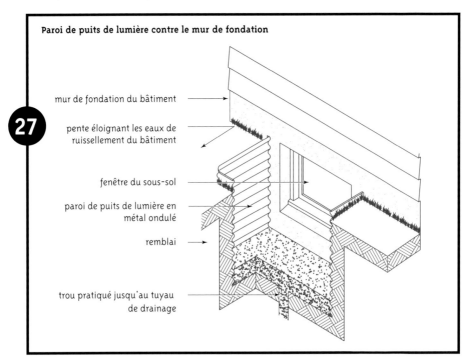

Paroi de puits de lumière contre le mur de fondation

27

mur de fondation du bâtiment

pente éloignant les eaux de ruissellement du bâtiment

fenêtre du sous-sol

paroi de puits de lumière en métal ondulé

remblai

trou pratiqué jusqu'au tuyau de drainage

drainé par un tube ou un trou de 6 po (150 mm) de diamètre foré à travers le matériau granulaire jusqu'au tuyau de drainage et rempli de pierre concassée.

REMBLAYAGE

Le remblayage des murs de fondation ne doit pas s'effectuer avant la mise en place des solives de plancher et du support de revêtement de sol, qu'il s'agisse de murs de fondation en béton, en éléments de maçonnerie ou en bois traité. Le tableau 1 livre la hauteur maximale du niveau définitif du sol à l'égard des murs de fondation appuyés latéralement et non appuyés latéralement.

Le remblai doit être exempt de grosses roches, de nodules argileux ou de débris de construction, puisque ces matériaux exerceraient des pressions indues sur le mur de fondation, au risque d'entraîner, entre autres, le tassement et un drainage inégal. Il convient de vérifier l'acceptabilité du remblai, offrant de bonnes caractéristiques de drainage.

Les pressions soudaines qui s'exercent contre le mur de fondation lors du remblayage peuvent le déplacer et en occasionner la fissuration. Il importe donc de déverser le matériau de remblayage de façon graduelle et uniforme, en minces couches compactées à la densité appropriée avant d'y aller avec la suivante. Le remblayage doit aussi être effectué de manière à ne pas endommager l'isolant extérieur, le matériau de drainage, les revêtements de protection contre l'eau et l'humidité.

ISOLATION THERMIQUE DES FONDATIONS

L'isolation thermique des fondations contribue à réduire les déperditions de chaleur du bâtiment. Compte tenu de la démarche entreprise, l'isolation peut procurer d'autres avantages, comme constituer une couche de drainage murale. Puisque les exigences en matière d'isolation des sous-sols varient d'une province à l'autre, il vaut mieux s'en informer auprès de la municipalité.

L'isolation thermique des fondations s'effectue de l'extérieur ou de l'intérieur du bâtiment. Selon que les travaux s'effectuent depuis l'intérieur, le sous-sol peut être partiellement isolé, auquel cas l'isolant se prolonge 2 pi (600 mm) sous le niveau du sol, ou isolé sur la pleine hauteur du mur. Cette technique requiert souvent une ossature appelée à tenir en place l'isolant et le revêtement de finition. De plus, elle permet d'aménager le sous-sol et de l'ajouter à l'aire habitable de la maison.

L'isolation extérieure comporte ses propres avantages. En effet, en contribuant au drainage du mur, l'isolant offre une protection supplémentaire tout en limitant les déperditions calorifiques. L'isolant extérieur évite au mur de fondation de subir des fluctuations de température, réduisant les contraintes thermiques et les risques de fissuration. L'inconvénient tient au fait que l'isolant doit être protégé puisqu'il se prolonge au-dessus du niveau du sol.

À PRÉVOIR...

Tuyau de drainage, puisard et éjecteur d'eaux usées

Le mode de drainage des fondations et du sous-sol mérite d'être planifié avec soin, surtout dans les secteurs non desservis par un réseau d'égouts.

L'assainissement des fondations se réalise au moyen d'un tuyau de drainage, d'une couche granulaire ou des deux. Lorsque le terrain où est implantée la maison se prête au drainage des fondations par gravité, la présence d'un puisard n'est pas nécessaire. Par contre, en terrains plats ou dans les terres basses sans égouts pluviaux, il faudra compter sur une pompe de puisard pour diriger l'eau vers un fossé ou un puits perdu. Dans les secteurs desservis par un réseau d'égouts pluviaux, son emploi devra être envisagé si le drainage des fondations se fait sous le niveau de l'égout pluvial.

Lorsque des appareils sanitaires sont installés au sous-sol d'une maison située sous le niveau de l'égout séparatif, ou non reliée à un réseau d'égouts municipal, un éjecteur devra pomper les eaux usées jusqu'à l'égout ou l'installation septique. Voici d'ailleurs les principaux facteurs à considérer dans de telles situations :

→ Toujours vérifier auprès du service municipal du bâtiment les exigences concernant le drainage des fondations et la plomberie du sous-sol.

→ Éviter de déverser l'eau du toit ou de la voie d'accès pour automobile dans le système de drainage des fondations. Prendre des dispositions pour l'éloigner de la maison.

→ Recourir, dans la mesure du possible, au drainage des fondations par gravité et à la plomberie du sous-sol dans les secteurs sans services d'égouts municipaux. Planifier l'emplacement du bâtiment et de l'installation septique en conséquence.

→ Établir le plan de ruissellement des eaux de façon à les éloigner du puits et de l'installation septique.

→ Employer uniquement une pompe de puisard et un éjecteur d'eaux usées comportant des joints étanches de façon à empêcher les odeurs ou les gaz souterrains de s'introduire dans le bâtiment.

→ Prendre garde de ne jamais utiliser comme pompe de puisard l'éjecteur d'eaux usées relié à l'installation septique. L'eau diluerait ainsi l'effluent de la fosse septique et nuirait à sa décomposition.

→ Envisager de déplacer tout autre service entrant au niveau des fondations ou en dessous de façon à éviter toute situation conflictuelle.

Se reporter au chapitre **Gouttières et descentes pluviales** pour obtenir plus d'information sur l'écoulement des eaux du toit. Le chapitre **Écoulement des eaux de ruissellement, voie d'accès pour automobile et allées** fait état d'options d'évacuation des eaux de ruissellement.

SEMELLES ET FONDATIONS DU VIDE SANITAIRE

La maison aménagée sur un vide sanitaire repose sur un mur de fondation se prolongeant d'au moins 6 po (150 mm) au-dessus du niveau définitif du sol.

En prévision de la mise en place des semelles de fondation, des tranchées sont pratiquées à une profondeur dictée par la composition du sol et la pénétration du gel (voir le tableau 3). Les dimensions des semelles correspondent généralement à celles qui supportent les murs de fondation. Les murs de fondation peuvent être réalisés en béton, en éléments de maçonnerie de béton ou en bois traité, mais étant donné que le niveau intérieur n'est jamais beaucoup plus bas que le niveau extérieur, leur épaisseur est habituellement moindre que celle des murs ceinturant un sous-sol. Le tableau 1 indique l'épaisseur minimale des murs de fondation érigés en sols stables.

Les semelles des poteaux appelés à soutenir les poutres de plancher doivent reposer sur le sol non remanié, ce qui pourrait nécessiter une certaine excavation. Des poteaux en béton, maçonnerie ou bois traité supportent généralement les poutres. La zone excavée est remblayée autour de la base des poteaux et des semelles lors du nivellement du sol du vide sanitaire. L'isolation thermique du pourtour des fondations ou de la charpente du plancher en dessous de l'aire habitable fait l'objet d'un exposé et d'illustrations dans le chapitre intitulé *Isolation thermique.*

Ventilation et revêtement du sol du vide sanitaire

Lorsque le sol du vide sanitaire se trouve sous celui du niveau définitif à l'extérieur, les murs de fondation doivent être protégés contre l'humidité. Le tuyau de drainage s'installe alors contre les semelles et se raccorde à un drain. Le sol du vide sanitaire et les tranchées d'accès ménagées en pente en direction du drain doivent être revêtues de polyéthylène de 0,006 po (0,15 mm) ou d'un matériau de couverture en rouleau de type S et les joints se recouvrir d'au moins 4 po (100 mm). Le revêtement vise à empêcher l'humidité du sol de parvenir dans le vide sanitaire. Le vide sanitaire doit, de plus, être ventilé. Consulter le chapitre Ventilation.

FONDATIONS DE GARAGE

Les fondations de garage sont généralement en béton ou en maçonnerie, bien qu'il puisse également s'agir d'une dalle sur terre-plein en béton ou de fondations en bois traité. La profondeur minimale des fondations d'un garage relié à la maison doit correspondre aux indications du tableau 3.

Devant la nécessité de remblayer sous le plancher, le choix se portera de préférence sur un matériau granulaire bien compacté après coup pour en prévenir le tassement ultérieur. Le plancher de béton reposant sur un remblai de pierre concassée ou de gravier de 6 po (150 mm) doit avoir une épaisseur minimale de 3 po (75 mm). À moins de recourir à un avaloir de sol, le plancher devra être incliné vers l'entrée du garage.

La préparation, le bétonnage et la cure du plancher de garage sont assujettis aux mêmes règles que la dalle de plancher du sous-sol. Les joints de retrait doivent être pratiqués de manière à donner des formes aussi carrées que possible. Dans le cas d'un garage à une place, un seul joint transversal devrait suffire.

Les murs de fondation doivent avoir au moins 6 po (150 mm) d'épaisseur et se prolonger de 6 po (150 mm) au-dessus du niveau du sol.

La lisse d'assise doit être ancrée au mur de fondation ou à la dalle avec des boulons distancés d'environ 8 pi (2,4 m), avec au moins deux boulons par pièce. Davantage de boulons pourront être requis de part et d'autre de la porte principale.

OUVRAGES DE RÉFÉRENCE

Construction des fondations en bois traité
Association canadienne de normalisation

La maison vivante - Partie 1 : Fondations (vidéo)
Société canadienne d'hypothèques et de logement

Opération 10.1 : L'installation de maisons usinées (vidéo)
Société canadienne d'hypothèques et de logement

L'humidité dans les habitations de la région de l'Atlantique
Société canadienne d'hypothèques et de logement

PROTECTION DES MATÉRIAUX SUR LE CHANTIER

La protection des matériaux de construction à leur arrivée sur le chantier et leur entreposage avant leur utilisation importent au plus haut point, car les matériaux non protégés contre les intempéries risquent de subir des dommages susceptibles d'occasionner de la perte et des défauts de construction ennuyeux.

De préférence, les matériaux seront livrés à pied d'œuvre juste avant d'être utilisés. C'est particulièrement important pour les blocs-fenêtres, les blocs-portes et les boiseries pour usage extérieur. Les matériaux intérieurs de finition pourront être entreposés à l'intérieur à l'achèvement du toit.

Selon la séquence normale des travaux de construction, le bois de charpente et les matériaux de revêtement intermédiaire sont livrés sur le chantier à l'achèvement des fondations. Les matériaux ou composants structuraux en place avant la mise en œuvre du revêtement d'ossature de la maison seront mouillés lors d'orages, mais ils s'assécheront rapidement par temps sec, sans subir de dommages, car seules leurs faces exposées auront vraiment été atteintes.

Le bois de construction empilé serré risque d'absorber de l'eau et de prendre beaucoup de temps à s'assécher. Cette situation doit être évitée puisque l'eau pourrait finir par tacher le bois ou le faire pourrir. Les piles de bois doivent reposer sur des plateaux surélevés et être couverts de bâches imperméables. On pourra tout aussi bien déposer des feuilles de polyéthylène sur le sol avant de déposer les plateaux pour empêcher l'humidité du sol de parvenir au bois.

Après le début des travaux de charpente, la livraison des bardeaux de toit peut avoir lieu. Les paquets de bardeaux d'asphalte devront être entreposés à plat sinon les bardeaux courbés ou voilés gâcheront l'aspect de la couverture.

La pose des portes et fenêtres suit généralement celle de la couverture. Si elles sont livrées avant de pouvoir être posées, elles doivent être abritées jusqu'à leur utilisation en raison de leur coût et du fait que leur exposition aux intempéries risque d'annihiler leur qualité d'exécution. Cela s'applique surtout aux blocs-fenêtres.

L'isolant thermique, les revêtements intérieurs de finition des murs et plafonds, le bardage de bois et autres éléments de même nature peuvent s'entreposer à l'intérieur de la maison. Par contre, les matériaux lourds comme les plaques de plâtre devront être répartis sur la surface de plancher de façon à ne pas surcharger les solives, car les charges lourdes, appelées à rester longtemps au même endroit, risquent d'occasionner le fléchissement permanent des solives.

Le parquet de bois dur, les boiseries et les menuiseries intérieures ne doivent pas être entreposés dans la maison avant que la dalle de sous-sol ait eu le temps de sécher, car l'humidité dégagée lors de la cure pourrait faire gonfler le bois séché au four, puis occasionner sa rétractibilité après sa mise en œuvre.

BOIS DE CONSTRUCTION ET AUTRES MATÉRIAUX OU PRODUITS DE MÊME NATURE

Le bois de construction de dimensions courantes, ou débits courants, constitue le principal composant de la construction à ossature de bois. Il forme la structure qui enceint et divise l'espace et reçoit le revêtement de finition. Outre les débits courants, d'autres matériaux ou produits en bois entrent couramment dans l'exécution de la structure et des revêtements intérieurs et extérieurs de finition. Tous ces produits destinés à un usage spécifique sont fabriqués conformément à des normes correspondantes.

Le bois de charpente le plus courant mesure de 1 1/2 po à 3 1/2 po (38 à 89 mm) d'épaisseur. Le bois d'œuvre désigne les éléments de plus de 4 1/2 po (114 mm) d'épaisseur; il y a également les catégories de platelage, de planches et de bois de finition. Le tableau 6 présente les qualités, les essences couramment regroupées, leurs destinations principales et les diverses catégories des débits courants.

MARQUES DE QUALITÉ

Le bois destiné à la construction porte une marque de qualité attestant sa conformité aux normes de la Commission nationale de classification des sciages (NLGA) pour le bois d'œuvre canadien. L'estampille et la marque de qualité doivent également être conformes à la norme CSA 0141, «Bois débité de résineux». La marque de qualité affiche le nom ou le symbole de l'organisme (ou les deux), l'essence ou le groupe d'essences, la qualité, la teneur en eau au moment du sciage, ainsi que le numéro de la scierie.

La mention «S-GRN» signifie que le bois a été blanchi à une teneur en eau supérieure à 19 p. 100 et que ses dimensions tiennent compte du retrait naturel du matériau au cours du séchage. La mention «S-DRY» indique, pour sa part, que le bois, au moment du blanchissage, contenait au maximum 19 p. 100 d'eau, alors que «MC 15» signifie que la teneur en eau ne dépassait pas 15 p. 100.

Aux tableaux 7 et 8 sont reproduites des marques de qualité canadiennes.

QUALITÉS DU BOIS DE CONSTRUCTION

Chaque pièce de bois examinée reçoit une marque de qualité selon ses caractéristiques physiques. Outre le bois classifié visuellement, il existe au Canada du bois classé par contrainte mécanique. La marque de qualité de ce bois fait état de ses propriétés structurales et, pour la plupart des destinations en construction à ossature de bois, est étrangère à l'essence.

Au Canada, de nombreuses essences de bois tendre sont récoltées, usinées et commercialisées ensemble. Celles qui possèdent les mêmes propriétés leur permettant de facilement s'utiliser ensemble sont regroupées et commercialisées sous une désignation commune. Le tableau 9 indique les appellations commerciales des groupes d'essences de bois canadien, ainsi que leurs caractéristiques.

La qualité supérieure, désignée par «Select Structural», ne s'utilise que lorsque haute résistance, rigidité et belle apparence sont requises. La qualité n° 1 contient souvent un certain pourcentage de bois «Select Structural», mais elle autorise des noeuds légèrement plus gros.

Des tests ont démontré que le bois de qualité n° 1 et n° 2 ont la même résistance. Ces qualités recueillent la faveur populaire pour la plupart des usages généraux en construction. Le bois de qualité n° 3 convient aux travaux de construction en général là où l'aspect importe peu.

Les pièces de 2 x 4 po (38 x 89 mm) et de 2 x 6 po (38 x 140 mm) existent en qualité «Stud» qui identifie un bois raide et droit convenant aux éléments muraux verticaux. Les pièces de 2 x 4 po (38 x 89 mm) existent également en qualité «Construction», «Standard», «Utility» et «Economy». Les qualités «Construction» et «Standard» s'utilisent à des fins structurales. Le bois de qualité «Construction» a une résistance comparable au bois de qualité n° 3, mais le bois de qualité «Standard» appartient à un échelon inférieur. Les qualités «Utility» et «Economy» ne

s'emploient pas à des fins structurales. «Economy» désigne la qualité la moins élevée.

Les qualités minimales exigées du bois entrant dans la construction à ossature de bois, notamment pour les ossatures murales, les charpentes de madriers ou de poutres et poteaux, les revêtements intermédiaires et supports de revêtements de sol sont établies dans le Code national du bâtiment du Canada. On peut obtenir du Conseil canadien du bois des tableaux donnant les portées maximales admissibles du bois de construction classé visuellement et du bois classé par contrainte mécanique devant servir de solives ou de chevrons. Les tableaux intégrés au présent ouvrage font état des portées maximales admissibles d'éléments structuraux faisant appel à différentes qualités de bois de construction.

L'adoption du système métrique n'a pas modifié les dimensions des débits courants de bois tendre au Canada. Ce sont toutefois les dimensions réelles du bois blanchi qui sont maintenant exprimées en millimètres. Il n'y a pas de «dimensions nominales» métriques. Le tableau 10 indique les dimensions métriques courantes par rapport aux équivalents anglais exprimés en dimensions réelles et nominales.

ÉLÉMENTS PRÉFABRIQUÉS EN BOIS

Outre les débits courants, une vaste gamme d'éléments préfabriqués en bois sont destinés à la construction de maison à ossature de bois. En effet, ces éléments, qui procurent une performance équivalente sinon supérieure aux débits courants, exigent pour leur fabrication une quantité moindre de bois provenant de petits arbres à croissance rapide, permettant ainsi de faire un usage rationnel des ressources forestières. Le lecteur trouvera ci-après une description des différents types d'éléments offerts sur le marché, notammant le bois lamellé-collé, les solives en I et le bois de charpente reconstitué.

Les débits courants sont souvent combinés à d'autres produits en bois pour la réalisation d'éléments préfabriqués collés ou assemblés au moyen de connecteurs mécaniques. La ferme de toit usinée constitue l'exemple le plus répandu, mais la poutrelle à triangulation métallique ou en bois s'utilise de plus en plus, tout comme les solives en I constituées de membrures en bois et d'une âme en panneau de contreplaqué, de copeaux ordinaires ou de copeaux orientés (figure 28).

Tous ces produits procurent une plus grande souplesse en matière de conception puisqu'ils autorisent de plus grandes portées et offrent la possibilité de passer les services. De plus, leur utilisation comme éléments de charpente du toit permet d'atteindre des niveaux d'isolation thermique supérieurs.

Bois de charpente reconstitué

Le bois de charpente reconstitué, qui forme une sous-catégorie des éléments préfabriqués en bois, s'en-

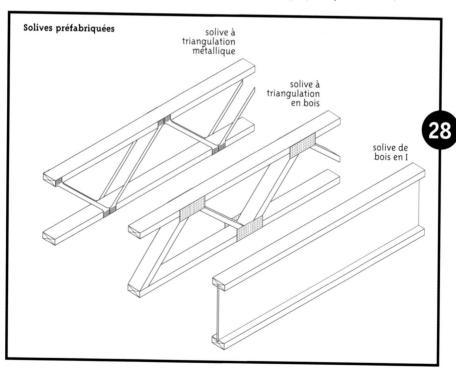

Solives préfabriquées

solive à triangulation métallique

solive à triangulation en bois

solive de bois en I

28

tend du bois de placage lamellé ou du bois de copeaux longs.

Le placage lamellé est constitué de minces placages parallèles les uns aux autres, enduits d'un adhésif hydrofuge et liaisonnés sous l'effet de chaleur et de pression. Offert dans une vaste gamme de dimensions et de résistances, le bois de placage lamellé se taille aux longueurs voulues pour servir de poutres, poteaux, linteaux, solives et de membrures pour les poutres de bois en I.

Le bois de copeaux longs se fabrique à l'aide de minces placages taillés en bandes étroites, collés les uns aux autres selon un procédé semblable au bois de placage lamellé. Les éléments, qui existent en différentes largeurs, hauteurs et longueurs, s'utilisent surtout comme poutres, poteaux et linteaux.

Il se fabrique des poteaux à entures multiples comme solution de remplacement du bois usiné.

PRODUITS EN PANNEAUX

En plus du bois de construction de dimensions courantes, la construction à ossature de bois exploite d'autres produits de bois en panneaux. Les panneaux de contreplaqué et les panneaux de copeaux ordinaires ou orientés, par exemple, ajoutent à la rigidité des éléments structuraux du toit, des murs et du plancher, en plus de procurer une surface uniforme pour la mise en œuvre d'autres matériaux. Les panneaux de fibres, les panneaux de particules et les panneaux de fibres durs sont également mis à contribu-

tion pour de nombreux travaux de finition intérieurs ou extérieurs.

Le *contreplaqué* compte parmi les produits les plus largement utilisés pour la construction de la structure (support de revêtement de sol, support de couverture, etc.), la finition extérieure, certains éléments de finition intérieure et la fabrication d'armoires.

Le contreplaqué se compose de couches minces (plis) de bois, collées les unes aux autres, à fil croisé alterné. Ses épaisseurs courantes varient de $1/4$ à $3/4$ po (6 à 18,5 mm). Comme le bois de construction de dimensions courantes, le contreplaqué est classé en fonction de destinations particulières. Le contreplaqué en sapin de Douglas et le contreplaqué de résineux canadiens sont les deux produits les plus fabriqués. Tous les panneaux de contreplaqué, de copeaux ordinaires ou de copeaux orientés appartenant à la catégorie «revêtement intermédiaire» sont fabriqués avec un liant pour usage extérieur. Le contreplaqué préalablement lubrifié et le contreplaqué revêtu s'emploient pour le coffrage du béton.

Le *panneau de copeaux* s'utilise, à l'instar du contreplaqué, comme support de revêtement de sol, support de couverture, ou revêtement mural intermédiaire. Il est fabriqué de larges lamelles de bois collées les unes aux autres.

Le *panneau de copeaux orientés (OSB),* dont l'aspect rappelle le panneau de copeaux ordinaires, se compose de copeaux de forme allongée, orientés mécaniquement en couches, les couches externes étant orientées longitudinalement et les couches internes transversalement ou de façon aléatoire. Ce panneau s'utilise surtout comme support de couverture, revêtement mural intermédiaire, support de revêtement de sol, parement et membrure d'âme des solives de bois en I.

Le *panneau de fibres* est fabriqué de fibres de bois collées sous pression. Il est offert en panneau ordinaire ou imprégné de bitume, celui-ci étant principalement destiné à servir de revêtement mural intermédiaire.

Le *panneau de particules* s'utilise habituellement comme couche de pose ou matériau de finition intérieure, par exemple, pour le rayonnage et autres ouvrages de menuiserie. Généralement recouvert de stratifié ou d'autres matériaux protecteurs ou décoratifs, il s'utilise pour la fabrication de portes d'armoires ou de placards. Ce matériau

sert souvent de base dans la fabrication des plans de travail ordinaires ou prémoulés.

Le *panneau de fibres dur* se compose de fibres de bois, tout comme le panneau de fibres, mais présente une densité et une rigidité supérieures. On le retrouve souvent en ébénisterie. Le bardage en panneau de fibres dur recouvert d'un fini coloré peut se substituer au bardage de bois, de vinyle ou d'aluminium. On a également recours à de grands panneaux de fibres durs préfinis et texturés pour obtenir des effets spéciaux à l'intérieur comme à l'extérieur de la maison.

OUVRAGE DE RÉFÉRENCE

Manuel de la construction en bois
Conseil canadien du bois, 1996

OSSATURE DE LA MAISON

La structure d'une maison de un ou deux étages doit être réalisée avant le début de tous autres travaux. La structure comprend les fondations, les planchers, les murs et le toit (figure 29). Il se peut que les murs intérieurs porteurs doivent être montés en même temps que les murs extérieurs. Les éléments de charpente et les différents revêtements intermédiaires devront donc être en place au cours de la construction pour conférer rigidité à la structure. En général, l'ajout d'écharpes ou d'éléments de contreventement et d'entretoisement temporaires garantit la sécurité et prévient les dommages.

Avant d'entreprendre les travaux d'ossature, il importe d'envisager la valeur de résistance thermique des différentes composantes de la structure puisque les éléments d'ossature doivent être dimensionnés en conséquence. Pour plus de précisions, consulter le chapitre *Isolation thermique.*

La charpente d'une maison à ossature de bois est soit à plate-forme, soit à claire-voie. La charpente à claire-voie constituait la méthode de construction la plus répandue vers la fin du 19e siècle et au début du 20e siècle. Par contre, la charpente à plate-forme prédomine depuis la fin des années 1940 et représente aujourd'hui une technique classique au Canada.

CHARPENTE À PLATE-FORME

La méthode de construction à plate-forme est la plus fréquemment utilisée

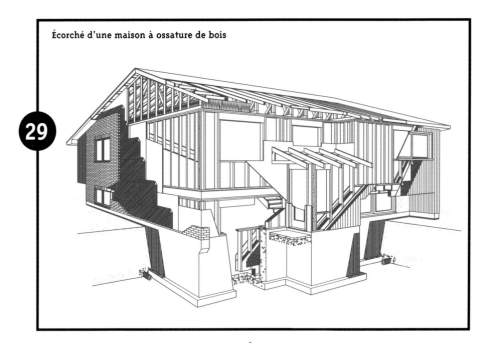

Écorché d'une maison à ossature de bois

29

pour l'ossature des maisons. Son principal avantage réside dans le fait que le plancher est construit indépendamment des murs et constitue une surface de travail sur laquelle les murs et les cloisons peuvent être assemblés et montés. Comme les poteaux n'ont que la hauteur de un étage, les murs peuvent facilement être préfabriqués hors chantier ou assemblés en pans sur le support de revêtement de sol, sans l'aide de matériel de levage. Les lisses et sablières, qui font partie intégrante des murs, tiennent lieu de coupe-feu aux niveaux du plancher et du plafond et de fond de clouage pour le revêtement mural intermédiaire et le revêtement intérieur de finition.

CHARPENTE À CLAIRE-VOIE

La charpente à claire-voie diffère de la charpente à plate-forme en ce sens que les poteaux des murs extérieurs et de certains murs intérieurs traversent le ou les planchers d'une seule venue, jusqu'à la sablière qui supporte la charpente du toit. Puisque le raccordement des solives de plancher et des poteaux se prête mal à la préfabrication ou à l'assemblage sur chantier, on a rarement recours à cette méthode de construction. Par contre, certaines techniques de la construction à claire-voie peuvent être adaptées à la construction à plate-forme. Par exemple, les solives de plafond ou la retombée de plafond peuvent prendre appui sur des lambourdes de 1 x 4 po (19 x 89 mm) encastrées entre les poteaux. Les solives de plancher peuvent reposer sur un appui du genre lorsque, dans une maison à mi-étages, les planchers se trouvent décalés de part et d'autre d'un même mur intérieur. Dans certaines maisons à deux étages, le mur porteur central d'une construction à plate-forme sera à claire-voie afin de favoriser le passage des tuyaux et conduits de chauffage.

POUR UNE MAISON SAINE...

Application des 4R de la construction à ossature de bois

La construction à ossature de bois est tout à fait en mesure de demeurer l'un des choix les plus écologiques, à condition de tirer le meilleur parti des ressources en bois. À l'heure actuelle, une maison neuve type est constituée à environ 20 p.100 de bois, et pourtant quelque 40 p.100 des déchets de construction proviennent de bois de dimensions courantes et de produits usinés en bois. Ce constat nous invite de toute évidence à économiser cette précieuse ressource. L'industrie canadienne de la construction a décidé de relever le défi en adoptant les 4R de la construction à ossature de bois : *Revue, réduction, réutilisation et recyclage*. Voici des aspects importants concernant les 4R.

suite à la page 64

suite de la page 63

Revue

La construction de maison à ossature de bois a suivi l'évolution des techniques classiques à une époque où le bois constituait une ressource abondante et où on n'avait pas à se soucier de la gestion des déchets. Des raisons financières et environnementales motivent à revoir le mode de conception et de construction des habitations.

➜ Revoir les pratiques et méthodes courantes des corps de métier pour établir si elles font obstacle à l'utilisation efficiente du bois et de tout autre matériau de construction.

➜ Vérifier que les plans font état dans la mesure du possible de cotes standards et de portées maximales permet d'en obtenir davantage à meilleur coût tout en produisant moins de déchets.

➜ Préférer au bois de dimensions courantes les éléments préfabriqués en bois et exploiter des techniques de charpente efficientes.

Réduction

Le bois de construction représente la plus importante source de déchets des maisons neuves. Une meilleure exploitation de nos ressources naturelles est réalisable en éliminant l'inefficacité et le gaspillage.

➜ Affecter un secteur du chantier à la taille du bois. La plupart des déchets découlent de méthodes de taille laissant à désirer. Mettre bien en vue les courtes retailles et les rendre facilement accessibles - exploiter d'abord au maximum le bois pleine longueur gauchi ou tordu en le taillant lorsque des pièces courtes sont nécessaires.

➜ Commander les matériaux dans leur emballage en fonction de l'étape des travaux. S'abstenir de faire expédier tous les matériaux à la fois. Commander les quantités nécessaires, quitte à procéder à des rajustements à chaque commande.

➜ Bien entreposer les matériaux de manière à ne pas les endommager, car le bois endommagé est la deuxième cause en importance des déchets, après les méthodes de taille laissant à désirer.

➜ Recourir à de simples techniques d'exécution des murs en disposant leurs éléments à entraxes de 24 po (600 mm), dans la mesure du possible.

➜ Faire usage d'éléments préfabriqués en bois, comme des solives de bois en I, du bois de placage lamellé et des fermes ou poutrelles, qui, tout en offrant une performance égale sinon supérieure, tirent leur bois constitutif de petits arbres.

suite à la page 65

suite de la page 64

➡ Optimaliser le plan d'agencement de la maison se traduira par des frais de délivrance de permis et des taxes foncières moins élevés.

Réutilisation

Dans certains cas, les matériaux peuvent se réutiliser, alors que dans d'autres, des matériaux usagés peuvent s'acheter ou s'obtenir tout à fait gratuitement.

➡ Prévoir de réutiliser le bois judicieusement, notamment en ayant recours au bois des coffrages comme contreventements ou fourrures.

➡ Vérifier la disponibilité de matériaux de construction usagés auprès des entrepreneurs en travaux de démolition. Dans bien des cas, ils feront tout aussi bien l'affaire, mais à une fraction du prix.

➡ Acquérir des matériaux recyclés de préférence à des matériaux neufs.

Recyclage

Envisager le recyclage lorsqu'il se révèle impossible d'éliminer complètement les déchets.

➡ Trier et entreposer de façon sécuritaire les matériaux destinés au recyclage. Éviter de tout mettre dans un seul conteneur non compartimenté.

➡ Offrir les déchets aux écoles ou aux groupes communautaires qui sauront s'en servir pour leurs ateliers ou la fabrication d'objets d'artisanat.

➡ Utiliser le bois de dimensions courantes comme petit bois. En plus de satisfaire aux besoins de chauffage et d'éclairage, brûler le bois de façon responsable constitue un mode naturel de recyclage. (**Note :** *Prendre garde de ne pas brûler de bois traité.*)

L'utilisation efficace des ressources, principe conforme à la maison saine, ne s'applique pas uniquement au bois, mais aussi à tous les matériaux de construction. D'autres précisions à l'égard des 4R de la construction à ossature de bois sont apportées dans les chapitres suivants.

CHARPENTE DU PLANCHER

La charpente du plancher d'une maison à ossature de bois se compose de lisses, de solives de rive, de poutres et de solives. À l'intérieur, les murs porteurs remplacent les poutres et poteaux pour supporter les solives de plancher et la cloison porteuse centrale. Tout le bois de construction utilisé pour la charpente doit être bien sec et sa teneur en eau ne doit pas dépasser 19 p. 100 au moment de sa mise en œuvre, conformément aux dispositions du Code national du bâtiment.

ANCRAGE DE LA LISSE D'ASSISE

La lisse d'assise doit être soigneusement mise de niveau. Lorsque l'arase des fondations est parfaitement de niveau, on peut poser la lisse d'assise directement dessus et calfeutrer le joint après coup, ou sur une garniture de mousse synthétique à cellules fermées ou un autre matériau imperméable à l'air de même largeur que la lisse d'assise. Par contre, si l'arase des fondations n'est pas de niveau, on

RAPPEL

Exigences d'ancrage de la lisse d'assise

Avant d'arrêter son choix sur la charpente de plancher, il importe de déterminer au préalable son raccordement au mur de fondation.

Dans le cas du raccordement au mur de fondation et aux solives, la lisse d'assise doit être solidement ancrée au mur de fondation, et les boulons enrobés en partie supérieure des murs de béton ou dans l'assise supérieure des blocs de béton, leurs alvéoles remplies de béton. Le mode de raccordement de la charpente de plancher au mur de fondation doit être établi lors de la réalisation du mur de fondation, sinon il sera difficile et coûteux d'ancrer la lisse d'assise après que le béton aura pris.

Voici les exigences à retenir concernant les dimensions des boulons d'ancrage et leur pose :

→ Les boulons doivent avoir un diamètre minimal de $1/2$ po (12,7 mm).

→ Les boulons doivent être assujettis à la lisse d'assise à l'aide d'écrous et rondelles et enrobés dans au moins 4 po (100 mm) de béton.

→ Les boulons doivent être disposés selon un espacement minimal de 8 pi (2,4 m), chaque pièce de la lisse étant toujours fixée par deux boulons.

pourra asseoir la lisse d'assise sur un lit de mortier. La lisse d'assise s'ancre ensuite au mur de fondation par des boulons d'au moins 1/2 po (12,7 mm) de diamètre ou d'autres dispositifs d'ancrage appropriés.

POTEAUX ET POUTRES

Des poteaux d'acier ou de bois, placés au sous-sol, supportent généralement les poutres qui, à leur tour, reçoivent l'extrémité des solives du rez-de-chaussée, de même que les charges des étages supérieurs transmises par les murs et les poteaux.

Des poteaux en acier de charpente ronds et réglables, pourvus de plaques à leurs extrémités, s'emploient couramment à cette fin. La plaque supérieure doit être aussi large que la poutre qu'elle soutient et boulonnée à la semelle de la poutre d'acier ou clouée à la poutre de bois, selon le cas. La longueur des poteaux s'ajuste après l'installation de façon à compenser le tassement du sol ou le retrait consécutif au séchage des éléments de charpente en bois.

Les poteaux de bois d'au moins 6 x 6 po (140 x 140 mm) peuvent être soit massifs, soit composés d'éléments de 2 po (38 mm). Habituellement, on assemble les éléments les uns aux autres à l'aide de clous de 3 po (76 mm) à entraxes de 12 po (300 mm). Les poteaux de bois doivent avoir au moins la même largeur que les poutres qu'ils supportent et taillés de façon à assurer un appui uniforme en partie supérieure et inférieure. Chaque poteau doit être cloué à la poutre supérieure et désolidarisé de sa base en béton par un matériau de protection contre l'humidité comme une pellicule de polyéthylène de 0,006 po (0,15 mm) ou un matériau de couverture en rouleau de type S.

L'entraxe des poteaux est généralement de 8 à 10 pi (2,4 à 3,0 m), selon la charge et la résistance de la poutre qu'ils supportent.

Les poutres d'acier ou de bois s'utilisent en construction résidentielle. L'acier a l'avantage de ne pas subir de retrait. Les poutres d'acier présentent habituellement un profil en I, alors que les poutres de bois sont massives ou composées. D'une part, la poutre composée en bois (figure 30) est généralement constituée de trois pièces de bois ou plus de 2 po (38 mm) d'épaisseur disposées sur chant et clouées ensemble, de chaque côté, par des clous de 3 1/2 po (89 mm). Les clous sont enfoncés à au plus 18 po (450 mm) l'un de l'autre dans chacune des rangées, les clous d'extrémité étant situés à 4 à 6 po (100 à 150 mm) de l'extrémité de chacune des pièces. Les joints d'about entre les composants doivent se trouver au-dessus d'un poteau porteur ou à moins de 6 po (150 mm) du quart de la portée. (Voir les tableaux 11, 12 et 13).

Les poutres et poteaux en bois de placage lamellé ou en lamellé-collé, ou en longs copeaux se substituent à leurs équivalents d'acier ou composés en bois (voir le tableau 14).

Les extrémités des poutres doivent avoir un appui d'au moins 3 1/2 po (89 mm) sur les murs de béton ou de maçonnerie ou sur les poteaux. Il y a toutefois risque de pourriture lorsque les poutres encastrées sont trop à l'étroit dans leurs logements et

Poutre composée en bois

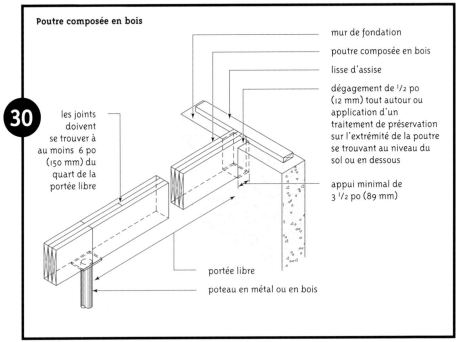

30

les joints doivent se trouver à au moins 6 po (150 mm) du quart de la portée libre

mur de fondation

poutre composée en bois

lisse d'assise

dégagement de ¹/₂ po (12 mm) tout autour ou application d'un traitement de préservation sur l'extrémité de la poutre se trouvant au niveau du sol ou en dessous

appui minimal de 3 ¹/₂ po (89 mm)

portée libre

poteau en métal ou en bois

Solives reposant sur une poutre de bois et clouées en biais à celle-ci à l'aide de deux clous de 3 ¹/₄ po (82 mm) par solive.

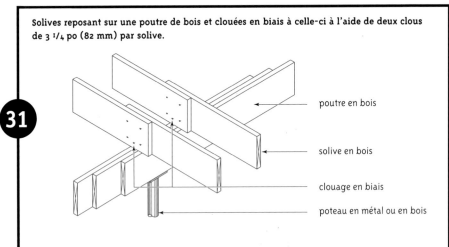

31

poutre en bois

solive en bois

clouage en biais

poteau en métal ou en bois

---

que l'air ne peut pas y circuler librement. On doit par conséquent traiter contre la pourriture les extrémités des poutres de bois situées au niveau du sol ou en dessous, et encastrées dans les murs de béton ou de maçonnerie, sinon, il faudra que leur logement d'appui autorise un dégagement frontal et latéral de ¹/₂ po (12 mm). Les poutres en bois non traité doivent être isolées du béton par une membrane imperméable s'ils se situent à 6 po (150 mm) ou moins au-dessus du niveau du sol.

À PRÉVOIR

Passage des conduits et tuyaux

Un important aspect à considérer lors de la conception de l'agencement des poutres et solives est le passage des conduits et tuyaux. En effet, les conduits des installations de chauffage et de ventilation, contrairement aux câbles électriques, ne se manipulent pas avec autant de souplesse. Il est fortement recommandé d'éviter les coudes prononcés et les longs parcours; l'agencement des poutres et solives doit donc respecter la façon dont les conduits seront dissimulés dans le plancher et les murs. Les tuyaux s'avèrent quelque peu plus flexibles que les conduits, mais les canalisations de plomberie comme la colonne de chute doivent avoir une allure verticale et comporter peu de déviations horizontales, s'il en est. La plomberie sera plus difficile à réaliser si les salles de bains ne sont pas aménagées autour d'une colonne de chute commune. Voici les aspects à prendre en considération lors de cette étape :

➡ Revoir les plans de la maison en compagnie d'un entrepreneur en plomberie et en chauffage averti pour déterminer les exigences et la suite à donner. Envisager la possibilité d'aménager un sous-sol plus haut que la normale pour dissimuler les canalisations de service au-dessus du plafond fini.

➡ Éviter de faire affleurer les poutres lorsque les solives de plancher sont assujetties aux côtés des poutres. Faire reposer les solives sur les poutres permet d'obtenir l'espace nécessaire pour dissimuler conduits et tuyaux.

➡ Disposer toutes les solives de plancher dans le même sens évite d'avoir à passer les conduits ou tuyaux sous les solives.

➡ Recourir à des calages, plutôt qu'à des solives supplémentaires, sous les murs non porteurs parallèles aux solives de plancher, de façon à pouvoir faire passer les conduits et tuyaux par en dessous.

➡ Toujours prévoir un mur en éléments de 2 x 6 po (38 x 140 mm) lorsqu'une colonne de chute le traverse. En revanche, prévoir de pourvoir le mur de fourrures pour dissimuler la colonne et passer toute conduite d'alimentation en eau potable.

➡ Dans la mesure du possible, aligner les poteaux des cloisons sur les solives de plancher pour pouvoir avoir accès à tout l'espace entre les poteaux par en dessous.

➡ Si la conformité aux points ci-dessus laisse toujours planer la difficulté d'intégrer les conduits et tuyaux, l'emploi de solives triangulées permettra de les faire passer entre les membrures d'âme.

➡ Être disposé à modifier le plan de la charpente en fonction des conduits et tuyaux.

Solives supportées par une lambourde clouée à la poutre avec deux clous de 3 ¹/₄ po (82 mm) par solive. L'éclisse est assujettie aux solives avec deux clous de 3 ¹/₄ po (82 mm) à chaque extrémité.

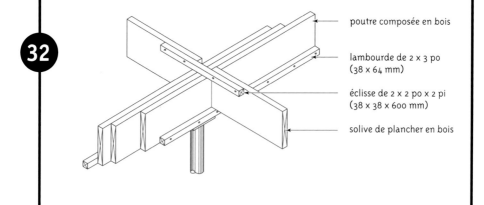

32

poutre composée en bois

lambourde de 2 x 3 po (38 x 64 mm)

éclisse de 2 x 2 po x 2 pi (38 x 38 x 600 mm)

solive de plancher en bois

Solives soutenues par une lambourde fixée à la poutre avec deux clous de 3 ¹/₄ po (82 mm) par solive. Les extrémités des solives entaillées se recouvrent au-dessus de la poutre et sont retenues ensemble avec deux clous de 3 ¹/₄ po (82 mm). Si l'on emploie une poutre d'acier, les solives reposent sur sa semelle inférieure, ou une lambourde boulonnée à la poutre, et sont jointes à leur sommet par une éclisse de 2 x 2 po (38 x 38 mm).

33

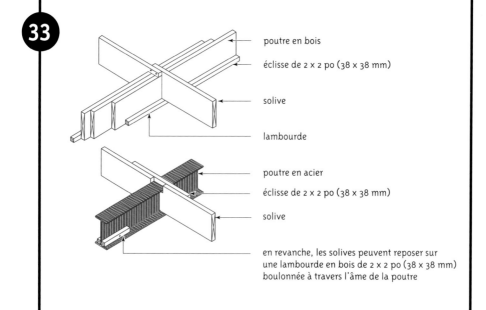

poutre en bois

éclisse de 2 x 2 po (38 x 38 mm)

solive

lambourde

poutre en acier

éclisse de 2 x 2 po (38 x 38 mm)

solive

en revanche, les solives peuvent reposer sur une lambourde en bois de 2 x 2 po (38 x 38 mm) boulonnée à travers l'âme de la poutre

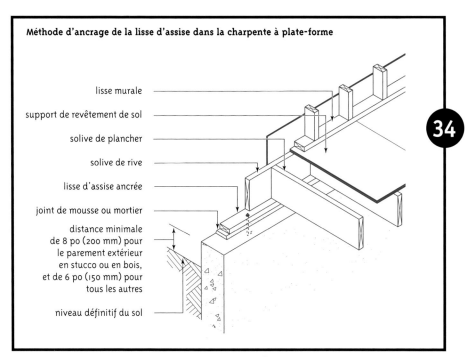

Méthode d'ancrage de la lisse d'assise dans la charpente à plate-forme

lisse murale

support de revêtement de sol

solive de plancher

solive de rive

lisse d'assise ancrée

joint de mousse ou mortier

distance minimale de 8 po (200 mm) pour le parement extérieur en stucco ou en bois, et de 6 po (150 mm) pour tous les autres

niveau définitif du sol

34

RACCORDEMENT DES SOLIVES À LA POUTRE

Le moyen le plus simple de joindre les solives à la poutre consiste à poser les solives sur celle-ci (figure 31). Dans un tel cas, le dessus de la poutre doit être au même niveau que le dessus de la lisse d'assise (figure 30). Cette méthode s'emploie lorsque le sous-sol doit offrir une hauteur libre suffisante sous la poutre.

Fixer les solives à des étriers ou à d'autres connecteurs structuraux permet d'obtenir une hauteur libre supérieure sous la poutre en bois. Le Code national du bâtiment autorise à faire reposer les solives sur une lambourde de 2 x 3 po (38 x 64 mm) clouée à la poutre avec deux clous de 3 1/4 po (82 mm) par solive (figure 32).

Les figures 32 et 33 montrent comment entailler ou éclisser les extrémités des solives.

Les solives assemblées sur le côté d'une poutre d'acier peuvent reposer sur la semelle inférieure ou sur une lambourde de 2 x 2 po (38 x 38 mm) fixée à la membrure d'âme par deux boulons de 1/4 po (6,3 mm) à entraxes de 24 po (600 mm). Les solives doivent être éclissées (figure 33) et un espace de 1/2 po (12 mm) laissé entre les éclisses et le dessus de la poutre pour tenir compte du retrait.

RACCORDEMENT DES SOLIVES AUX MURS DE FONDATION

Les deux modes généraux de raccordement des solives aux murs de fondation conviennent aussi bien à la charpente à plate-forme qu'à la charpente à claire-voie. La charpente à plate-forme demeure toutefois de loin la plus courante. Dans la charpente à plate-forme, deux méthodes s'emploient : la méthode de raccordement par la lisse d'assise et la méthode d'encastrement des solives.

Méthode de raccordement par la lisse d'assise

Cette méthode convient aux murs de fondation en béton ou en blocs de béton. Il s'agit d'ancrer la lisse d'assise au mur de fondation (figure 34)

pour y appuyer et fixer les solives de plancher et la solive de rive. La lisse d'assise repose habituellement sur l'arase du mur de fondation. Si c'est le cas, le dessous de la lisse d'assise doit se situer à au moins 6 po (150 mm) au-dessus du niveau définitif du sol.

Lorsqu'il est souhaitable d'abaisser le niveau du rez-de-chaussée, la partie supérieure du mur de fondation pourra être ramenée à 3 1/2 po (90 mm) d'épaisseur. Si du bardage ou du stucco sert de revêtement extérieur de finition, l'ossature murale repose sur la lisse d'assise

Solives portant sur l'épaulement formé dans le mur de fondation. Les solives sont clouées en biais à la solive de rive et à la lisse d'assise. Cette dernière est assujettie à la partie supérieure du mur de fondation par des boulons d'ancrage. La lisse basse de l'ossature du mur est fixée à la lisse d'assise avec des clous de 3 po (76 mm) à entraxes de 16 po (400 mm).

35

revêtement mural de finition

pare-vapeur

isolant

poteau mural

revêtement intermédiaire

membrane de revêtement intermédiaire

bardage en bois

lisse murale

distance minimale de 8 po (200 mm)

lisse d'assise ancrée aux fondations

plinthe

revêtement de sol

support de revêtement de sol et couche de pose

solive de plancher clouée en biais à la lisse d'assise

solive de rive

lisse d'assise ancrée aux fondations

dégagement de 1/2 po (12 mm) si le bois n'est pas traité

ancrée sur le dessus du mur et les solives de plancher s'appuient sur une lisse d'assise distincte posée sur l'épaulement pratiqué dans le mur (figure 35). Le revêtement en maçonnerie, tel le placage de brique, s'appuie sur le dessus du mur de fondation, tandis que la charpente du mur repose sur celle du plancher (figure 36). Lorsque l'épaisseur du mur est réduite, la hauteur de la partie amincie ne saurait dépasser 14 po (350 mm).

Méthode d'encastrement des solives

Cette méthode ne vaut que pour les murs de fondation en béton coulé sur place. Les poutres, les solives de plancher et la solive de rive se mettent en place avant le bétonnage. La charpente du plancher s'appuie temporairement sur le coffrage intérieur et sur les cales servant à mettre la charpente de niveau. Des blocs de bois placés entre les solives du plancher le long des murs d'extrémité emprisonnent le béton fluide entre les solives, affleurant la face intérieure du mur de

Solives portant sur l'épaulement formé dans le mur de fondation. Les solives sont clouées en biais à la solive de rive et à la lisse d'assise. Le placage de brique s'appuie sur l'arase du mur de fondation, alors que l'ossature murale repose sur le support de revêtement de sol.

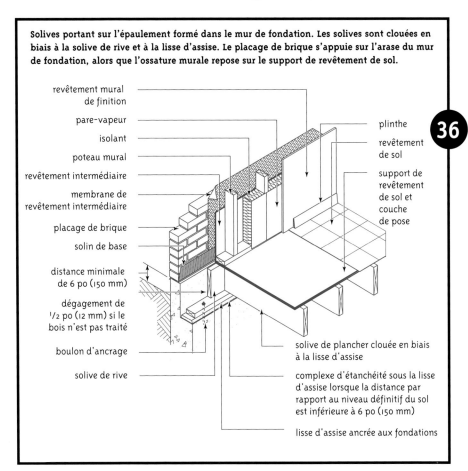

revêtement mural de finition

pare-vapeur

isolant

poteau mural

revêtement intermédiaire

membrane de revêtement intermédiaire

placage de brique

solin de base

distance minimale de 6 po (150 mm)

dégagement de 1/2 po (12 mm) si le bois n'est pas traité

boulon d'ancrage

solive de rive

plinthe

revêtement de sol

support de revêtement de sol et couche de pose

36

solive de plancher clouée en biais à la lisse d'assise

complexe d'étanchéité sous la lisse d'assise lorsque la distance par rapport au niveau définitif du sol est inférieure à 6 po (150 mm)

lisse d'assise ancrée aux fondations

fondation (figure 37). Les solives de rive et de bordure jouent le rôle de paroi extérieure du coffrage. Les extrémités des poutres situées au niveau du sol ou en dessous sont traitées contre la pourriture. Le béton est ensuite coulé de manière que les solives soient encastrées sur au moins les deux tiers de leur hauteur, assurant ainsi l'ancrage approprié des éléments de charpente du plancher. Les blocs de bois sont ensuite enlevés en même temps que les coffrages, après la prise du béton. La même méthode s'applique dans le cas d'un placage de maçonnerie (figure 38).

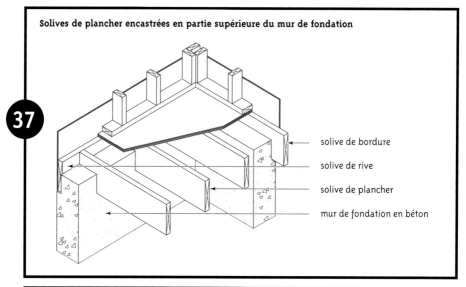

Solives de plancher encastrées en partie supérieure du mur de fondation

37

solive de bordure

solive de rive

solive de plancher

mur de fondation en béton

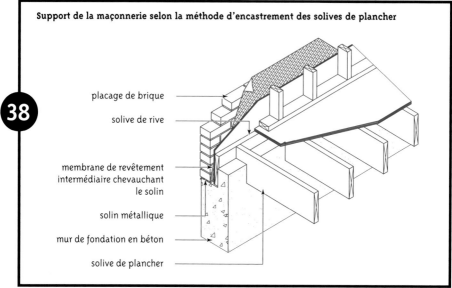

Support de la maçonnerie selon la méthode d'encastrement des solives de plancher

38

placage de brique

solive de rive

membrane de revêtement intermédiaire chevauchant le solin

solin métallique

mur de fondation en béton

solive de plancher

74

POUR UNE MAISON SAINE...

Ossatures de plancher

Le principe de la maison saine faisant appel à l'utilisation efficace des ressources peut se transposer dans les ossatures de plancher par le recours à des éléments préfabriqués en bois. En effet, ces éléments peuvent prendre la forme d'éléments structuraux préfabriqués remplaçant le bois de dimensions courantes, ou de panneaux de support de revêtement de sol se substituant au contreplaqué.

Les solives de bois en I et les solives préfabriquées remplacent de façon courante les solives de plancher. En plus d'ajouter à la rigidité du plancher et de réduire le craquement sous les pas, ces ossatures facilitent énormément l'installation des conduits et tuyaux.

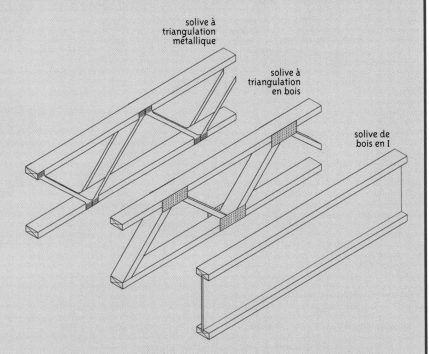

solive à triangulation métallique

solive à triangulation en bois

solive de bois en I

En moyenne, les solives de bois en I et les solives préfabriquées consomment 20 p.100 moins de matière qu'une ossature classique réalisée en bois de dimensions courantes, tout en autorisant un espacement supérieur des éléments et même une réduction encore plus grande des matériaux requis.

Fabriquées en longueurs dépassant bien les éléments de charpente classiques, ces ossatures préfabriquées admettent une portée libre, évitant de

suite à la page 76

75

suite de la page 75

devoir compter sur des murs porteurs intérieurs, ce qui augmente l'adaptabilité du plan de maison tout en réduisant davantage les matériaux et la main-d'œuvre requis.

Comme support de revêtement de sol classique, le panneau de copeaux ordinaires ou de copeaux orientés remplace le contreplaqué. Le panneau de copeaux ordinaires est fabriqué à partir de minces lamelles de déchets de bois liaisonnées sous presse. Le panneau de copeaux orientés ressemble au précédent, sauf que les lamelles orientées dans le même sens à fil alterné ajoutent à sa résistance.

Lors de l'utilisation d'éléments préfabriqués en bois, il importe de s'en tenir rigoureusement aux directives du fabricant.

SOLIVES DE PLANCHER

Les solives doivent satisfaire à des exigences de résistance et de rigidité. D'une part, les exigences de résistance varient selon les charges imposées et, d'autre part, les exigences de rigidité visent à minimiser la fissuration des matériaux de finition des plafonds sous l'effet de surcharges et surtout à atténuer les vibrations imputables aux charges dynamiques, qui incommodent souvent les occupants.

Les solives de plancher en bois mesurent habituellement 2 po (38 mm) d'épaisseur sur 6, 8, 10 ou 12 po (140, 184, 235 ou 286 mm) de hauteur. Les dimensions dépendent des charges, de la portée, de l'espacement des solives, des essences et des qualités de bois utilisées et de la flexion admise. Les tableaux 15 et 16 indiquent les portées admissibles (distances nettes entre les appuis) suivant les diverses qualités et essences de bois et diverses conditions de charges et surcharges. Les portées admissibles indiquées ont été calculées d'après les dimensions courantes adoptées pour le bois de construction au Canada.

Les solutions de rechange aux solives de plancher en bois de dimensions courantes sont les solives en bois de placage lamellé, les poutrelles (solives préfabriquées) à membrures parallèles et les solives de bois en I. Les portées admissibles de ces éléments préfabriqués sont fournies par le fabricant.

Lorsqu'une lisse d'assise s'emploie, les solives ne se posent que lorsque la lisse d'assise a été mise de niveau sur le lit de mortier et ancrée au mur de fondation. Mais, comme nous l'avons déjà mentionné, lorsque les solives sont encastrées en partie supérieure du mur de fondation, elles se posent avant de couler le mur de béton. L'emplacement et l'espacement des solives doivent être conformes aux règles de calcul.

L'espacement des solives est

généralement établi selon un entraxe de 16 po (400 mm). On pourra le faire passer à 12 po (300 mm) et utiliser des solives de moindre hauteur dans le cas de lourdes charges ou d'espace restreint. Inversement, si l'épaisseur du plancher ne pose aucune restriction, recourir à des solives de plus grande hauteur disposées à entraxes de 24 po (600 mm) pourrait se révéler plus économique. (**Note :** *Comme l'entraxe des solives est exprimé en unités métriques nominales, le lecteur est prié de ne pas s'en servir puisque les produits en panneaux sont fabriqués selon les unités anglaises.*)

Le chant arqué de toute solive doit être placé en haut, étant donné que la solive ainsi placée aura tendance à se redresser sous le poids du support de revêtement de sol et des charges imposées.

La solive de rive se fixe à l'extrémité de chacune des solives par clouage droit (figure 39) ou en biais (figure 35). Dans la charpente à plate-forme, chaque solive, y compris la solive de bordure (parallèle aux autres solives) se cloue en biais à la lisse d'assise (figure 39). Les extrémités intérieures des solives reposent sur la poutre (figure 31) ou s'assemblent sur

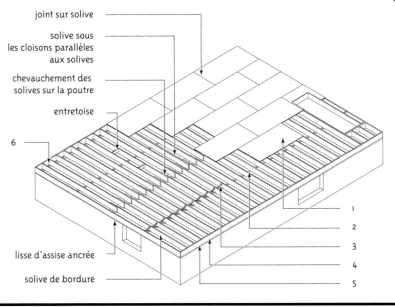

Charpente du plancher : (*1*) support de revêtement de sol fixé aux solives avec des clous de 2 po (51 mm); (*2*) lattes en bois continues de 1 x 3 po (19 x 64 mm) clouées à la sous-face des solives avec deux clous de 2 1/4 po (57 mm); et/ou (*3*) entretoises croisées de 2 x 2 po (38 x 38 mm) clouées avec deux clous de 2 1/4 po (57 mm); (*4*) solive de rive fixée par clouage droit aux solives avec trois clous de 3 1/4 po (82 mm); (*5*) solive de rive clouée en biais à la lisse d'assise avec des clous de 3 1/4 po (82 mm) à entraxes de 24 po (600 mm); (*6*) solives de plancher clouées en biais à la lisse d'assise avec deux clous de 3 1/4 po (82 mm), un de chaque côté

39

joint sur solive

solive sous les cloisons parallèles aux solives

chevauchement des solives sur la poutre

entretoise

6

lisse d'assise ancrée

solive de bordure

1
2
3
4
5

les côtés de celle-ci (figure 32).

Le mur porteur parallèle aux solives doit s'appuyer sur une poutre ou un mur porteur au sous-sol.

Les plans d'aménagement requièrent souvent la présence d'un mur porteur perpendiculaire aux solives de plancher, mais décalé par rapport à l'appui des solives. Un mur porteur intérieur perpendiculaire aux solives de plancher doit être situé à 36 po (900 mm) au plus de l'appui des solives lorsqu'il ne supporte pas de plancher, et à 24 po (600 mm) au plus lorsqu'il en supporte un ou plus, à moins que les solives ne soient dimensionnées pour soutenir ces charges concentrées.

Les cloisons non porteuses parallèles aux solives doivent reposer sur des solives ou sur des entretoises placées entre elles. Les entretoises doivent être constituées d'éléments en bois de 2 x 4 po (38 x 89 mm) espacées d'au plus 4 pi (1,2 m).

Autour des grandes ouvertures, comme celles prévues pour un escalier ou un foyer, les solives d'enchevêtrure sont jumelées si les chevêtres qu'elles soutiennent mesurent plus de 32 po (800 mm) de longueur. Les chevêtres de plus de 4 pi (1,2 m) doivent également être jumelés. Lorsque l'ouverture est particulièrement grande, les solives

---

Enchevêtrure dans un plancher où les solives d'enchevêtrure et les chevêtres sont jumelés : (*1*) la première solive d'enchevêtrure est fixée au premier chevêtre avec trois clous de 4 po (101 mm) ou cinq de 3 1/4 po (82 mm); (*2*) le premier chevêtre est assujetti aux solives boiteuses avec trois clous de 4 po (101 mm) ou cinq de 3 1/4 po (82 mm); (*3*) le second chevêtre est fixé au premier avec des clous de 3 po (76 mm), à intervalles longitudinaux de 12 po (300 mm); (*4*) la première solive d'enchevêtrure est fixée au deuxième chevêtre avec trois clous de 4 po (101 mm) ou cinq de 3 1/4 po (82 mm); (*5*) la seconde solive d'enchevêtrure est fixée à la première avec des clous de 3 po (76 mm), à intervalles longitudinaux de 12 po (300 mm);.

40

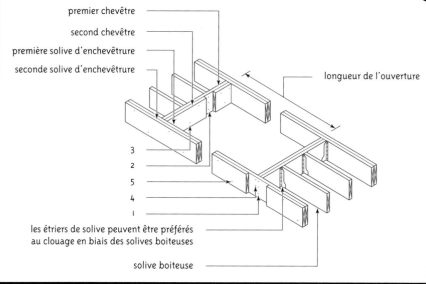

premier chevêtre

second chevêtre

première solive d'enchevêtrure

seconde solive d'enchevêtrure

longueur de l'ouverture

3
2
5
4
1

les étriers de solive peuvent être préférés au clouage en biais des solives boiteuses

solive boiteuse

d'enchevêtrure assemblées à des chevêtres de plus de 6 pi 6 po (2 m) de longueur et les chevêtres de plus de 10 pi 6 po (3,2 m) de longueur doivent être calculés selon les règles de l'art.

La figure 40 indique les méthodes d'assemblage et de clouage à suivre généralement pour réaliser une enchevêtrure.

Des étriers servent souvent à soutenir les longs chevêtres et les solives boiteuses.

On peut prévenir la torsion des solives par l'utilisation de croix de Saint-André, d'entretoises, de lattes continues ou d'un revêtement de plafond fixé à la sous-face des solives. À défaut d'utiliser un revêtement de finition en panneaux, on devra contreventer les solives tous les 6 pi 10 po (2,1 m) au moins entre les appuis.

Voici les façons d'assurer l'appui intermédiaire : mettre en œuvre des croix de Saint-André de 1 x 3 po (19 x 64 mm) ou de 2 x 2 po (38 x 38 mm) ou des entretoises de 2 po (38 mm) fixées entre les solives, en plus de lattes continues de 1 x 3 po (19 x 64 mm) clouées à la sous-face des solives; les lattes de bois continues ne sont pas nécessaires là où un revêtement de finition de plafond est prévu.

Comportement du plancher

Les tableaux des portées des solives de plancher tiennent compte de l'acceptabilité des vibrations. Les tableaux tiennent compte que différentes ossatures de plancher vibrent plus sous les pas que d'autres. Par conséquent, en ajoutant des entretoises ou en augmentant l'épaisseur du support de revêtement de sol, on peut égale-ment étendre la portée des solives de plancher. Dans la même veine, on pourra envisager de recourir à des solives en bois de placage lamellé, des poutrelles à membrures parallèles ou des solives de bois en I.

SUPPORT DE REVÊTEMENT DE SOL

Le support de revêtement de sol doit être constitué de contreplaqué, de panneaux de copeaux ordinaires ou orientés, ou de bois de construction avivé d'équerre, bouveté ou feuilluré d'au plus 8 po (184 mm) de largeur. L'épaisseur minimale des panneaux de contreplaqué, de copeaux ordinaires ou orientés et du bois de construction utilisés comme support de revêtement de sol est indiquée au tableau 17.

Le contreplaqué s'utilise souvent comme support des parquets en lames ou comme support et couche de pose des revêtements de sol souples, de la moquette ou des carreaux céramiques. En pareils cas, les joints latéraux doivent se produire sur des appuis de 2 x 2 po (38 x 38 mm) ajustés entre les solives à moins que les chants des panneaux soient bouvetés.

Les panneaux de contreplaqué se posent le fil du pli de face perpendiculaire aux solives et les joints d'extrémité des panneaux contigus décalés, étant cloués à entraxes de 6 po (150 mm) le long des rives et de 12 po (300 mm) aux appuis intermédiaires. Les panneaux utilisés à la fois comme support et couche de pose du revêtement de sol doivent être assujettis par des clous annelés conçus pour résister efficacement à l'arrachement et au soulèvement, ou encore par des agrafes approuvées à cette fin. (Voir le tableau 18 pour les exigences de fixation du revêtement intermédiaire et du support de revêtement de sol.)

Il est possible d'améliorer sensiblement la rigidité du plancher et de minimiser les craquements en appliquant de la colle à base d'élastomère entre les solives et le support en contreplaqué. De cette façon, le contreplaqué et les solives se comportent comme une série de poutres composées rigides en T qui s'opposent au fléchissement différentiel des solives.

On peut également utiliser des panneaux de copeaux ordinaires, ou de copeaux orientés, comme support de revêtement de sol et les recouvrir d'une couche de pose lorsqu'on prévoit y juxtaposer un revêtement de sol vinylique. Les joints devront être décalés et les panneaux cloués de la même manière que le contreplaqué.

Tous les panneaux de contreplaqué et de copeaux utilisés comme support de revêtement de sol et couche de pose doivent être de type extérieur, c'est-à-dire comporter un adhésif hydrofuge.

Une couche de pose n'est pas nécessaire lorsque les rives des panneaux du support de revêtement de sol sont supportées.

Pour un support de revêtement de sol en bois de construction, des planches de 1 po (19 mm) d'épaisseur s'utilisent habituellement bien que l'épaisseur puisse être réduite à 11/16 po (17 mm) lorsque les solives ont un entraxe de 16 po (400 mm). Les planches doivent être posées de façon que les joints d'extrémité se produisent sur les solives, sauf qu'ils sont généralement tous décalés. Les planches peuvent être posées perpendiculairement aux solives ou à un angle de 45°. Lorsqu'elles sont posées perpendiculairement aux solives, les lames de parquet se posent perpendiculairement au support de revêtement de sol, sauf en cas d'emploi de couche de pose. Poser le support de revêtement de sol en diagonale permet de mettre en œuvre les lames de parquet perpendiculairement ou parallèlement aux solives. On doit clouer les planches avec deux clous de 2 po (51 mm) à chaque appui. Tout support de revêtement de sol en bois de construction doit être recouvert d'une couche de pose en panneaux si le matériau de finition est un revêtement de sol souple.

CHARPENTE DE PLANCHER EN PORTE-À-FAUX

Les solives de plancher se prolongent parfois au-delà du mur de fondation pour soutenir une fenêtre en saillie ou accroître la surface des pièces au-dessus. Le porte-à-faux de la charpente de plancher ne doit pas dépasser 16 po (400 mm) dans le cas de solives de 2 x 8 po (38 x 184 mm) et 24 po (600 mm) pour des solives plus hautes. Quoi qu'il en soit, le porte-à-faux ne doit pas porter les charges d'autres planchers. Les solives en porte-à-faux qui doivent supporter des charges supplémentaires doivent être conçues spécialement à cette fin suivant les règles de l'art. Le support de revêtement de sol est ensuite prolongé et scié au ras des éléments de charpente extérieurs. La figure 41 illustre un porte-à-faux type du deuxième étage d'une maison.

L'isolant thermique doit être soigneusement ajusté dans le plancher en porte-à-faux, sur le dessus du soffite et contre les solives de rive et de bordure. Pour sa part, le pare-vapeur doit être minutieusement ajusté du côté chaud de l'isolant et fixé en place.

Si la hauteur des solives le permet, on laisse habituellement ouvert l'espace entre le support de revêtement de sol et l'isolant afin de permettre à l'air chaud du plafond de circuler entre les solives. Le porte-à-faux du plancher se trouve ainsi chauffé par-dessous et par-dessus, ce qui assure une température uniforme et confortable dans toute la pièce.

Pour empêcher l'air extérieur de s'infiltrer dans le porte-à-faux, il faut ajuster et calfeutrer aux endroits nécessaires le soffite et les autres boiseries du porte-à-faux, ou bien y mettre en œuvre un pare-air.

OUVRAGE DE RÉFÉRENCE

Le livre des portées, édition de 1995
Conseil canadien du bois

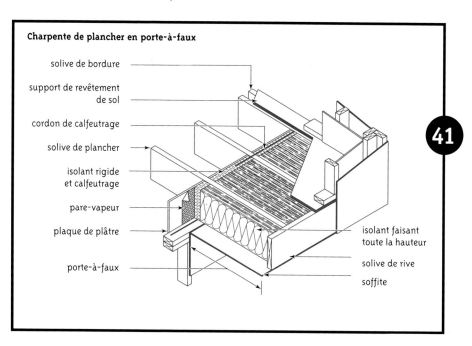

Charpente de plancher en porte-à-faux

solive de bordure

support de revêtement de sol

cordon de calfeutrage

solive de plancher

isolant rigide et calfeutrage

pare-vapeur

plaque de plâtre

porte-à-faux

41

isolant faisant toute la hauteur

solive de rive

soffite

DIMENSIONNEMENT DES POUTRES COMPOSÉES EN BOIS

Problème

Choisir deux poutres composées satisfaisant aux conditions sousmentionnées.

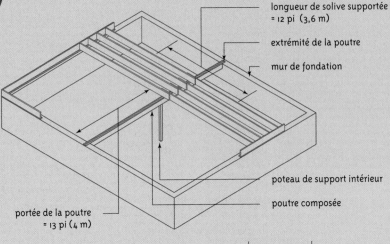

longueur de solive supportée = 12 pi (3,6 m)

extrémité de la poutre

mur de fondation

poteau de support intérieur

poutre composée

portée de la poutre = 13 pi (4 m)

longueur de solive supportée

$a/2 + b/2$

a

b

portée de la poutre

poteau de support

Conditions

Maison de un étage, à placage de brique
Poutre supportant uniquement le rez-de-chaussée
Longueur de solive supportée : 12 pi (3,6 m)
Portée de la poutre : 13 pi (4 m)
Désignation commerciale et qualité spécifiées : SPF n° 2 ou meilleur

Choix

Consulter le tableau 11

Poutres acceptables à cette fin :
5 - 2 x 10 po (5 - 38 x 235 mm) ou
4 - 2 x 12 po (4 - 38 x 286 mm).

DIMENSIONNEMENT DES SOLIVES DE PLANCHER

Problème
Choisir des solives de plancher satisfaisant aux conditions sousmentionnées.

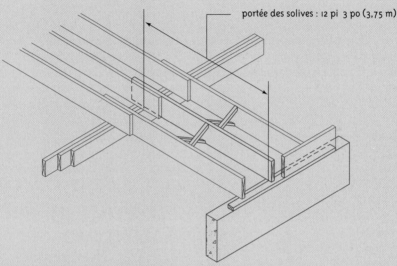

portée des solives : 12 pi 3 po (3,75 m)

Conditions
Solives supportant le plancher du séjour
Portée des solives : 12 pi 3 po (3,75 m)
Mise en place d'entretoises
Plafond du sous-sol laissé sans revêtement de finition
Désignation commerciale et qualité spécifiées : SPF n° 2 ou meilleur
Support de revêtement de sol : contreplaqué de 5/8 po (15,9 mm) cloué en place

À noter que le revêtement de plafond en plaques de plâtre remplit la même fonction que les lattes continues. Pour cet exemple, les solives de plancher peuvent être considérées comme pourvues d'entretoises et de lattes continues.

Choix
Consulter le tableau 15

Dimensions acceptables des solives de plancher retenues à cette fin :
2 x 8 po à entraxes de 12 po (38 x 184 mm à entraxes de 300 mm) ou
2 x 10 po à entraxes de 24 po (38 x 235 mm à entraxes de 600 mm).
À noter que tout entraxe inférieur à 24 po (600 mm) pour les solives de 2 x 10 po
(38 x 235 mm) est acceptable.

OSSATURE MURALE

Le terme «ossature murale» désigne l'ensemble des éléments verticaux et horizontaux constituant les murs extérieurs ou intérieurs, en l'occurrence les poteaux, les lisses, les sablières et les linteaux. qui, tout en servant de fond de clouage aux matériaux de revêtement, portent les étages supérieurs, le plafond et le toit. Tout le bois de charpente doit être classifié, bien sec, et avoir une teneur en eau d'au plus 19 p. 100 (voir le tableau 19 pour les exigences en matière de clouage).

Les poteaux des murs extérieurs sont les éléments verticaux auxquels sont fixés le revêtement intermédiaire et le bardage. S'appuyant sur la lisse ou la lisse d'assise, ils supportent à leur tour la sablière. Les poteaux sont généralement constitués de bois de construction de 2 x 4 po (38 x 89 mm) ou de 2 x 6 po (38 x 140 mm), disposés à entraxes de 16 po (400 mm). Cet entraxe peut cependant passer à 12 po (300 mm) ou à 24 po (600 mm), selon la charge et les restrictions imposées par le type et l'épaisseur du revêtement mural utilisé (voir le tableau 20). L'emploi de poteaux de 2 x 6 po (38 x 140 mm) permet d'ajouter davantage d'isolant thermique. L'isolation thermique réalisable dans une ossature de 3 1/2 po (89 mm) peut être relevée par la mise en œuvre d'isolant rigide ou semi-rigide ou de matelas entre des fourrures horizontales de 2 x 2 po (38 x 38 mm), ou encore par l'utilisation d'isolant rigide ou semi-rigide comme revêtement mural intermédiaire.

Les poteaux sont reliés à leurs extrémités à une sablière (en haut) et à une lisse (en bas) en bois de construction de 2 po (38 mm) et de même largeur que les poteaux.

Les linteaux désignent les éléments horizontaux fermant le haut d'une baie (fenêtre, porte ou autre ouverture) destinés à transmettre les charges verticales aux jambages. Ils sont généralement constitués de deux pièces de bois de 2 po (38 mm) espacées par des cales à la profondeur des poteaux et clouées ensemble. L'isolant rigide constitue la cale idéale. La hauteur du linteau est proportionnée à la largeur de la baie et aux charges verticales à supporter (voir les tableaux 21 à 23).

CHARPENTE À PLATE-FORME

La charpente d'une maison s'exécute selon deux techniques. La charpente à claire-voie a prédominé jusqu'à la fin des années 1940, mais depuis, elle a été supplantée par la charpente à plate-forme.

Cette technique, qui consiste à assembler des pans de mur horizontalement sur le support de revêtement de sol avant de les élever en position, est très courante. Les lisses et sablières se fixent par clouage droit à chacun des poteaux avec deux clous d'au moins 3 1/4 po (82 mm) de longueur. Les poteaux sont jumelés aux baies, les poteaux intérieurs étant taillés de façon à recevoir le linteau qui, une fois placé, se cloue à angle droit à travers les poteaux extérieurs. Le revêtement mural intermédiaire se pose généralement avant de monter le mur en position verticale, évitant de recourir à des échafaudages pour cette opération. Certains types de revêtement intermédiaire, comme les panneaux de fibres imprégnés d'asphalte, de contreplaqué, de copeaux ordinaires ou orientés, contreventent le mur suffisamment pour lui permettre de résister aux charges latérales et demeurer d'aplomb. Par contre, d'autres, comme les panneaux rigides de fibre de verre, de polystyrène ou de polyuréthane, n'y arrivent pas. On devra, en pareil cas, renforcer le mur à l'aide d'écharpes (contreventements

Ossature murale à plate-forme : *(1)* la sablière est fixée par clouage droit à chaque poteau avec deux clous de 3 ¼ po (82 mm); *(2)* les sablières sont assujetties l'une à l'autre avec des clous de 3 po (76 mm), à entraxes de 24 po (600 mm); *(3)* les poteaux sont cloués en biais avec quatre clous de 2 ½ po (63 mm) ou fixés par clouage droit à la lisse avec deux clous de 3 ¼ po (82 mm); *(4)* aux angles et au droit des cloisons porteuses, les sablières sont assemblées à recouvrement et retenues ensemble avec deux clous de 3 ¼ po (82 mm), ou reliées par un connecteur métallique fixé avec trois clous de 2 1/2 po (63 mm) enfoncés de part et d'autre du joint; *(5)* les poteaux jumelés aux ouvertures et les poteaux composés aux angles et au droit des cloisons s'assemblent avec des clous de 3 po (76 mm), à entraxes de 30 po (750 mm); *(6)* la lisse se fixe à la solive de bordure ou de rive avec des clous de 3 ¼ po (82 mm) à entraxes de 16 po (400 mm).

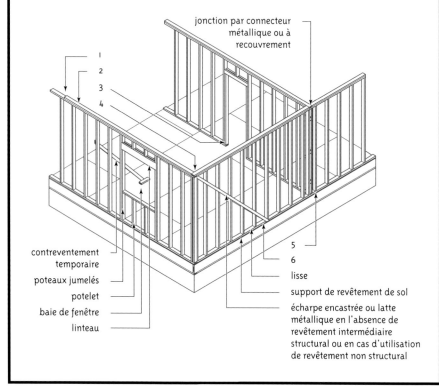

jonction par connecteur
métallique ou à
recouvrement

contreventement
temporaire
poteaux jumelés
potelet
baie de fenêtre
linteau

lisse
support de revêtement de sol
écharpe encastrée ou latte
métallique en l'absence de
revêtement intermédiaire
structural ou en cas d'utilisation
de revêtement non structural

À PRÉVOIR...

Assurer la résistance thermique effective requise

Les exigences du Code en matière de résistance thermique minimale des murs et autres ensembles de construction dépend des conditions climatiques et de la source d'énergie exploitée pour le chauffage des locaux.

Il importe de bien saisir la différence entre les notions de résistance thermique nominale et effective des ensembles de construction isolés. D'une part, la résistance thermique nominale désigne la cote de résistance thermique de l'isolant mis en œuvre. Par exemple, un mur constitué d'éléments de 2 x 6 po (38 x 140 mm) contenant dans ses cavités de l'isolant en matelas de fibre de verre ou de fibre minérale est assorti d'une résistance thermique nominale d'environ R 20 (RSI 3,52). La résistance thermique effective tient compte de la présence des revêtements intérieur et extérieur de même que des revêtements de finition et, fait encore plus important, de l'effet des poteaux de bois meilleurs conducteurs de chaleur que l'isolant thermique. Cet effet, connu sous le nom de pont thermique, réduit la résistance thermique nominale de l'ensemble de construction et se répercute sur la cote de résistance thermique effective. Pour un mur constitué de poteaux de bois disposés à entraxes de 16 po (400 mm), la résistance thermique effective correspond à R 17,4 (RSI 3,06). En général, la résistance thermique effective est inférieure à la cote nominale. Il importe donc de choisir un ensemble de construction conforme aux exigences minimales du Code visant la maison en chantier. Les points suivants doivent être pris en considération au moment d'assurer la résistance thermique effective suffisante :

→ Les valeurs de résistance thermique effective d'ensembles de construction courants sont indiquées dans le Code national de l'énergie pour les habitations.

→ Un espacement plus prononcé des éléments de charpente réduit les ponts thermiques et augmente la résistance thermique effective.

→ Choisir l'isolant thermique ayant la valeur de résistance thermique nominale la plus élevée.

→ Recourir à un revêtement intermédiaire isolant plutôt que structural accroît la résistance thermique effective des murs.

→ Tenir compte de l'effet d'ensembles de construction plus épais au moment de concevoir les détails du raccordement du mur de fondation/plancher du rez-de-chaussée et de l'intersection du mur, ainsi que de l'intersection du mur et du toit.

On devra prêter également attention à la mise en œuvre des différents ensembles de construction isolés, en particulier celle du pare-air et du pare-vapeur.

À PRÉVOIR...

Installation d'éléments particuliers avant d'exécuter la charpente des murs

À l'achèvement du plancher du rez-de-chaussée, mais avant d'exécuter la charpente des murs extérieurs, il y a lieu de sérieusement considérer les appareils encombrants à installer. La baignoire ou la cabine de douche et tout autre appareil ou pièce d'équipement de grande taille qui ne passeront pas par les baies de porte ou de fenêtre doivent être placés à l'intérieur du bâtiment avant la construction des murs. De même, il convient d'achever la cheminée extérieure et la niche avant l'ossature murale. Par exemple, le foyer de maçonnerie destiné à supporter les éléments structuraux du toit devra être réalisé avant l'ossature murale de façon à ne pas nuire à l'exécution de ces travaux.

Les aspects suivants de la planification et de la coordination des corps de métier avant l'exécution de l'ossature murale doivent être revus avant d'amorcer toute étape de construction.

→ Revoir attentivement les plans et devis de façon à désigner tout élément particulier qui devra être installé avant l'ossature des murs.

→ Commander les éléments particuliers et prendre les dispositions pour que leur livraison survienne bien avant l'étape de l'ossature des murs pour éviter les retards.

→ Coordonner avec les gens de métier la construction du foyer, de la cheminée et de la niche pour optimiser la productivité et minimiser les conflits.

Une bonne dose de prévoyance favorisera une installation appropriée sans retard ni conflit. Sinon, il faudra peut-être substituer à certains éléments particuliers des modèles moins intéressants ou tout simplement en faire son deuil.

diagonaux) en bois ou métal, encastrées dans les poteaux.

Les pans muraux sont ensuite levés et mis en place, puis contreventés temporairement avant que la lisse soit clouée à l'ossature du plancher à travers le support de revêtement de sol (figure 42). Les contreventements doivent être posés sur chant et permettre de régler la verticalité du mur.

Après avoir été mis d'aplomb, les pans de mur sont cloués ensemble aux intersections et aux angles. Une seconde sablière vient s'ajouter, les joints étant décalés d'au moins un poteau par rapport à la première. La seconde sablière recouvre généralement la première aux angles et aux intersections des cloisons et, une fois clouée, consolide davantage les murs.

À défaut d'un recouvrement aux angles et aux intersections, les deux sablières pourront être assujetties l'une à l'autre par une plaque d'acier galvanisé de 0,036 po (0,91 mm) d'au moins 3 po (75 mm) de largeur et de 6 po (150 mm) de longueur, fixée avec au moins 3 clous de 2 ¹/₂ po (63 mm) à chaque mur.

Les murs porteurs désignent les cloisons intérieures portant le plancher, le plafond et le toit, alors que les autres sont appelés murs non porteurs ou tout simplement cloisons. Les murs porteurs intérieurs se construisent comme les murs extérieurs. Les poteaux sont constitués d'éléments en bois de construction

de 2 x 4 po (38 x 89 mm) à entraxes de 16 po (400 mm). L'entraxe peut cependant passer à 12 po (300 mm) ou à 24 po (600 mm), selon les charges à porter, le type et l'épaisseur du revêtement de finition (voir le tableau 20).

Les cloisons peuvent être constituées de poteaux de 2 x 3 po (38 x 64 mm) ou de 2 x 4 po (38 x 89 mm) à entraxes de 16 ou 24 po (400 ou 600 mm), suivant le type et l'épaisseur du revêtement de finition. Lorsque la cloison ne comporte pas de porte battante, on utilise parfois des poteaux de 2 x 4 po (38 x 89 mm) à entraxes de 16 po (400 mm), la face large du poteau parallèle au mur. Cette façon de faire ne s'applique

Assemblage de poteaux composés aux angles saillants. Dans l'assemblage à deux poteaux, un profilé de fixation des plaques de plâtre sert d'appui aux angles.

43

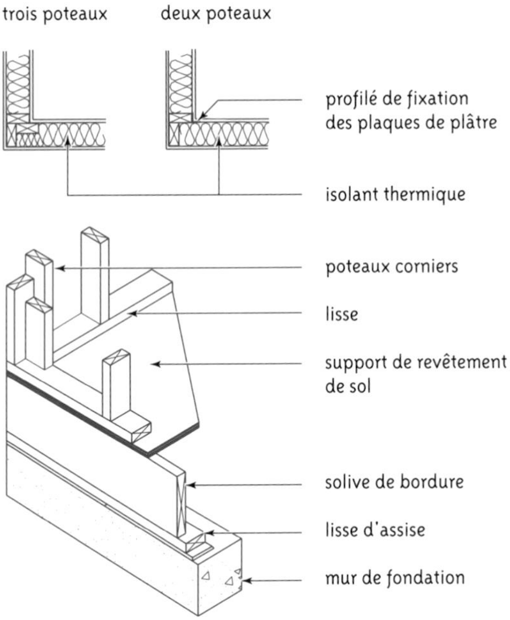

88

Assemblage de poteaux composés à l'intersection d'une cloison intérieure et d'un mur extérieur : *(A)* utilisation de deux poteaux; *(B)* utilisation de cales; *(C)* cloison fixée au mur extérieur après la mise en place des plaques de plâtre; *(D)* isolant mis en œuvre avant le revêtement intermédiaire

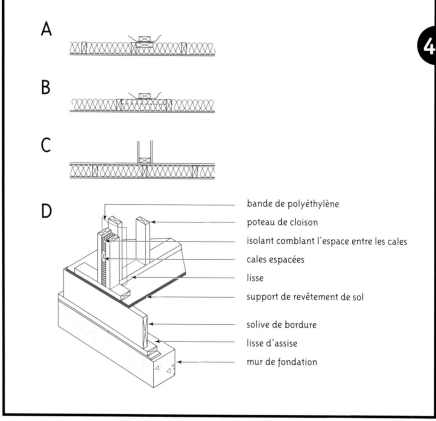

A

B

C

D

44

bande de polyéthylène

poteau de cloison

isolant comblant l'espace entre les cales

cales espacées

lisse

support de revêtement de sol

solive de bordure

lisse d'assise

mur de fondation

généralement qu'aux placards et aux penderies et vise à économiser de l'espace. Puisque les cloisons ne portent pas de charge verticale, point n'est besoin de jumeler les poteaux de part et d'autre de la baie de porte. Le dessus de la baie peut n'être renforcé que d'une seule pièce de bois de 2 po (38 mm) de même profondeur que les poteaux. Ces éléments serviront également de fond de clouage aux revêtement de finition, aux bâtis de porte et aux boiseries.

Aux angles saillants et aux intersections, un poteau cornier composé d'au moins trois éléments, ou l'équivalent, assure un bon raccordement avec les murs contigus et tient lieu de fond de clouage pour le revêtement intérieur de finition et le revêtement intermédiaire. L'assemblage d'angle et d'intersection doit toujours comporter au moins deux poteaux.

Les figures 43 et 44 montrent un mode d'exécution courant aux angles saillants et aux intersections.

Un fond de clouage doit servir d'appui aux rives du revêtement de plafond, à la jonction du mur, lorsque les cloisons sont parallèles aux solives de plafond. Les figures 45 et 46 illustrent les fonds de clouage couramment utilisés.

Fond de clouage horizontal pour le revêtement intérieur de finition. Le fond de clouage est assuré par des pièces de 2 po (38 mm) fixées à la sablière avec des clous de 3 po (76 mm), à entraxes de 12 po (300 mm).

45

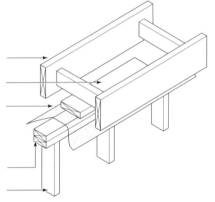

solive de plafond

fond de clouage de 2 x 6 po (38 x 140 mm)

bande de polyéthylène tenant lieu de pare-air/pare-vapeur (pouvant aussi être insérée entre les sablières jumelées — non requise entre deux planchers

sablière

poteau

Détail d'assemblage du mur d'extrémité et fond de clouage pour le revêtement intérieur de finition, selon la technique d'exécution de la charpente à plate-forme

46

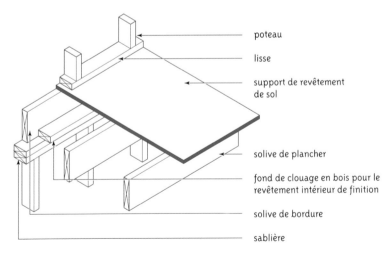

poteau

lisse

support de revêtement de sol

solive de plancher

fond de clouage en bois pour le revêtement intérieur de finition

solive de bordure

sablière

CHARPENTE À CLAIRE-VOIE

Dans la charpente à claire-voie, les poteaux et les solives du rez-de-chaussée reposent sur la lisse d'assise (figure 47) et sur la poutre centrale ou le mur porteur. Les poteaux se fixent en biais à ces appuis au moyen de quatre clous de 2 ¹/₂ (63 mm); les solives se fixent à leur tour aux poteaux à l'aide de deux clous de 3 po (76 mm). Lorsque le support de revêtement de sol en planches est posé en diagonale, ses extrémités doivent être fixées, le long des murs, sur des entretoises disposées entre les solives.

Les solives de l'étage reposent sur une lambourde de 1 x 4 po (19 x 89 mm) encastrée dans les poteaux et se clouent aux poteaux. Les solives de bordure du rez-de-chaussée et de l'étage se clouent de la même façon aux poteaux.

Pendant l'exécution de la charpente du plancher, on doit poser le fond de clouage le long des murs, entre les solives, en vue de supporter les extrémités des planches du support de revêtement de sol posées en diagonale. Puisque les espaces entre les poteaux ne sont nullement interrompus par une sablière et une lisse (comme dans la charpente à plate-forme), on doit prévoir des coupe-feu au niveau du plancher et du plafond

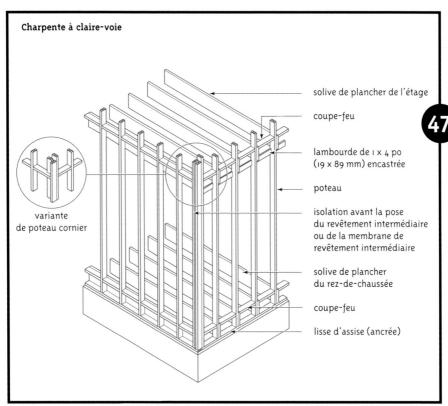

Charpente à claire-voie

variante de poteau cornier

solive de plancher de l'étage

coupe-feu

47

lambourde de 1 x 4 po (19 x 89 mm) encastrée

poteau

isolation avant la pose du revêtement intermédiaire ou de la membrane de revêtement intermédiaire

solive de plancher du rez-de-chaussée

coupe-feu

lisse d'assise (ancrée)

POUR UNE MAISON SAINE...

Réduction des déchets lors de l'exécution de l'ossature des murs

La quantité de déchets produits lors de l'ossature des murs peut être grandement réduite grâce à une planification et à des techniques judicieuses. Voici les aspects à envisager lors de la planification et de la construction des murs :

➡ Utiliser du bois séché au four qui aura été préalablement bien entreposé pour éviter tout gauchissement et toute torsion.

➡ Utiliser des poteaux déjà taillés à la longueur voulue pour obtenir une hauteur de mur uniforme.

➡ Pour construire un mur de hauteur non standard, choisir une hauteur qui permet d'utiliser le plus de poteaux muraux.

➡ Disposer, autant que possible, les poteaux à entraxes de 24 po (600 mm).

➡ Pour les linteaux, commander du bois de construction dont la longueur représente un multiple de la longueur des linteaux (il est plus économique de réaliser un linteau de 4 pi 6 po (1,5 m) constitué de deux éléments à partir d'un élément de 10 pi (3,3 m) de longueur que de tailler deux éléments de 8 pi (2,6 m).

➡ Tailler tout le bois de construction en un seul endroit pour tirer le meilleur parti des retailles.

afin de compartimenter les vides entre les poteaux et, ainsi, mieux résister à la propagation des flammes. On utilise souvent à cet effet des pièces de bois de 1 1/2 po (38 mm) d'épaisseur. Les coupe-feu ne sont toutefois pas nécessaires lorsque les cavités murales sont comblées d'isolant.

DIMENSIONNEMENT DES POTEAUX D'OSSATURE MURALE

Problème

Choisir les poteaux de l'ossature murale du rez-de-chaussée, capables de supporter les charges transmises comme suit.

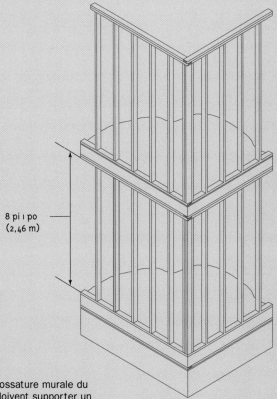

8 pi 1 po
(2,46 m)

Conditions

Les poteaux de l'ossature murale du rez-de-chaussée doivent supporter un deuxième étage.

Tous les poteaux mesurent 8 pi 1 po (2,46 m) de longueur.

Les poteaux d'ossature supportent le comble qui n'est pas desservi par un escalier (sans entreposage).

Choix

Consulter le tableau 20.

Dimensions acceptables des poteaux d'ossature retenus à cette fin :

2 x 3 po (38 x 64 mm) à entraxes de 16 po (400 mm) ou

2 x 4 po (38 x 89 mm) à entraxes de 24 po (600 mm).

CHARPENTE DU PLAFOND ET DU TOIT

Les types de toits appartiennent à deux catégories fondamentales, les toits en pente et les toits plats, mais chacun comporte de nombreuses variantes.

La pente du toit s'exprime suivant un rapport verticale-horizontale, la composante verticale apparaissant toujours en premier, en fonction de la convention anglaise ou métrique.

La convention anglaise est fondée sur l'utilisation d'une équerre de charpentier. La composante verticale est toujours 12, puisqu'il y a 12 pouces dans un pied. Par exemple, la pente à 45° d'un toit s'exprime par le rapport 12/12. Ainsi, le toit présentant une pente de 4/12 désigne une verticalité de 4 po pour une course horizontale de 12 po.

Suivant la convention métrique, pour les pentes inférieures à 45°, le premier chiffre doit toujours être égal à 1. Par exemple, un rapport de 1 : 5 indique une verticalité de 1 mm pour une course horizontale de 5 mm, ou 1 m pour 5 m. Pour les pentes plus raides que 45°, le second chiffre (soit la course horizontale) doit toujours être égal à 1 afin d'en faciliter la vérification. Un rapport de 5 : 1 exprime une verticalité de 5 mm pour une course horizontale de 1 mm, ou 5 m pour 1 m. On se gardera de combiner des unités différentes pour exprimer un ratio comme 1 mm pour 10 m.

L'indication de la pente exprimée selon un rapport de 4/12 (ou 400 mm pour 1 2000 mm) devient 1 : 3, et une pente de 3 pour 12 s'exprime par le

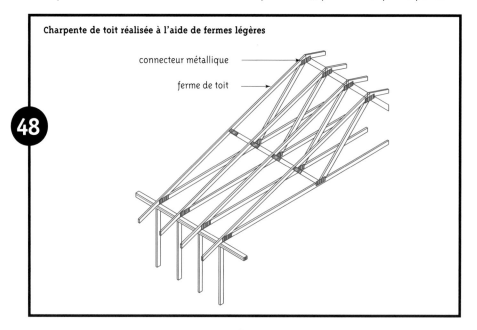

Charpente de toit réalisée à l'aide de fermes légères

connecteur métallique

ferme de toit

48

rapport 1 : 4. Dans les cas particuliers requérant une plus grande précision, on indiquera la pente en degrés.

À titre de définition, on peut considérer comme plats les toits présentant une pente inférieure à 1 : 6.

La pente des toits peut varier de 1 : 6 à 1 : 1 ou plus (par exemple, 2 : 1), selon le matériau de couverture employé et l'utilisation du comble.

Les dimensions des solives de toit et des chevrons établies en fonction

Fermes d'un toit en L

voir le détail isométrique

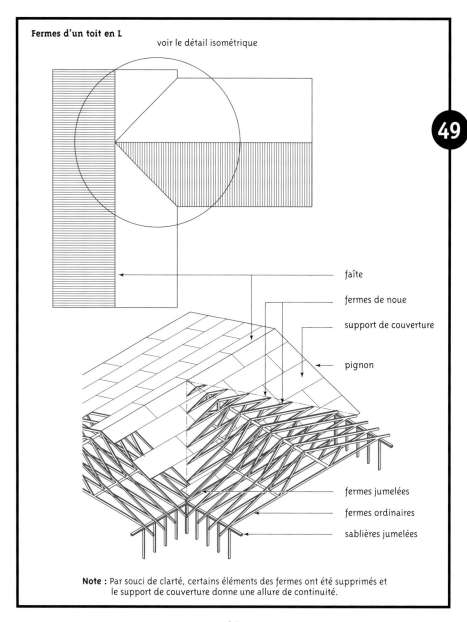

faîte

fermes de noue

support de couverture

pignon

fermes jumelées

fermes ordinaires

sablières jumelées

Note : Par souci de clarté, certains éléments des fermes ont été supprimés et le support de couverture donne une allure de continuité.

49

des diverses surcharges et qualités et essences de bois de construction se trouvent aux tableaux 29 à 32.

TOITS EN PENTE

Les fermes de toit sont le plus souvent préfabriquées en usine, bien qu'elles puissent parfois l'être à pied d'œuvre. La construction du toit en pente peut également se faire sur place, mais l'opération se révèle fastidieuse. Le toit à deux versants est de tous les toits en pente le plus facile à réaliser, surtout s'il fait appel à des fermes de toit légères (figure 48). D'autres types de toit plus compliqués, comme les toits avec croupe et les toits en L s'exécutent également au moyen de fermes (figure 49).

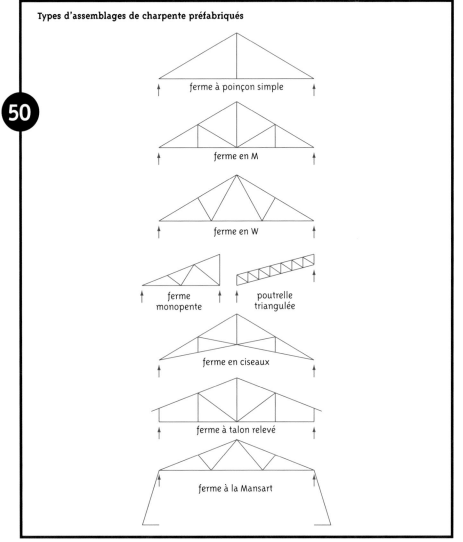

Types d'assemblages de charpente préfabriqués

ferme à poinçon simple

ferme en M

ferme en W

ferme monopente

poutrelle triangulée

ferme en ciseaux

ferme à talon relevé

ferme à la Mansart

50

Fermes de toit préfabriquées

Les fermes de toit préfabriquées offrent de nombreux avantages en ce sens qu'elles permettent d'économiser des matériaux et de couvrir la maison plus rapidement. Elles procurent, en une seule étape, l'appui du support de couverture et du revêtement de plafond et des vides pour l'isolant thermique. La ventilation du comble s'assure facilement par le débord de toit à l'égout ou au mur pignon, et par le faîte. Dans la plupart des cas, les fermes sont conçues pour couvrir la maison d'un mur extérieur à l'autre, sans murs porteurs intermédiaires pour supporter les charges du toit (figure 50). La totalité du plancher de la maison peut ainsi servir d'aire de travail pendant la construction. Cela ajoute à la flexibilité de l'agencement intérieur, puisque les cloisons peuvent être placées sans égard aux exigences structurales. On peut d'ores et déjà améliorer et accélérer le processus de construction en obtenant également du fabricant des fermes des éléments préfabriqués pour divers ajouts ou caractéristiques architecturales comme les fermes de toit de garage, toits de porche, fausses-mansardes et marquises de fenêtre.

Les fermes assemblées à l'aide de connecteurs métalliques peuvent être livrées sur le chantier et posées à plat, dans un endroit propre. Les fermes de moins de 20 pi (6 m) de portée se mettent habituellement en place à la main. Par contre, les fermes de plus de 20 pi (6 m) requièrent des appareils de levage pour éviter tout dommage.

Les fermes doivent être soulevées avec soin pour éviter leur fléchissement latéral excessif. La ferme du pignon doit être montée en premier lieu et immobilisée au moyen de contreventements prenant appui sur le

Contreventement temporaire des fermes de toit

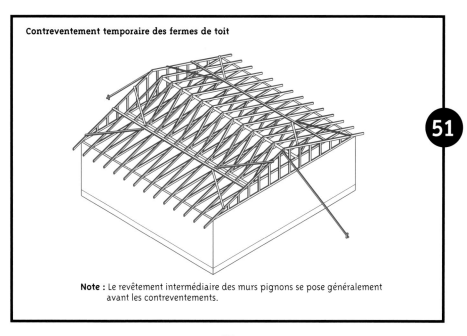

51

Note : Le revêtement intermédiaire des murs pignons se pose généralement avant les contreventements.

sol et sur le mur. Les autres fermes suivent, généralement à entraxes de 24 po (600 mm), étant clouées en biais aux sablières et contreventées temporairement (figure 51). Après avoir été toutes mises en place, les fermes sont contreventées en permanence (figure 52). Le support de

couverture vient ensuite accroître la rigidité du toit.

Assemblage à pied d'œuvre du toit en pente

Le toit à deux versants est le plus simple à réaliser sur le chantier (figure 53A). Comme tous les chevrons sont

---

Contreventement permanent des fermes de toit : *(A)* contreventement permanent dans le plan de la membrure supérieure; *(B et C)* contreventement latéral permanent dans le plan de la membrure d'âme ou de la membrure inférieure

52

A

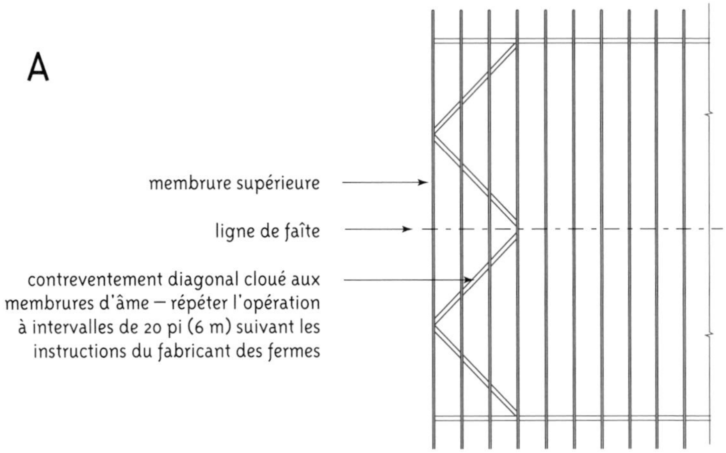

membrure supérieure

ligne de faîte

contreventement diagonal cloué aux membrures d'âme – répéter l'opération à intervalles de 20 pi (6 m) suivant les instructions du fabricant des fermes

B

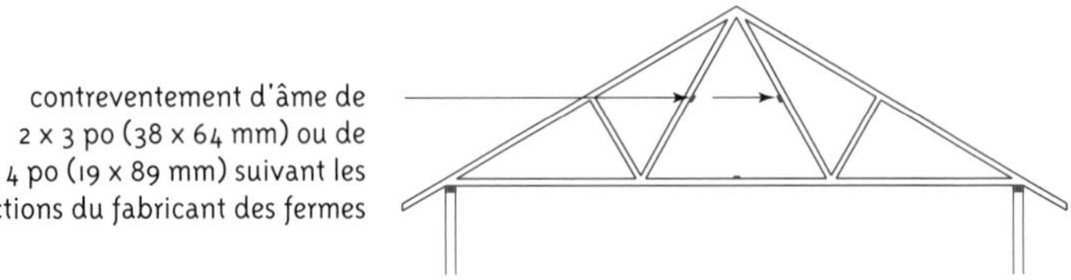

contreventement d'âme de 2 x 3 po (38 x 64 mm) ou de 1 x 4 po (19 x 89 mm) suivant les instructions du fabricant des fermes

C

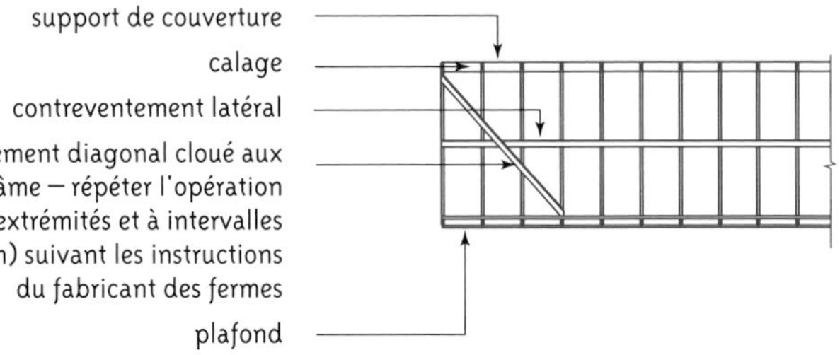

support de couverture

calage

contreventement latéral

contreventement diagonal cloué aux membrures d'âme – répéter l'opération aux deux extrémités et à intervalles de 20 pi (6 m) suivant les instructions du fabricant des fermes

plafond

taillés à la même longueur et selon le même profil, leur mise en place s'effectue purement et simplement. Le toit à deux versants peut toutefois comporter l'aménagement d'une ou plusieurs lucarnes dans le dessein d'améliorer l'éclairage, la hauteur libre et la ventilation (figure 53 B et C).

Toutefois, les fenêtres ouvrantes et les lanterneaux fixes posés sur la pente du toit entre les chevrons offrent éclairage et ventilation sans la complexité et le coût d'exécution de la lucarne. Dans le cas du toit avec croupe (figure 53D), les chevrons se fixent à la planche faîtière, tandis que les arêtiers servent

Toits en pente : *(A)* à deux versants; *(B)* à deux versants et lucarne à versants; *(C)* à deux versants et lucarne rampante; *(D)* avec croupe

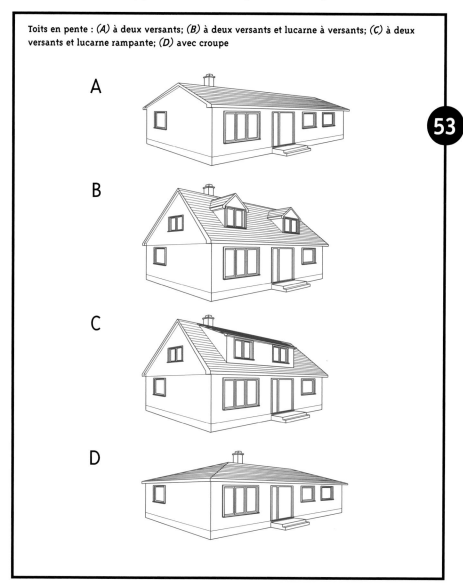

53

54 *(A)* Charpente de toit et de plafond avec planche faîtière : *(1)* chaque chevron est assemblé à la planche faîtière par clouage en biais avec quatre clous de 2 ¹/₄ po (57 mm) ou par clouage droit avec trois clous de 3 ¹/₄ po (82 mm); *(2)* un contreventement de 1 x 4 po (19 x 89 mm) se cloue sur les faux-entraits, au centre, avec deux clous de 2 ¹/₄ po (57 mm) s'ils mesurent plus de 8 pi (2,4 m) de longueur; *(3)* les solives sont aboutées et assemblées à l'aide d'une éclisse au-dessus de la cloison porteuse centrale, et clouées à chaque paire de chevrons (voir le tableau 19 concernant le clouage); *(4)* un faux-entrait est fixé à chaque paire de chevrons avec trois clous de 3 po (76 mm) à chaque extrémité; *(5)* les solives du plafond se clouent en biais à la sablière avec deux clous de 3 ¹/₄ po (82 mm), soit un de chaque côté; *(6)* les chevrons s'assemblent aux sablières avec trois clous de 3 ¹/₄ po (82 mm). *(B)* Fixation des empannons à l'arêtier avec deux clous de 3 ¹/₄ po (82 mm).

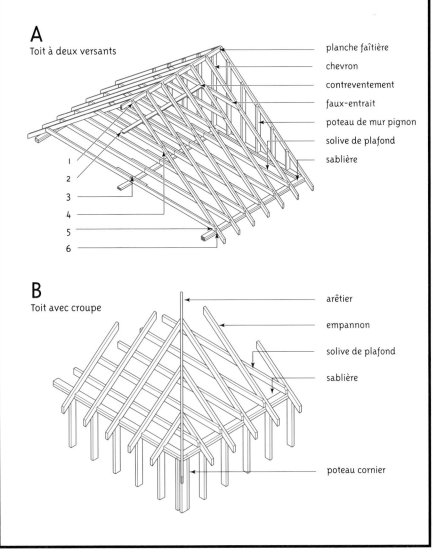

A

Toit à deux versants

planche faîtière

chevron

contreventement

faux-entrait

poteau de mur pignon

solive de plafond

sablière

1
2
3
4
5
6

B

Toit avec croupe

arêtier

empannon

solive de plafond

sablière

poteau cornier

de point d'appui aux empannons.

L'isolation thermique de même que l'étanchéité à l'air et à la vapeur d'eau constituent d'importants aspects à ne pas négliger lors de l'aménagement d'un comble habitable; les chapitres *Isolation thermique* et *Pare-vapeur et pare-air* en traitent d'ailleurs. Les éléments d'ossature choisis uniquement selon les critères structuraux des tableaux 24 à 27 pourraient ne pas être suffisamment hauts pour autoriser l'isolation thermique et la ventilation requises. Il faudra s'en remettre à des éléments de dimensions supérieures ou à une autre technique de charpente pour respecter les normes en vigueur.

Les solives de plafond servent à assujettir le revêtement de finition du plafond et à tenir lieu d'entraits entre les murs extérieurs et parfois entre les chevrons opposés. Elles peuvent aussi supporter les charges du toit que leur transmettent les murs nains utilisés comme appuis intermédiaires des chevrons; dans ce cas, elles doivent être dimensionnées en conséquence (voir le tableau 28 pour les portées des solives de plafond). Lorsque les solives du plafond supportent également les charges d'un plancher, leurs dimensions doivent être déterminées à partir des tableaux des solives de plancher. (Voir les tableaux 15 et 16.)

Dans un toit en pente, les solives

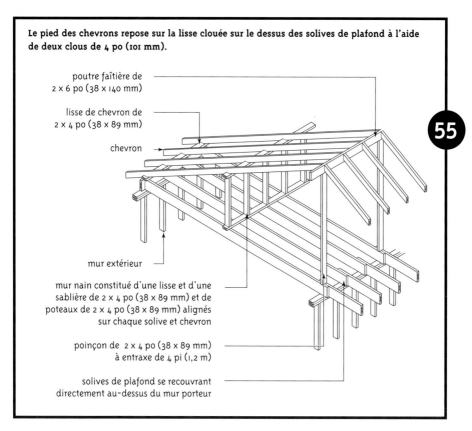

Le pied des chevrons repose sur la lisse clouée sur le dessus des solives de plafond à l'aide de deux clous de 4 po (101 mm).

poutre faîtière de 2 x 6 po (38 x 140 mm)

lisse de chevron de 2 x 4 po (38 x 89 mm)

chevron

55

mur extérieur

mur nain constitué d'une lisse et d'une sablière de 2 x 4 po (38 x 89 mm) et de poteaux de 2 x 4 po (38 x 89 mm) alignés sur chaque solive et chevron

poinçon de 2 x 4 po (38 x 89 mm) à entraxe de 4 pi (1,2 m)

solives de plafond se recouvrant directement au-dessus du mur porteur de plafond se clouent en place après l'exécution de l'ossature des murs intérieurs et extérieurs, mais avant le montage des chevrons, puisque la poussée exercée par ces derniers tendrait à déplacer les murs vers l'extérieur. Ce sont habituellement les solives de plafond qui retiennent les extrémités inférieures des chevrons du toit en pente de 1 : 3 ou plus prononcée. Pour ce faire, les pieds des chevrons opposés se clouent latéralement à l'extrémité extérieure des solives (figure 54). De plus, les solives s'assemblent au droit du mur porteur central par recouvrement et clouage, ou par éclissage, dans le but de relier les chevrons à leur base. Le nombre de clous de ces assemblages dépend de la pente du toit, de l'espacement des chevrons, de la surcharge de neige et de la largeur de

la maison. (Voir le tableau 19 pour le mode de clouage.)

Le dimensionnement des solives doit tenir compte de la surcharge de toit transmise par les murs nains perpendiculaires aux solives de plafond (figure 55). Le choix de la hauteur de solive standard suivante suffit probablement à procurer la résistance supplémentaire requise lorsque la pente du toit est supérieure à 1 : 4. Si la pente du toit est égale ou inférieure à 1 : 4, la hauteur des solives de plafond se détermine à partir des tableaux des portées des solives de toit (tableaux 24 et 25).

Ayant environ 2 po (51 mm) de plus en hauteur que les chevrons ordinaires ou les empannons, les arêtiers réduisent l'espace le long des murs d'extrémité au point que, dans un toit à pente douce, il n'y aura pas

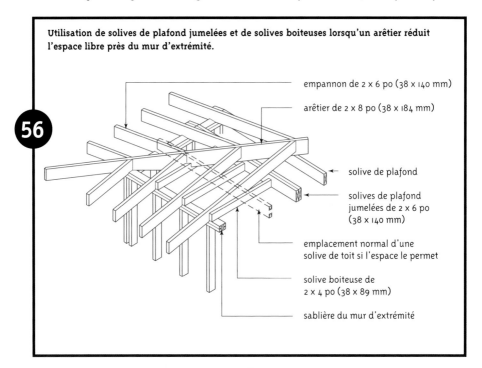

Utilisation de solives de plafond jumelées et de solives boiteuses lorsqu'un arêtier réduit l'espace libre près du mur d'extrémité.

56

empannon de 2 x 6 po (38 x 140 mm)

arêtier de 2 x 8 po (38 x 184 mm)

solive de plafond

solives de plafond jumelées de 2 x 6 po (38 x 140 mm)

emplacement normal d'une solive de toit si l'espace le permet

solive boiteuse de 2 x 4 po (38 x 89 mm)

sablière du mur d'extrémité

assez d'espace pour poser la solive extérieure à la distance habituelle du mur. En pareille situation, on aura recours à des solives jumelées dont la mise en place sera fonction de l'espace disponible (figure 56). Des solives boiteuses se clouent ensuite en biais à la sablière du mur extérieur et en bout aux solives jumelées. L'espacement des solives boiteuses équivaut habituellement à celui des solives de plafond principales.

On taille les chevrons à la longueur voulue en leur donnant l'angle qui convient au faîte et au débord de toit, puis on les encoche là où ils s'assemblent à la sablière ou à la lisse de chevron. Le pied des chevrons doit s'appuyer directement sur le mur extérieur. Selon le plan du toit et la forme des murs extérieurs, on place les chevrons comme suit :

• directement sur la sablière (figure 54);
• sur une lisse de chevron clouée à la partie supérieure des solives de plafond (figure 55);
• sur un muret porteur prenant appui sur la sablière du mur extérieur (figure 57).

Le pied des chevrons s'appuie sur un muret porteur. Les solives de plafond font saillie sur le mur et sont clouées aux chevrons (voir le tableau 19 concernant le clouage). Les contre-fiches de 2 x 4 po (38 x 89 mm) servant d'appuis intermédiaires aux chevrons sont fixées sur le côté des chevrons avec trois clous de 3 1/4 po (82 mm) et clouées en biais au mur porteur avec deux clous de 3 1/4 po (82 mm).

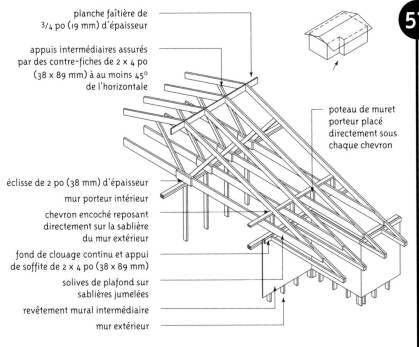

planche faîtière de 3/4 po (19 mm) d'épaisseur

appuis intermédiaires assurés par des contre-fiches de 2 x 4 po (38 x 89 mm) à au moins 45° de l'horizontale

57

poteau de muret porteur placé directement sous chaque chevron

éclisse de 2 po (38 mm) d'épaisseur

mur porteur intérieur

chevron encoché reposant directement sur la sablière du mur extérieur

fond de clouage continu et appui de soffite de 2 x 4 po (38 x 89 mm)

solives de plafond sur sablières jumelées

revêtement mural intermédiaire

mur extérieur

Cette dernière méthode s'utilise lorsqu'une partie du mur extérieur est en retrait. On prolonge alors les solives de plafond au-delà du mur extérieur et on les cloue sur le côté des chevrons. Le muret porteur bénéficie d'un appui latéral qui s'oppose au déplacement des pieds de chevron vers l'extérieur et vers le bas.

La planche faîtière (figure 54) ou la poutre faîtière (figure 55) assure l'horizontalité du faîte et facilite le montage et l'alignement des chevrons. Les chevrons se montent par paires et se clouent à la planche ou poutre faîtière et leurs pieds se clouent en biais à la sablière. Les chevrons se montent habituellement face à face;

on pourra toutefois les décaler de leur propre épaisseur au faîte. Ce décalage permet de maintenir l'alignement vertical des chevrons lorsque leurs pieds sont fixés aux solives de plafond qui se recouvrent latéralement (plutôt que d'être aboutées) sur le mur porteur central (figure 55).

Le faîte du toit présentant une pente inférieure à 1 : 3 doit être appuyé verticalement par une poutre faîtière de 2 x 6 po (38 x 140 mm), soutenue à intervalles de 4 pi (1,2 m) par des poinçons de 2 x 4 po (38 x 89 mm) (figure 55), ou encore par un mur porteur. Puisque ces méthodes d'appui contribuent à réduire les poussées du toit qui s'exercent vers l'extérieur,

À PRÉVOIR...

Tenir compte de la charge des matériaux de couverture

Les tableaux de dimensionnement des éléments du toit présument de la mise en œuvre d'un matériau de couverture classique, c'est-à-dire des bardeaux d'asphalte, de cèdre ou une couverture métallique légère. Certains matériaux de couverture, comme les tuiles en terre cuite, pèsent beaucoup plus, de sorte que les éléments du toit doivent être dimensionnés en conséquence. Voici les points à considérer au moment de dimensionner les éléments de charpente du toit devant supporter des matériaux de couverture plus lourds qu'à la normale :

➜ Obtenir du fabricant le poids unitaire (livres par pied carré ou kilogrammes par mètre carré) du matériau et l'ajouter à la surcharge de neige déterminée pour la localité. Dimensionner les éléments de charpente du toit en fonction de cette surcharge de neige rajustée. Si elle dépasse celle indiquée dans les tableaux, consulter un concepteur de structure.

➜ En cas d'usage de fermes de toit, aviser le fabricant de la surcharge due au matériau de couverture plus lourd pour qu'il puisse les dimensionner en conséquence.

➜ Suivre à la lettre les exigences en matière de contreventements de façon à bien mettre en œuvre et soutenir la couverture.

il n'est pas nécessaire de prévoir d'entraits continus entre les pieds des chevrons opposés. Un toit présentant une pente plus raide doit comporter une poutre faîtière lorsque les extrémités extérieures des chevrons ne peuvent être assujetties par des entraits pour résister aux poussées.

Des appuis intermédiaires sont généralement prévus pour supporter les chevrons en un point situé entre le faîte et les murs extérieurs de façon à réduire leur portée. Cela permet de réduire la hauteur des chevrons puisque la portée se mesure depuis ce point intermédiaire jusqu'au faîte ou au mur extérieur.

Pour les toits dont la pente est de 1 : 3 ou plus, l'appui intermédiaire prend généralement la forme d'un faux-entrait de 2 x 4 po (38 x 89 mm) cloué sur le côté de chaque paire de chevrons. Puisque ces faux-entraits sont en compression et exposés au flambage, on doit les renforcer contre le fléchissement latéral lorsqu'ils mesurent plus de 8 pi (2,4 m) de longueur. Pour ce faire, on cloue un élément de contreventement continu de 1 x 4 po (19 x 89 mm) à angle droit par rapport aux faux-entraits, près de leur centre, à l'aide de trois clous de 3 po (76 mm) à chacune de leurs extrémités (figure 54).

Pour les toits dont la pente est inférieure à 1 : 3, l'appui intermédiaire des chevrons est assuré par un mur porteur nain (figure 55) construit de la même façon qu'une cloison porteuse, sauf qu'on peut se contenter d'une seule sablière lorsque les chevrons se trouvent directement au-dessus des poteaux.

On peut également recourir à des contre-fiches comme appuis intermédiaires dans les toits en pente. On cloue alors une contre-fiche de 2 x 4 po (38 x 89 mm) (figure 57) sur le côté de chaque chevron et on l'appuie sur une cloison porteuse. L'angle formé par les contre-fiches avec l'horizontale ne doit pas être inférieur à 45°.

Les chevrons posés à angle droit par rapport aux solives de plafond pourront être appuyés, en un point intermédiaire, par un mur nain reposant sur une poutre placée entre les solives du plafond. La sous-face de la poutre est relevée d'au moins 1 po (25 mm) au-dessus du revêtement de finition du plafond par l'insertion de cales sous les extrémités de la poutre vis-à-vis les murs extérieurs et la cloison porteuse centrale. L'espace ainsi créé empêchera la poutre d'endommager le revêtement du plafond si elle fléchit au centre sous le poids du toit.

On pourra également installer une poutre de la même façon et l'utiliser comme appui intermédiaire pour les chevrons de noue et les arêtiers. Dans ce cas, on utilisera une contre-fiche pour transmettre la charge de l'arêtier ou du chevron de noue à la poutre.

Lorsque quelques chevrons à l'extrémité du toit avec croupe requièrent un appui intermédiaire, on peut utiliser une pièce de renfort constituée de deux éléments de 2 x 4 po (38 x 89 mm) cloués l'un à l'autre, posés sur chant et cloués à la face inférieure des chevrons. Ce renfort repose à son tour en certains points de sa longueur sur des contre-fiches de 2 x 4 po (38 x 89 mm) rayonnant d'un point d'appui commun situé sur le mur porteur

Ossature d'une noue

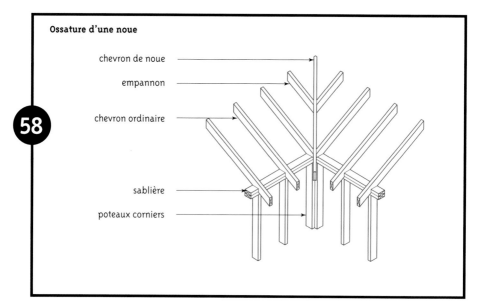

chevron de noue

empannon

chevron ordinaire

sablière

poteaux corniers

58

central. L'angle des contre-fiches ne doit pas être inférieur à 45° de l'horizontale. Les extrémités sont taillées selon l'angle choisi et solidement clouées.

Les arêtiers et chevrons de noue doivent avoir environ 2 po (50 mm) de plus en hauteur que les chevrons ordinaires (figures 54B, 56 et 58).

Cette hauteur supplémentaire leur assure un plein appui sur l'extrémité en biseau des empannons. Dans un toit avec croupe, les empannons se clouent aux arêtiers et à la sablière. À la noue, les empannons se clouent au chevron de noue et au faîte.

Les lucarnes à deux versants se construisent de manière à ce que les poteaux latéraux et les chevrons de noue soient portés par les chevrons jumelés. L'extrémité supérieure des chevrons de noue s'appuie sur le chevêtre (figure 59). La méthode de construction la plus courante consiste à poser le support de couverture avant de monter la charpente de la lucarne, puis à le scier le long de la face interne de l'enchevêtrure. La lisse posée sur le support de couverture sert alors d'appui aux poteaux de chaque côté de la lucarne, ainsi que de fond de clouage pour le revêtement mural intermédiaire. Si on prévoit agrandir le comble ou y aménager des chambres, il serait bon, au moment de construire la maison, de concevoir la charpente du toit en pensant aux futures lucarnes qui y seront aménagées.

Ossature du pignon et du débord de toit

Une fois que la charpente du toit a été montée, les poteaux du pignon sont coupés à la longueur voulue et cloués en place. Les poteaux du comble ne devant pas être aménagé peuvent être posés leur face la plus large parallèle au mur. Les extrémités supérieures des poteaux sont taillées selon l'angle des chevrons, puis les poteaux cloués en biais à la sablière et à la sous-face

Charpente type d'une lucarne. Après la pose du support de couverture, l'insertion de fourrures entre les poteaux latéraux au niveau du toit permet de constituer un fond de clouage pour le revêtement mural intermédiaire.

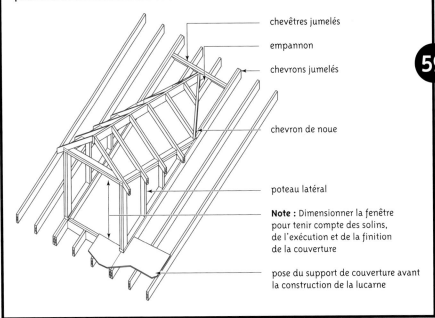

chevêtres jumelés

empannon

chevrons jumelés

59

chevron de noue

poteau latéral

Note : Dimensionner la fenêtre pour tenir compte des solins, de l'exécution et de la finition de la couverture

pose du support de couverture avant la construction de la lucarne

---

Large débord de toit au pignon, assuré par les chevrons en porte-à-faux

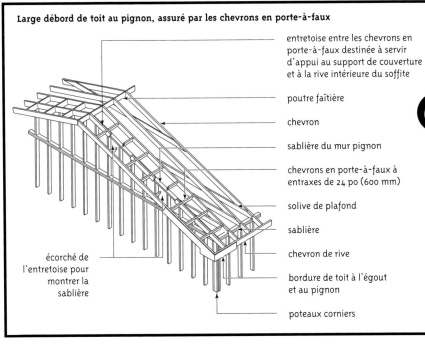

entretoise entre les chevrons en porte-à-faux destinée à servir d'appui au support de couverture et à la rive intérieure du soffite

poutre faîtière

60

chevron

sablière du mur pignon

chevrons en porte-à-faux à entraxes de 24 po (600 mm)

solive de plafond

sablière

chevron de rive

bordure de toit à l'égout et au pignon

poteaux corniers

écorché de l'entretoise pour montrer la sablière

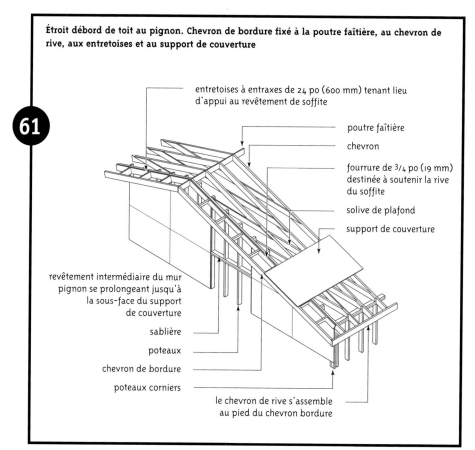

Étroit débord de toit au pignon. Chevron de bordure fixé à la poutre faîtière, au chevron de rive, aux entretoises et au support de couverture

entretoises à entraxes de 24 po (600 mm) tenant lieu d'appui au revêtement de soffite

poutre faîtière

chevron

fourrure de 3/4 po (19 mm) destinée à soutenir la rive du soffite

solive de plafond

support de couverture

revêtement intermédiaire du mur pignon se prolongeant jusqu'à la sous-face du support de couverture

sablière

poteaux

chevron de bordure

poteaux corniers

le chevron de rive s'assemble au pied du chevron bordure

61

des chevrons à l'aide de quatre clous de 2 1/2 po (63 mm) à chaque extrémité (figure 60).

Les figures 60 et 61 ilustrent deux façons courantes de construire le débord de toit au pignon. Comme pour celui de l'égout, le soffite est recouvert d'un contreplaqué poncé de 1/4 po (6 mm) ou d'un revêtement d'aluminium ou de vinyle; la bordure de toit est fixée le long de l'élément de charpente extérieur.

Le toit qui se prolonge de moins de 12 po (300 mm) au-delà du mur pignon se termine habituellement par un élément de charpente appelé chevron de bordure (figure 61). On

cloue une fourrure de 1 po (19 mm) au chevron situé au-dessus du mur pignon. Des entretoises disposées à entraxes de 24 po (600 mm) servent de supports au soffite du débord de toit; ces entretoises sont assemblées par clouage en biais à la fourrure et par clouage droit au chevron de bordure. Le soffite est ensuite cloué à ces supports. On ajoute enfin une bordure de toit comme indiqué précédemment.

Le toit qui se prolonge de plus de 12 po (300 mm) au-delà du mur comporte habituellement des chevrons en porte-à-faux (figure 60). Les poteaux du pignon se placent leur

POUR UNE MAISON SAINE...

Aménagement du comble en chambres

La promotion de l'abordabilité, l'un des principes de la maison saine, peut se faire en envisageant la transformation ultérieure du comble en aire habitable. Grâce à une planification judicieuse, le comble pourra être transformé en aire habitable de qualité, permettant de reporter les coûts de construction initiaux jusqu'à ce que les ressources financières le permettent et les besoins se fassent sentir.

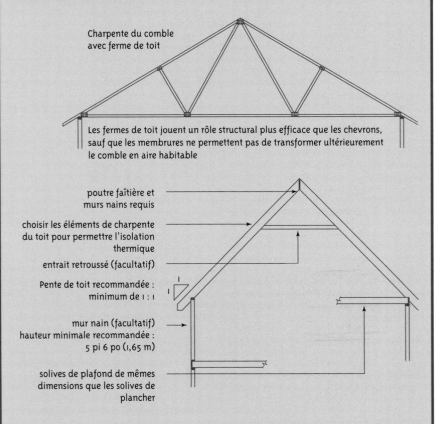

Charpente du comble avec ferme de toit

Les fermes de toit jouent un rôle structural plus efficace que les chevrons, sauf que les membrures ne permettent pas de transformer ultérieurement le comble en aire habitable

poutre faîtière et murs nains requis

choisir les éléments de charpente du toit pour permettre l'isolation thermique

entrait retroussé (facultatif)

Pente de toit recommandée : minimum de 1 : 1

mur nain (facultatif) hauteur minimale recommandée : 5 pi 6 po (1,65 m)

solives de plafond de mêmes dimensions que les solives de plancher

Voici les aspects à considérer au moment de planifier d'aménager le comble en chambres :

➡ Planifier l'emplacement de la cage d'escalier de façon à pouvoir la prolonger jusqu'au comble, sinon déterminer un endroit tout indiqué pour aménager un escalier extérieur.

suite à la page 110

suite de la page 109

→ Dimensionner les solives de plafond d'après les solives de plancher, et exploiter l'isolant thermique qui pourrait ainsi servir à isoler le toit au cours des travaux de transformation. S'assurer de pouvoir mettre en œuvre suffisamment d'isolant et de prévoir une lame d'air au-dessus.

→ Une pente de toit de 1 : 1 ou plus raide est recommandée, surtout s'il n'y a pas de mur nain. S'il y en a un, vérifier auprès de la municipalité l'existence de règlements pouvant restreindre la hauteur du bâtiment.

→ Prévoir l'installation des canalisations d'électricité, de plomberie, de chauffage, de ventilation et de téléphone.

Grâce à l'ajout de lucarnes et de lanterneaux, le comble pourra être transformé en aire habitable de qualité, facilement et économiquement.

face étroite parallèle au revêtement intermédiaire, et s'assemblent en partie supérieure à la sablière. Les chevrons en porte-à-faux, habituellement des mêmes dimensions que les chevrons ordinaires, se posent à entraxes de 24 po (600 mm). Leurs extrémités s'assemblent par clouage droit au premier chevron et au chevron de bordure et par clouage en biais à la sablière. Des entretoises se fixent ensuite entre les chevrons en porte-à-faux le long du mur afin de servir d'appuis au support de couverture et à la rive intérieure du soffite. Ce dernier se fixe par clouage, puis la bordure de toit vient s'ajouter, selon les indications précédentes. La longueur des chevrons en porte-à-faux doit être égale à environ deux fois la largeur du débord de toit au pignon. On utilise des chevrons jumelés pour supporter l'extrémité intérieure des chevrons en porte-à-faux lorsque ceux-ci se prolongent vers l'intérieur sur une distance

supérieure à une fois et demie l'espacement des chevrons.

TOITS PLATS

Les toits plats sont habituellement moins pratiques et moins durables que les toits en pente, surtout dans les régions caractérisées par de fortes chutes de neige. Ils servent parfois à surmonter l'agrandissement de la maison et à l'aménagement d'une toiture-terrasse. Les abris d'auto et les garages sont souvent surmontés d'un toit plat.

En construction de toits plats, on désigne par «solives de toit» les chevrons de toit qui servent également de solives de plafond. Ces solives sont dimensionnées en fonction des charges du toit et du plafond (voir les tableaux 24 et 25). Toutefois, les solives choisies strictement en fonction de critères structuraux pourraient s'avérer trop peu hautes pour recevoir la quantité d'isolant voulue tout en permettant une ventilation suffisante du comble. Il importe alors d'arrêter son choix sur des éléments structuraux de dimensions supérieures ou d'opter pour des éléments préfabriqués en bois.

Les solives des toits plats se posent généralement de niveau, puis reçoivent le support et la couverture. Le plafond se fixe à la sous-face des solives de toit. On doit prévoir une pente d'au moins 1 : 50 pour assurer l'évacuation de l'eau du toit. On y parvient en donnant une certaine pente aux solives en posant une lambourde sous les solives au droit du mur porteur, ou en ajoutant un tasseau biseauté sur le dessus des solives.

Le modèle de maison peut dicter de prolonger le toit pour qu'il fasse saillie sur le mur ou de construire un mur en surélévation au-dessus du toit.

L'isolant peut se mettre en œuvre au-dessus du revêtement de plafond. Dans ce cas, on doit ventiler l'espace entre l'isolant et le support de couverture pour empêcher la condensation en hiver et évacuer l'air chaud en été. On pourra également poser de l'isolant rigide sur le support de couverture et recouvrir l'isolant du matériau de couverture. Ici, le comble ne doit pas être ventilé. La figure 62A montre un type de toit plat simple dont la sous-face des solives de toit est de niveau, rendant inutile le recours à des solives de plafond distinctes.

Les chevrons en porte-à-faux s'emploient lorsque le toit doit faire saillie sur les quatre murs de la maison (figure 63). Ces chevrons en porte-à-faux qui mesurent habituellement le double du débord de toit sont cloués en biais à la sablière et cloués à angle

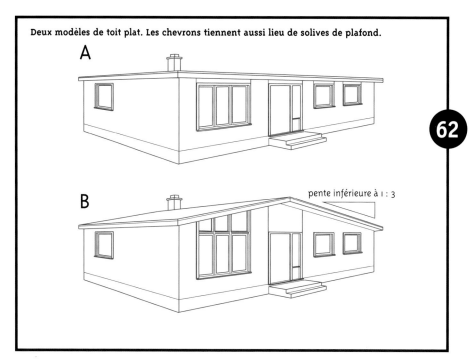

Deux modèles de toit plat. Les chevrons tiennent aussi lieu de solives de plafond.

A

62

pente inférieure à 1 : 3

B

droit à la première solive de toit. Lorsque les chevrons en porte-à-faux se prolongent vers l'intérieur sur une longueur supérieure à une fois et demie l'espace entre les solives, on cloue deux solives de toit ensemble pour y fixer l'extrémité intérieure des chevrons en porte-à-faux. On assemble ensuite par clouage droit un chevron de rive à l'extrémité des chevrons en porte-à-faux et des solives de toit.

Cet assemblage sert de fond de clouage au support de couverture, à la bordure d'avant-toit et au soffite. Le débord de toit mesure généralement de 16 à 24 po (400 à 600 mm), sans toutefois excéder 4 pi (1,2 m).

Les toits en pente (figure 62B) peuvent comporter un revêtement de finition du plafond fixé aux solives de toit, le plafond épousant la pente du toit pour constituer un plafond cathédrale. Les solives de toit sont alors supportées par une poutre faîtière.

Note : L'isolant se place généralement entre les solives de plafond (toit). Une lame de ventilation d'au moins 2 1/2 po (63 mm) doit être prévue entre le dessus de l'isolant et la face inférieure du support de couverture. On y parvient en plaçant deux éléments transversaux de 2 x 2 po (38 x 38mm) par-dessus les solives de plafond. Les éléments de 2 x 2 po (38 x 38 mm) peuvent être biseautés pour procurer la pente requise.

VENTILATION DU VIDE SOUS TOIT

Qu'il s'agisse d'un toit en pente ou plat, il importe de ventiler suffisamment le vide sous toit au-dessus de l'isolant thermique. La présence d'un pare-air et d'un pare-vapeur n'empêche pas totalement les fuites d'humidité autour des tuyaux et des

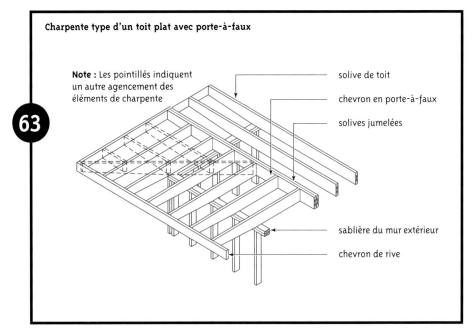

Charpente type d'un toit plat avec porte-à-faux

Note : Les pointillés indiquent un autre agencement des éléments de charpente

63

solive de toit

chevron en porte-à-faux

solives jumelées

sablière du mur extérieur

chevron de rive

ouvertures. Même le pare-vapeur laisse lui-même passer de la vapeur d'eau. Si la vapeur d'eau a toutes les possibilités de s'accumuler dans le vide sous toit et sous le toit plat, par temps froid, elle se condensera en un point en quantité suffisante pour causer des dommages. Puisque la plupart des membranes de toit résistent très bien au passage de la vapeur d'eau, la meilleure façon d'éliminer celle-ci consiste à l'évacuer par la ventilation.

Par temps froid, les déperditions de chaleur à travers l'isolant du plafond et le rayonnement solaire peuvent être assez importants pour faire fondre la neige sur le toit, mais par sur le débord de toit. L'eau de fonte pourra alors former une digue en gelant dans les gouttières et sur le débord, et créer une accumulation d'eau susceptible de remonter le long du versant, de traverser la couverture et de s'infiltrer dans les murs et le plafond. Le même phénomène risque

de se produire aux noues. Une bonne isolation et une ventilation appropriée permettront d'abaisser la température du vide sous toit et ainsi d'empêcher la neige de fondre. La mise en place d'une protection de débord de toit tout indiquée et de solins de noue préviendra également tout risque de dommage par l'eau.

Une méthode de ventilation courante consiste à installer des aérateurs à lames ou des aérateurs grillagés continus sous le débord du toit à deux versants ou avec croupe (figure 64). Le mouvement d'air à travers ces ouvertures est surtout fonction du vent. Ces aérateurs sont plus efficaces lorsqu'on les combine à des aérateurs de faîte (figure 65A) ou à des aérateurs de pignon (figure 65B).

Il est difficile de ventiler le toit plat dont l'isolant a été placé entre les solives, à moins qu'il y ait un dégagement suffisant au-dessus de l'isolant et que les vides entre les solives ne communiquent entre eux pour

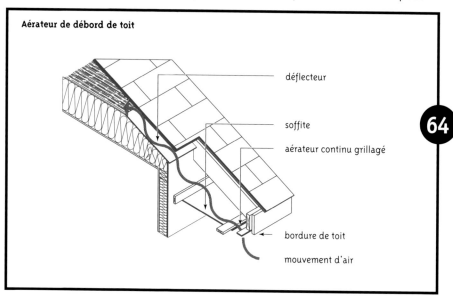

Aérateur de débord de toit

déflecteur

soffite

64

aérateur continu grillagé

bordure de toit

mouvement d'air

Aérateurs en partie supérieure du toit : *(A)* aérateur de faîte; *(B)* aérateur de pignon

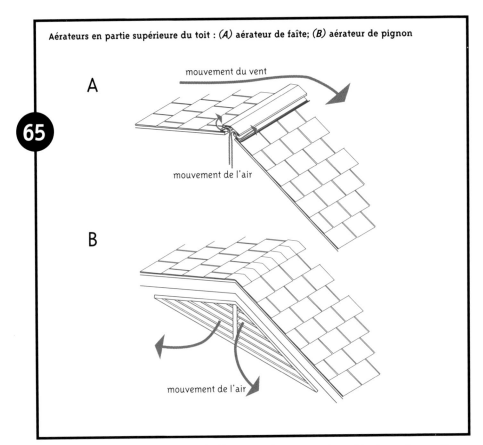

65

permettre la libre circulation de l'air (figures 126 et 127). Ces solutions courantes ne s'appliquent pas aux endroits où de la neige fine peut être poussée par le vent à travers les aérateurs et se déposer sur l'isolant. Dans ces cas, il faut s'en tenir aux méthodes couramment utilisées dans la région.

DIMENSIONS DES AÉRATEURS

Les dimensions des aérateurs, exprimées en surface nette ou libre de ventilation, dépend de la pente et de la construction du toit.

Pour le toit présentant une pente de 1 : 6 ou plus raide, la surface nette minimale des aérateurs correspond à 1/300 de la surface de plafond isolée. Par exemple, une surface de plafond de 1 000 pi² (100 m²) nécessite des aérateurs représentant en surface nette au moins 3,33 pi² (0,33 m²). La surface nette doit être calculée en tenant compte des obstacles à la circulation de l'air, tels que lames, toiles métalliques ou grillages.

Pour le toit présentant une pente inférieure à 1 : 6 ou faisant appel à des solives de toit (toit plat ou plafond cathédrale), la surface nette dégagée représente 1/150 de la surface de plafond isolée. Un toit plat, à pente

POUR UNE MAISON SAINE...

Systèmes de charpente de toit

Il existe un certain nombre de systèmes de charpente de toit qui poursuivent l'objectif de la maison en matière d'utilisation efficace des ressources. Ces éléments préfabriqués consomment moins de matière première et grâce à l'état avancé de la technique, leur fabrication fait appel à des déchets de bois provenant d'essences moins recherchées d'arbres à croissance rapide.

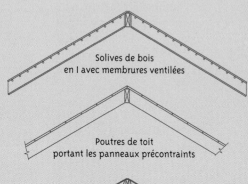

Solives de bois
en I avec membrures ventilées

Poutres de toit
portant les panneaux précontraints

Les fermes à membrures parallèles permettent, d'une part, de recourir à de plus grandes portées que le bois de dimensions courantes et, d'autre part, de mettre en œuvre de fortes quantités d'isolant thermique tout en assurant la ventilation des cavités du toit. Les fermes classiques à talon relevé offrent également cet avantage. Elles permettent de recouvrir intégralement d'isolant la sablière des murs extérieurs sans restreindre la ventilation du comble.

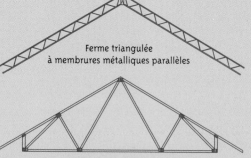

Ferme triangulée
à membrures métalliques parallèles

Ferme de toit en bois à talon relevé

Une nouvelle technique d'aborder la construction à poutres et poteaux fait appel à des poutres provenant de bois d'œuvre, de bois de charpente reconstitué ou de bois lamellé-collé pour porter les panneaux précontraints. Ces panneaux structuraux sandwich intègrent un support de couverture, de l'isolant et un revêtement en panneau de finition ou une surface de clouage.

Toutes ces options ont un aspect en commun : la nécessité de dresser le plan définitif avec exactitude et de le respecter à la lettre au cours de la construction. Contrairement aux techniques de charpente classiques, ces éléments efficaces sont fabriqués avec prévision, mais laissent beaucoup moins de flexibilité pour apporter des changements ou des rajustements à pied d'œuvre.

douce, ou un plafond cathédrale requièrent au moins deux fois plus de surface de ventilation qu'un toit à pente raide.

Pour tout type de toit, les aérateurs doivent, autant que possible, être répartis uniformément sur les faces opposées du bâtiment, avec au moins 25 p. 100 des ouvertures situées en haut et au moins 25 p. 100 des ouvertures situées au bas de l'espace.

Au moment de planifier la ventilation du toit, il importe de s'assurer de disposer d'au moins 2 1/2 po (63 mm) entre l'isolant thermique et la sous-face du support de couverture. Les aérateurs et l'isolant de plafond doivent être mis en œuvre de façon à ne pas gêner le mouvement d'air par les aérateurs et le vide sous toit.

Les aérateurs doivent contrer l'infiltration de la pluie, de la neige ou des insectes. On pourra à cette fin se servir d'aérateurs en plastique ou en métal résistant à la corrosion ou encore grillager les ouvertures de ventilation.

Lorsqu'il faut prévoir une trappe d'accès au vide sous toit ou au comble, on veillera à la pourvoir d'une porte ou couvercle bien ajusté, surtout si la trappe est aménagée dans la partie chauffée de la maison. La trappe d'accès située à l'extérieur du bâtiment, tenant souvent lieu d'aérateur de mur pignon, gagne en popularité par rapport à l'emplacement classique dans le plafond d'un garde-robes.

OUVRAGE DE RÉFÉRENCE

Les combles habitables : des possibilités nouvelles pour une idée ancienne
Société canadienne d'hypothèques et de logement

DIMENSIONNEMENT DES SOLIVES DE PLAFOND

Problème
Choisir les solives de toit minimales convenant aux conditions décrites ci-dessous.

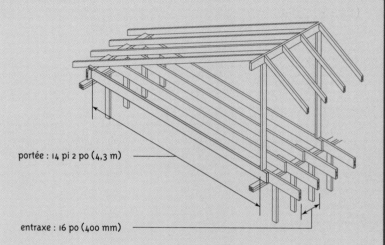

portée : 14 pi 2 po (4,3 m)

entraxe : 16 po (400 mm)

Conditions
Combles inaccessibles, sans entreposage.
Plafond supportant l'isolant thermique et le revêtement intérieur de finition en plaques de plâtre.
Portée : 14 pi 2 po (4,3 m).
Entraxe des solives de plafond : 16 po (400 mm).
Désignation commerciale et qualité spécifiées : SPF n° 2 ou meilleur.

Choix
Consulter le tableau 28.

À cette fin, choisir :
des solives de plafond de 2 x 6 po (38 x 140 mm).

DIMENSIONNEMENT DES CHEVRONS

Problème

Choisir des chevrons de la plus petite hauteur possible capable d'assurer la portée du toit selon les conditions sousmentionnées.

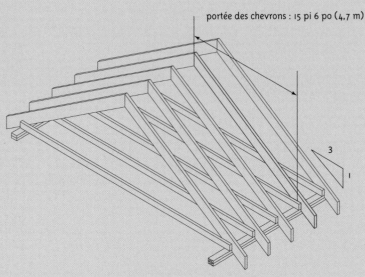

portée des chevrons : 15 pi 6 po (4,7 m)

Conditions

Endroit de la construction : Ottawa (Ontario).
Charge de neige spécifiée : 36 lb/pi² (1,72 kPa).
Pente du toit : 1 : 3.
Portée des chevrons : 15 pi 6 po (4,7 m)
Désignation commerciale et qualité spécifiées : SPF n° 2 ou meilleur.
Couverture en bardeaux.
Pieds des chevrons assujettis.

Choix

Consulter le tableau 26.

Chevrons acceptables :
2 x 8 po (38 x 184 mm) à entraxes de 12 po (300 mm).
2 x 10 po (38 x 235 mm) à entraxes de 24 po (600 mm).

DIMENSIONNEMENT DES SOLIVES DE TOIT

Problème

Choisir les solives de toit capables d'assurer la portée du toit selon les conditions sousmentionnées.

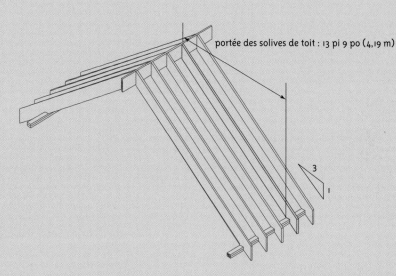

portée des solives de toit : 13 pi 9 po (4,19 m)

3
1

Conditions

Endroit de la construction : Ottawa (Ontario).
Charge de neige spécifiée : 36 lb/pi² (1,72 kPa).
Pente du toit : 1 : 3.
Portée des solives du toit : 13 pi 9 po (4,19 m).
Désignation commerciale et qualité spécifiées : SPF n° 2 ou meilleur.
Couverture en bardeaux.
Pieds des solives de toit assujettis.

Choix

Consulter le tableau 24.

Solives de toit acceptables :
2 x 10 po (38 x 235 mm) à entraxes de 16 po (400 mm).
2 x 12 po (38 x 286 mm) à entraxes de 24 po (600 mm).

SOLINS

Les solins se posent là où il faut empêcher l'eau de s'infiltrer par les joints entre des matériaux différents. Il importe tout autant de poser les solins avec soin que de choisir des matériaux qui conviennent le mieux à un endroit précis.

Les épaisseurs et types de matériaux recommandés pour l'exécution des solins sont indiqués au tableau 31.

Le solin d'aluminium doit être isolé de la maçonnerie ou du béton ou recouvert d'une membrane imperméable pour réduire au minimum les risques de corrosion.

Il faut prévoir des solins à l'intersection des murs et du toit, du toit et de la cheminée, au-dessus des baies de portes et de fenêtres, aux noues et aux autres endroits essentiels à l'étanchéité.

Le point de rencontre de deux matériaux de nature différente constitue un exemple typique de construction nécessitant l'utilisation de solins (figure 66). Le stucco est séparé du bardage de bois par un larmier en bois. Pour que l'eau ne s'infiltre pas dans le mur, on pose un solin profilé sur le larmier de façon à former un jet d'eau à sa rive extérieure. Le solin doit se prolonger d'au moins 2 po (50 mm) au-dessus du larmier et sous la membrane de revêtement intermédiaire. On utilise aussi ce genre de solin au-dessus de la traverse supérieure des fenêtres et des portes, à moins que celles-ci ne soient bien protégées par le débord de toit; si la distance verticale entre le dessus de la boiserie et le dessous du débord

est supérieure au quart de la largeur de surplomb de celui-ci, un solin est de rigueur.

Les traverses supérieures et les appuis des baies pratiquées dans les murs à ossature de bois revêtus d'un placage de maçonnerie doivent être pourvus d'un solin. Le solin supérieur doit partir de la rive avant du linteau, recouvrir celui-ci et remonter sous le papier de revêtement. Dans le cas des appuis en maçonnerie jointoyée, le solin doit partir de la rive extérieure sous le seuil de maçonnerie et se prolonger jusqu'à la sous-face du seuil de bois.

On doit également poser un solin à la jonction du toit et des murs. Lorsqu'on utilise une couverture multicouche, il faut poser une chanlatte afin de ne pas avoir à plier la membrane à angle droit et éviter ainsi de risquer de la perforer. La couverture multicouche doit remonter d'au moins 6 po (150 mm) le long du mur, sur la chanlatte et le revêtement intermédiaire. Le papier de revêtement doit ensuite être posé de façon à recouvrir la couverture d'au moins 4 po (100 mm). Lors de la pose du bardage, on doit laisser un dégagement d'au moins 2 po (50 mm) entre celui-ci et le toit afin que les eaux qui s'écoulent sur le toit ne risquent pas de l'endommager (figure 67).

La colonne de ventilation qui traverse le toit doit être garnie d'un solin pour empêcher l'infiltration de toute forme d'humidité.

On pose un solin là où deux versants de toit forment une noue. La

Solin type à la jonction de deux matériaux différents

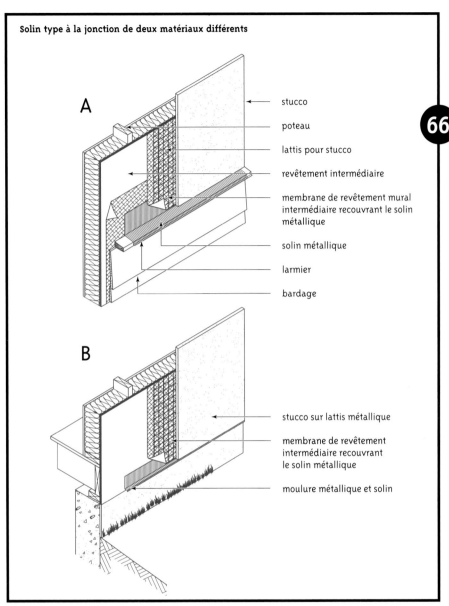

A
- stucco
- poteau
- lattis pour stucco
- revêtement intermédiaire
- membrane de revêtement mural intermédiaire recouvrant le solin métallique
- solin métallique
- larmier
- bardage

66

B
- stucco sur lattis métallique
- membrane de revêtement intermédiaire recouvrant le solin métallique
- moulure métallique et solin

distinction entre noue à découvert et noue recouverte tient au mode de pose des bardeaux. Les noues à découvert sont habituellement pourvues d'un solin métallique simple d'au moins 24 po (600 mm) de largeur ou de deux couches de matériau de couverture en rouleau. Dans ce dernier cas, la couche inférieure peut être constituée d'un matériau à surface lisse de type S ou à surfaçage minéral de type M (le surfaçage minéral tourné vers le bas) d'au moins 18 po (450 mm) de largeur. Cette couche

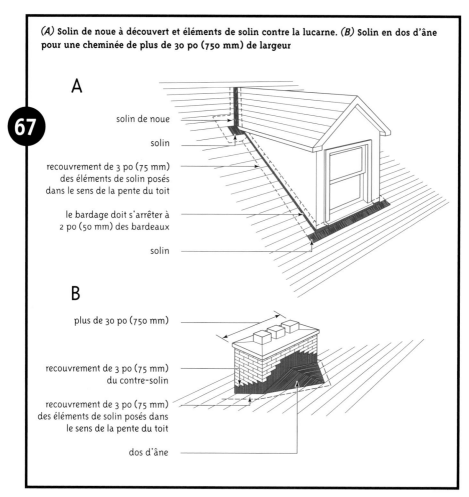

(A) Solin de noue à découvert et éléments de solin contre la lucarne. **(B)** Solin en dos d'âne pour une cheminée de plus de 30 po (750 mm) de largeur

A

67

solin de noue

solin

recouvrement de 3 po (75 mm) des éléments de solin posés dans le sens de la pente du toit

le bardage doit s'arrêter à 2 po (50 mm) des bardeaux

solin

B

plus de 30 po (750 mm)

recouvrement de 3 po (75 mm) du contre-solin

recouvrement de 3 po (75 mm) des éléments de solin posés dans le sens de la pente du toit

dos d'âne

doit être centrée sur la noue et clouée, le long de ses rives, à entraxes de 16 à 18 po (400 à 450 mm). On applique ensuite une bande de mastic de 4 po (100 mm) le long des rives de la couche inférieure, puis une couche de matériau de couverture à surfaçage minéral de type M d'environ 36 po (914 mm) de largeur. Cette couche supérieure est assujettie, le long de ses rives, avec juste assez de clous pour la maintenir en place jusqu'à la pose des bardeaux. Les bardeaux du toit doivent s'arrêter à une distance de 4 à 6 po (100 à 150 mm) du centre de la noue, l'écart étant plus marqué à l'égout qu'au faîte (figure 67A).

Les noues recouvertes doivent être pourvues d'un solin simple en métal de 0,006 po (0,15 mm) d'épaisseur. Chaque rang de bardeaux d'asphalte se prolonge sur toute la largeur de la noue, sans toutefois qu'il se trouve de clous à moins de 3 po (75 mm) de l'axe de la noue au faîte et à moins de 5 po (125 mm) à l'égout. Les bardeaux rigides doivent être taillés en suivant l'axe de la noue. Il convient toutefois de ne pas utiliser la méthode des noues recouvertes avec des bardeaux rigides sur le toit ayant une pente inférieure à 1 : 1,2.

L'intersection formée par la couverture en bardeaux et le mur ou la cheminée doit être protégée par des carrés de solin appelés «solins à bardeaux». On pose ces solins en même temps que les bardeaux, à raison d'un carré pour chaque rang, et on les replie vers le haut le long du mur, sous la membrane de revêtement (figure 67A). Le bardage vient ensuite couvrir le solin le long du mur, exception faite du dégagement prévu. Ces carrés doivent être suffisamment grands pour bien protéger l'intersection du toit et du mur et se recouvrir d'au moins 3 po (75 mm). Sur le toit en pente, derrière la cheminée, le solin doit remonter le long de la cheminée et du toit jusqu'au niveau du contre-solin de la cheminée, mais jamais sur une hauteur inférieure à une fois et demie le pureau des bardeaux.

On utilise un contre-solin à la jonction du toit et du mur de maçonnerie ou de la cheminée. Il doit remonter d'au moins 6 po (150 mm) le long de la cheminée ou de la maçonnerie du mur et être encastré d'au moins 1 po (25 mm) dans le joint de mortier. Le contre-solin doit être serré contre la maçonnerie et recouvrir le solin à bardeaux d'au moins 4 po (100 mm). On pose un contre-solin sur toutes les faces de la cheminée qui traverse le toit.

Lorsque le côté amont de la cheminée mesure plus de 30 po (750 mm) de largeur, on doit y réaliser un dos d'âne (figure 67B). Le dos d'âne est souvent constitué d'un support en bois construit en même temps que le toit et recouvert de tôle. Le dos d'âne doit être pourvu d'un solin approprié sur le toit et d'un contre-solin sur la cheminée. Les joints ouverts et les recouvrements doivent être soudés, scellés ou emboîtés. Il n'est toutefois pas nécessaire de réaliser un dos d'âne lorsque le solin métallique remonte le long de la cheminée sur une hauteur égale à $1/6$ de sa largeur, et le long du toit jusqu'au niveau correspondant. Dans ce cas, la partie du solin qui remonte sous les bardeaux ne doit jamais mesurer moins d'une fois et demie le pureau et celle qui remonte la cheminée, jamais moins de 6 po (150 mm).

SUPPORT ET MATÉRIAUX DE COUVERTURE

SUPPORT DE COUVERTURE

Se posant sur les fermes ou les chevrons du toit, le support de couverture est habituellement constitué de panneaux de contreplaqué, de copeaux orientés (OSB), de bois de construction ou de panneaux structuraux en bois. Le support sert de fond de clouage pour le matériau de couverture et de contreventement pour la charpente du toit.

Pose

Les panneaux de contreplaqué ou de copeaux orientés utilisés comme support de couverture doivent être posés le fil de face perpendiculaire à la charpente (figure 68). Des panneaux structuraux en bois, de catégorie «revêtement intermédiaire», s'emploient à cette fin. Les joints d'extrémité des panneaux contigus doivent être décalés sur les éléments de charpente afin de mieux contreventer la charpente. On doit ménager des joints d'au moins 1/8 po (2 à 3 mm) entre les panneaux afin de prévenir le bombement attribuable à la dilatation par temps humide.

L'épaisseur du support de couverture dépend dans une certaine mesure de l'espacement des chevrons,

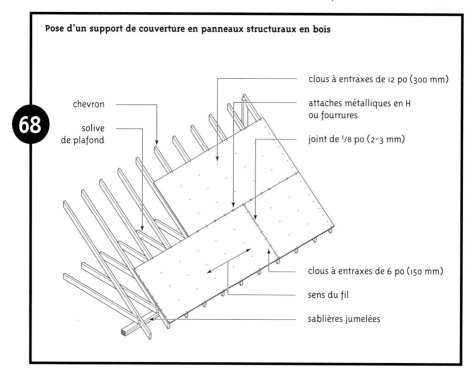

Pose d'un support de couverture en panneaux structuraux en bois

68

chevron

solive de plafond

clous à entraxes de 12 po (300 mm)

attaches métalliques en H ou fourrures

joint de 1/8 po (2-3 mm)

clous à entraxes de 6 po (150 mm)

sens du fil

sablières jumelées

solives ou fermes de toit, ou du fait que les rives sont supportées ou non. Pour prévenir tout dommage à la couverture lorsque des panneaux minces sont posés, les joints perpendiculaires à la charpente doivent reposer sur des entretoises de 2 x 2 po (38 x 38 mm) solidement clouées entre les éléments de charpente du toit, ou être retenus par des attaches métalliques en H insérées entre les panneaux. Cette dernière méthode est très populaire car elle est simple et peu coûteuse. Le tableau 32 indique les épaisseurs minimales du support de couverture en contreplaqué ou autre matériau, et le tableau 18 les clous et agrafes requis pour assujettir le support de couverture. Les agrafes utilisées pour fixer le support de couverture de 3/8 po (9,5 mm) doivent mesurer 1/16 po (1,6 mm) d'épaisseur, 1/2 po (38,1 mm) de longueur et avoir une couronne de 3/8 po (9,5 mm), et

être enfoncées la couronne parallèle aux éléments de charpente (voir le tableau 33). La couverture multicouche d'un toit plat utilisé comme toiture-terrasse nécessite un support minimal de 5/8 po (15,5 mm). En pareille situation, il convient de consulter le tableau 17 pour déterminer l'épaisseur minimale du support de couverture.

Les planches utilisées comme support doivent être jointives si la couverture prévue requiert un appui continu, comme les bardeaux d'asphalte et les couvertures multicouches (figure 69B). Les planches mesurent habituellement 1 3/4 po (19 mm) d'épaisseur; cette dimension peut toutefois être réduite à 11/16 po (17 mm) lorsque les appuis se trouvent à entraxes de 16 po (400 mm). Les planches de 8 po (184 mm) de largeur ou moins se clouent aux éléments de charpente à l'aide de deux clous de

---

Pose d'un support de couverture en planches : *(A)* espacées (voliges); *(B)* jointives

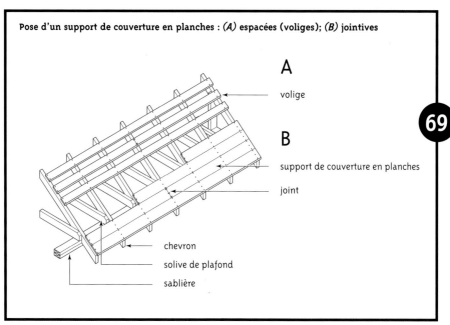

A

volige

69

B

support de couverture en planches

joint

chevron

solive de plafond

sablière

POUR UNE MAISON SAINE...

Options en matière de support de couverture

Il existe une vaste gamme d'options de support de couverture en construction de maison à ossature de bois. Certains produits témoignent d'une meilleure volonté d'utiliser efficacement les ressources que d'autres, compte tenu de la couverture envisagée et de l'emplacement géographique du bâtiment. Voici les principaux points à envisager pour bien choisir les matériaux de support de couverture.

Éviter le surdimensionnement

Un support de couverture trop épais n'est pas nécessairement meilleur. Les exigences énoncées dans le code du bâtiment de la municipalité prévoient une résistance et une durabilité suffisantes, sans compter qu'elles comportent un coefficient de sécurité pour en garantir la performance, à la condition que le matériau soit bien posé. Éviter d'utiliser un support épais se traduit par des économies d'argent et de ressources forestières.

Utiliser des matériaux produits à partir de rebuts de bois

Les éléments préfabriqués en bois ne se ressemblent pas tous. Le support de couverture en contreplaqué est généralement fabriqué à partir d'essences d'arbres adultes appartenant à des catégories supérieures. Les panneaux de copeaux ordinaires ou de copeaux orientés incorporent des rebuts de bois et des essences moins recherchées d'arbres à croissance rapide. Les deux types d'éléments préfabriqués en bois assurent une performance suffisante, sauf que le second fait un usage plus rationnel des ressources.

Envisager d'acheter des matériaux dans la localité

Dans de nombreuses régions, l'utilisation de matériaux produits localement se révèle une décision plus judicieuse que d'importer des matériaux. Par exemple, les planches brutes de sciage utilisées comme support de couverture sont préférées dans bien des régions du pays aux éléments préfabriqués en bois. Le choix de matériaux locaux favorise l'emploi et réduit l'exploitation de l'énergie reliée au transport des matériaux importés.

Choisir le matériau de couverture tout indiqué

Le type de matériau de couverture retenu détermine souvent le nombre d'options possible comme support de couverture. Pour une couverture métallique ou en bardeaux de bois, des voliges peuvent servir de support de couverture, utilisant une fraction du bois comparativement à un support en panneau.

Se rappeler que, peu importe l'option retenue, la qualité d'exécution importe au plus haut point.

2 po (51 mm) par appui, et celles de plus de 8 po (184 mm) avec trois clous de 2 po (51 mm) par appui. On ne doit pas utiliser des planches de plus de 12 po (286 mm) comme support de couverture. Pour une couverture en bardeaux de bois, l'entraxe des planches peut être égal au pureau des bardeaux. On utilise couramment cette méthode (figure 69A) dans les régions humides car elle permet la circulation de l'air autour des planches et sous les bardeaux, réduisant ainsi les risques de pourriture.

Détails d'assemblage

Lorsque la charpente du toit comporte une trémie de cheminée ou une autre ouverture, le support de couverture et les éléments de charpente doivent s'arrêter à 2 po (50mm) au moins de la maçonnerie par mesure de protection contre l'incendie (figure 70). Ce dégagement peut être réduit à ½ po (12 mm) dans le cas d'une cheminée extérieure en maçonnerie. Le support de couverture doit être solidement fixé aux chevrons et chevêtres bordant la trémie.

Aux noues et aux arêtes, le support de couverture doit être posé à joints serrés et cloué solidement au chevron de noue ou à l'arêtier (figure 70). On obtient ainsi une assise solide et lisse pour poser les solins.

La question des solins est débattue de façon approfondie dans les chapitres qui suivent. Veuillez vous y reporter pour obtenir plus d'information.

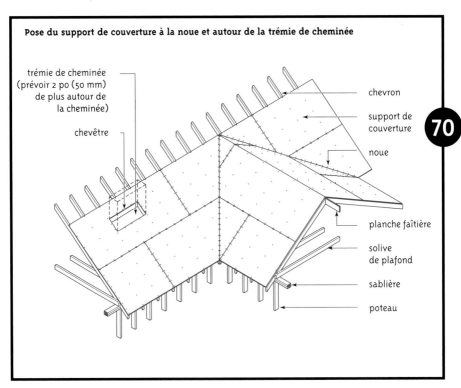

Pose du support de couverture à la noue et autour de la trémie de cheminée

trémie de cheminée (prévoir 2 po (50 mm) de plus autour de la cheminée)

chevêtre

chevron

support de couverture

noue

70

planche faîtière

solive de plafond

sablière

poteau

MATÉRIAUX DE COUVERTURE

La couverture se pose dès que la charpente et le support de couverture sont en place, mais avant tout autre travail de finition intérieure ou extérieure. Procéder de cette façon procure au début de la construction un abri contre les intempéries permettant aux différents corps de métier d'entreprendre leurs travaux et de protéger le bois de construction et les panneaux de revêtement intérieur contre l'excès d'humidité.

La couverture doit assurer une protection étanche et durable de la maison et de son contenu contre la pluie et la neige. De nombreux produits ont fait leurs preuves, s'avérant très résistants dans diverses conditions.

Le bardeau d'asphalte est de loin le matériau le plus couramment utilisé comme couverture de toit en pente. Dans certaines régions, la tôle d'acier galvanisé ou d'aluminium est très répandue. En général, les couvertures métalliques à pente normale ne retiennent pas la neige, caractéristique souhaitable, particulièrement dans les régions qui connaissent de fortes précipitations de neige. On utilise aussi les matériaux de couverture en rouleaux, les bardeaux de bois (de sciage ou de fente), la tôle métallique et les tuiles de béton ou d'argile. Sur un toit plat ou à pente douce, on utilise fréquemment une couverture multicouche recouverte de gravier ou d'un autre matériau protecteur. Le choix des matériaux peut être motivé par le coût, les exigences des codes locaux, ou les préférences régionales découlant de l'expérience acquise.

Le tableau 34 indique les pentes minimales et maximales à respecter selon les divers matériaux de couverture.

La pente de toit minimale pour les bardeaux d'asphalte est de 1 : 6 (pour faible pente), de 1 : 4 pour les bardeaux de bois et de 1 : 3 pour les bardeaux de fente et les bardeaux d'asphalte (pour pente courante). La couverture multicouche s'utilise rarement sur un toit dont la pente dépasse 1 : 4.

Pour éviter les dommages imputables à la neige fondante qui parfois se transforme en digue de glace au débord de toit, la couverture en bardeaux de bois ou d'asphalte doit faire l'objet d'une protection supplémentaire qu'assure généralement une couche de matériau à couverture en rouleau à surface lisse de type S ou à surfaçage minéral de type M, posée avec recouvrement collé d'au moins 4 po (100 mm). Placée par-dessus le support de couverture, cette protection s'étend du bord du toit jusqu'à une ligne située à au moins 12 po (300 mm) au-delà de la face intérieure des murs extérieurs, empêchant ainsi l'eau de s'infiltrer par les joints du support de couverture (figure 71A et B). La protection de débord de toit doit remonter sur au moins 36 po (900 mm) .

La pose des solins contre la cheminée, aux noues et aux intersections des murs, dans le cas d'une couverture en bardeaux, est expliquée dans le chapitre consacré aux *Solins*.

POUR UNE MAISON SAINE...

Choix des matériaux de couverture

La qualité et la performance des matériaux de couverture constituent des aspects très importants de la construction de maison à ossature de bois, en raison des dommages coûteux qu'entraîne un toit fuyant ou des frais élevés que représente le remplacement de la couverture. Le choix de matériaux de couverture tout indiqués repose sur plusieurs critères essentiels :

➡ Le matériau peut provenir d'une ressource renouvelable ou non. Les matériaux de couverture d'asphalte, de métal, d'argile et de béton font appel à des ressources non renouvelables. Sont généralement considérés comme ressources renouvelables les produits de bois provenant d'une forêt bien gérée.

➡ Le matériau peut être fabriqué à partir de matière recyclée, ou être recyclable ou non recyclable. En règle générale, par souci d'économiser les ressources naturelles, l'emploi de matériaux recyclés doit être privilégié au détriment des matériaux non recyclés.

➡ Le matériau peut être assorti d'une durée utile longue ou brève. Cet aspect, mesuré en fonction du coût à l'origine, risque d'exercer une importante influence sur le choix final du matériau de couverture.

Le bref exposé comparatif ci-après présente les options de matériaux de couverture par ordre ascendant de coût et de durée utile.

Les bardeaux d'asphalte constituent le matériau de couverture prédominant dans la construction à ossature de bois. Certaines régions les recyclent, mais la plupart les jugent non recyclables. Leur durée utile s'échelonne entre 15 et 25 ans.

Les bardeaux de bois provenant de forêts bien gérées figurent parmi les produits recyclables et offrent une durée utile comparable aux bardeaux d'asphalte.

La couverture métallique est certes non renouvelable, mais recyclable, et compte tenu du métal employé, peut accuser une durée utile de beaucoup supérieure aux bardeaux d'asphalte ou de bois.

Les tuiles d'argile et de béton ne sont pas des matériaux renouvelables, mais souvent tout à fait réutilisables en raison de leur stabilité et de leur longue durée utile. Ces matériaux de couverture requièrent cependant un meilleur support structural et des modes de pose difficiles.

Bardeaux d'asphalte sur pente de 1 : 3 ou plus

Il est recommandé de faire usage de bardeaux d'asphalte au moins de qualité n° 210. Les bardeaux à bouts carrés mesurent habituellement 12 x 36 po (310 x 915 mm) ou 13 1/4 x 39 3/8 po (335 x 1 000 mm), comprennent trois jupes et doivent être posés avec un pureau de 5 po (130 mm) ou de 5 3/5 po (145 mm). Un paquet, qui comporte de 21 à 26 bardeaux, couvre environ 32 pi² (3 m²).

Les paquets doivent être empilés

(A) Amoncellement de neige et de glace. Des digues de glace se forment souvent sur le débord de toit et dans les gouttières; l'eau provenant de la neige fondante y est emprisonnée et, en s'accumulant, remonte sous les bardeaux. **(B)** La protection du débord de toit empêche l'eau retenue par la glace de s'infiltrer dans le toit.

71

A
- neige fondante
- accumulation d'eau
- digue de glace
- infiltration d'eau dans le toit
- pare-vapeur
- isolant thermique
- gouttière

B
- eau en direction de la gouttière
- protection du débord de toit jusqu'à 12 po (300 mm) au-delà de la face intérieure des poteaux d'ossature
- minimum de 12 po (300 mm)
- minimum de 36 po (900 mm)
- face intérieure des poteaux d'ossature
- gouttière
- isolant thermique

à plat de façon que les bardeaux demeurent bien droits jusqu'à leur mise en œuvre. On prendra soin de ne pas empiler trop de bardeaux au même endroit sur le toit pour ne pas surcharger la charpente.

La pose des bardeaux d'asphalte est illustrée à la figure 72. La protection du débord de toit doit d'abord être assurée par l'une des méthodes déjà décrites. Une bande de départ d'au moins 12 po (300 mm) de largeur se pose en bordure du toit de façon à faire saillie de $\frac{1}{2}$ po (12 mm) et ainsi former un larmier. Un larmier métallique peut également s'employer de concert avec la bande de départ. Cette saillie empêche la remontée capillaire de l'eau sous les bardeaux. Une bande de bardeaux posés les jupes orientées vers le faîte s'utilise souvent à cette fin. Un matériau de couverture en rouleau à surfaçage minéral de type M peut tenir lieu à la fois de bande de départ et de protection de débord de toit si elle remonte la pente du toit. La bande de départ se cloue à entraxes de 12 po (300 mm) le long du bord inférieur. Le premier rang de bardeaux se pose ensuite les extrémités des jupes alignées sur le bord inférieur de la bande de départ.

Lors de la mise en œuvre des bardeaux, il est important de déterminer le pureau en fonction de la pente du toit ainsi que du type et de la longueur des bardeaux.

Des lignes tirées au cordeau permettront de bien aligner les rangs de bardeaux pour donner belle apparence au toit. Chaque bardeau doit être fixé à l'aide de quatre agrafes ou clous à tête large suffisamment longs pour pénétrer de $\frac{1}{2}$ po (12 mm)

le support de couverture. Il importe d'apporter beaucoup de soin à la fixation des bardeaux. En effet, lorsqu'un clou pénètre dans une fissure ou dans un trou de noeud, il faut en enfoncer un autre à côté dans le bois sain. Quelle que soit la région, il est recommandé de coller les jupes de tous les bardeaux.

On pourra, à cet effet, appliquer une pastille de mastic de 1 po (25 mm) de diamètre sous le centre de chacune des jupes. La plupart des bardeaux sont pourvus d'une bande adhésive sous les jupes. La pose des bardeaux à emboîtement ou d'un autre type particulier doit respecter les directives du fabricant.

Bardeaux d'asphalte sur pente douce de 1 : 6 à 1 : 3

Il convient de prendre des précautions supplémentaires pour assurer l'étanchéité du toit à pente douce. Exception faite des deux premiers rangs, la totalité du toit doit comporter trois épaisseurs de bardeaux, y compris les arêtes et le faîte. Pour y arriver, il faut que le pureau ne dépasse pas le tiers de la hauteur du bardeau. On commence d'abord par poser la bande de départ de la même façon que pour un toit plus incliné, mais cette fois sur une bande continue de mastic d'au moins 8 po (200 mm) de largeur. Le premier rang de bardeaux se colle ensuite à la bande de départ à l'aide d'une bande de mastic d'au moins 4 po (100 mm) plus large que le pureau du bardeau. On pourra, par exemple, appliquer une bande de mastic de 10 po (250 mm) de largeur pour un pureau de 6 po (150 mm). Les rangs de bardeaux suivants se posent sur une bande de mastic de 2 po (50 mm) plus large que le pureau, si bien qu'on applique une bande de 8 po (200 mm) pour un pureau de 6 po (150 mm).

Pour éviter de maculer de mastic la partie exposée des bardeaux, on applique cette bande de mastic à 1 ou 2 po (25 ou 50 mm) au-dessus de la ligne de pureau de chaque rang de bardeaux. Encore là, chaque bardeau doit être fixé par quatre agrafes ou clous.

Le mastic à froid s'applique à raison de 1 gal./100 pi^2 (0,5 L/m^2) de surface et le ciment à chaud à raison de 0,2 lb/pi^2 (1 kg/m^2) de surface. Cette technique de pose ne vaut que pour les pentes inférieures à 1 : 4 puisqu'il existe, pour les autres, des bardeaux spéciaux suffisamment longs pour donner les trois épaisseurs requises.

Bardeaux de bois

Les bardeaux de bois d'usage courant pour les maisons appartiennent aux qualités n° 1 et n° 2. Le cèdre rouge et le cèdre blanc constituent les principales essences de bois utilisées pour la fabrication de bardeaux, étant donné que leur duramen est particulièrement résistant à la pourriture et peu sujet au retrait, mais le pin et le cèdre jaune s'utilisent également. La largeur des bardeaux varie certes, sauf que la largeur maximale correspond à 14 po (350 mm) et la largeur minimale à 3 po (75 mm).

La figure 73 montre la façon de poser les bardeaux de bois. Comme pour les bardeaux d'asphalte, la couche de pose et le feutre à couverture ne sont généralement pas requis pour les bardeaux de bois, exception faite de la protection du débord de toit dont il a déjà été question.

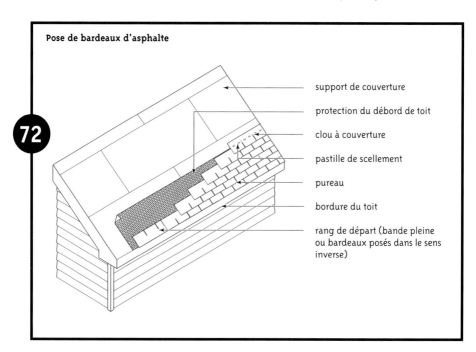

Pose de bardeaux d'asphalte

72

support de couverture

protection du débord de toit

clou à couverture

pastille de scellement

pureau

bordure du toit

rang de départ (bande pleine ou bardeaux posés dans le sens inverse)

Le premier rang doit comporter deux épaisseurs de bardeaux placés de manière que les bardeaux supérieurs recouvrent les joints du rang d'en dessous et que les deux épaisseurs débordent d'environ 1 po (25 mm) la bordure de toit. Cette précaution empêchera l'eau de remonter sous les bardeaux. Les bardeaux se posent à 1/4 po (6 mm) les uns des autres afin de tenir compte du gonflement lorsqu'ils sont humides. Les joints entre bardeaux doivent être décalés d'au moins 1 9/16 po (40 mm) d'avec ceux du rang sous-jacent. Les joints des rangs successifs doivent également être décalés de façon que le joint d'un rang ne soit pas vis-à-vis les joints des deux rangs inférieurs.

Chaque bardeau se fixe avec deux clous seulement, la distance par rapport au bord inférieur devant correspondre au pureau plus 1 9/16 po (40 mm), et par rapport aux rives latérales à 13/16 po (20 mm). À titre d'exemple, pour un pureau de 5 po (125 mm), il convient d'ajouter 1 9/16 po (40 mm), de sorte que les clous seront enfoncés à 6 9/16 po (165 mm) du bord inférieur du bardeau. Les bardeaux se fixent à l'aide de clous galvanisés par immersion à chaud ou protégés autrement contre la corrosion. Les bardeaux débités sur dosse de plus de

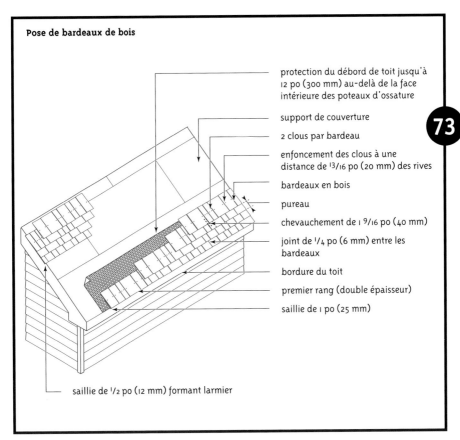

Pose de bardeaux de bois

protection du débord de toit jusqu'à 12 po (300 mm) au-delà de la face intérieure des poteaux d'ossature

support de couverture

2 clous par bardeau

73

enfoncement des clous à une distance de 13/16 po (20 mm) des rives

bardeaux en bois

pureau

chevauchement de 1 9/16 po (40 mm)

joint de 1/4 po (6 mm) entre les bardeaux

bordure du toit

premier rang (double épaisseur)

saillie de 1 po (25 mm)

saillie de 1/2 po (12 mm) formant larmier

133

8 po (200 mm) de largeur sont souvent fendus et cloués comme s'il s'agissait de deux bardeaux, de façon à prévenir le voilement ou le gauchissement.

Bardeaux de fente

Les bardeaux de fente en cèdre ne doivent jamais mesurer moins de 18 po (450 mm) de longueur ni moins de 4 po (100 mm) de largeur, pas plus que leur largeur ne saurait dépasser 13 3/4 po (350 mm). Enfin, l'épaisseur du bord inférieur doit se situer entre 3/8 et 1 1/4 po (9 et 32 mm) (figure 74).

Les bardeaux de fente se posent sur un support de couverture jointif ou non. Le support non jointif (figure 69A) est constitué de voliges de 1 x 4 po (19 x 89 mm) ou plus de largeur dont l'entraxe égale le pureau, sans

toutefois dépasser 10 po (250 mm). Dans les régions sujettes aux rafales de neige, il est recommandé d'opter pour un support de couverture jointif.

Le pureau a son importance. En règle générale, un pureau de 7 1/2 po (190 mm) est recommandé pour les bardeaux de 18 po (450 mm) et de 10 po (250 mm) pour les bardeaux de 24 po (600 mm). La pente minimale recommandée pour les bardeaux de fente équivaut à 1 : 3.

Une bande de feutre à couverture n° 15 de 36 po (900 mm) de largeur doit être posée sur le support de couverture au débord du toit. Le rang de départ doit être doublé; on pourra le tripler pour accentuer la texture de la couverture. Le rang inférieur peut être constitué de bardeaux de 15 po

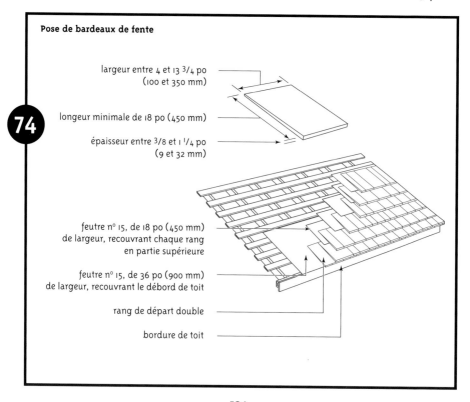

Pose de bardeaux de fente

largeur entre 4 et 13 3/4 po
(100 et 350 mm)

74

longueur minimale de 18 po (450 mm)

épaisseur entre 3/8 et 1 1/4 po
(9 et 32 mm)

feutre n° 15, de 18 po (450 mm)
de largeur, recouvrant chaque rang
en partie supérieure

feutre n° 15, de 36 po (900 mm)
de largeur, recouvrant le débord de toit

rang de départ double

bordure de toit

(380 mm) ou de 18 po (450 mm), les premiers étant faits spécifiquement à cette fin.

Après avoir posé un rang de bardeaux, on doit en recouvrir la partie supérieure d'une bande de feutre à couverture n° 15 de 18 po (450 mm) de largeur, qui se prolonge sur le support de couverture. La rive inférieure de la bande doit se trouver au-dessus du bord inférieur des bardeaux à une distance égale au double du pureau. Par exemple, dans le cas de bardeaux de 24 po (600 mm) posés avec un pureau de 10 po (250 mm), le feutre doit partir à 20 po (500 mm) au-dessus du bord inférieur des bardeaux. Ainsi, le feutre recou-

vrira les bardeaux sur une largeur de 4 po (100 mm) à leur partie supérieure et se prolongera d'environ 15 po (350 mm) sur le support de couverture (figure 74).

Les bardeaux doivent être espacés de 1/4 à 3/8 po (6 à 9 mm). Les joints latéraux doivent être décalés d'au moins 1 9/16 po (40 mm) par rapport à ceux des rangs adjacents. En cas d'utilisation de bardeaux à faces parallèles, on doit poser vers le faîte l'extrémité lisse à partir de laquelle le fendage s'est fait.

Finition au faîte et aux arêtes

Le mode de finition le plus courant est illustré à la figure 75A. Des carrés de

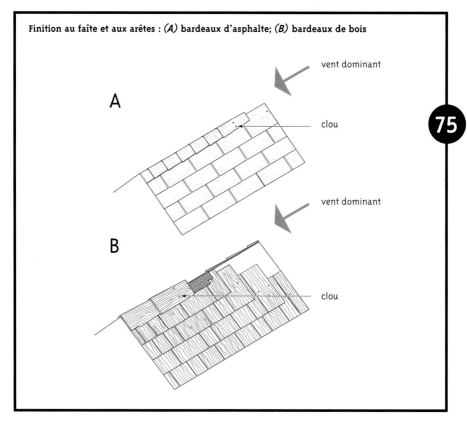

Finition au faîte et aux arêtes : *(A)* bardeaux d'asphalte; *(B)* bardeaux de bois

vent dominant

clou

75

vent dominant

clou

bardeaux d'asphalte (le tiers d'un bardeau ordinaire) se posent au faîte ou sur les arêtiers, puis se fixent par clouage dissimulé. Les bardeaux se recouvrent comme pour le reste du toit. Il est tout à fait indiqué d'orienter les bardeaux du faîte de façon à assurer une protection maximale contre les vents dominants.

Dans le cas des bardeaux de bois, on pose des bardeaux de 6 po (150 mm) de largeur qui se recouvrent par alternance à leur rive latérale supérieure, selon un mode de clouage dissimulé (figure 75B). Un solin s'utilise parfois sous les bardeaux de bois, au faîte.

Couverture multicouche

La mise en œuvre de la couverture multicouche revient à une entreprise spécialisée. Une couverture ou étanchéité multicouche peut comporter trois couches ou plus de feutre à couverture, dont chacune est enduite de goudron ou d'asphalte étendu à la vadrouille, la surface définitive étant recouverte du même matériau. La surface est ensuite recouverte de gravillons noyés dans le goudron ou l'asphalte, ou d'un revêtement protecteur. Ce recouvrement donne du lest à la couverture et la protège contre les rayons ultraviolets du soleil. Il importe de noter qu'en

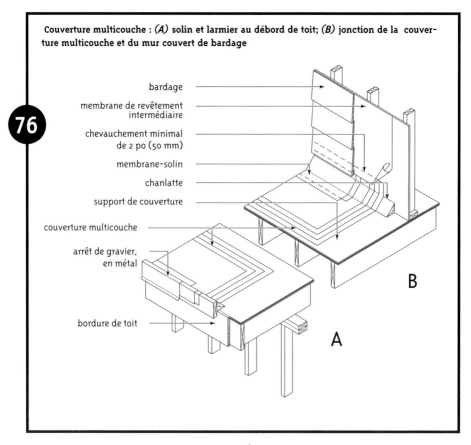

Couverture multicouche : *(A)* solin et larmier au débord de toit; *(B)* jonction de la couverture multicouche et du mur couvert de bardage

76

bardage

membrane de revêtement intermédiaire

chevauchement minimal de 2 po (50 mm)

membrane-solin

chanlatte

support de couverture

couverture multicouche

arrêt de gravier, en métal

bordure de toit

B

A

raison de leur incompatibilité, les produits à base de goudron et ceux à base d'asphalte ne doivent jamais être utilisés conjointement.

Le débord de toit est générale-ment revêtu d'une garniture de rive ou d'un solin métallique. Lorsque le toit est recouvert de gravier, on utilise un

Détails d'une couverture métallique

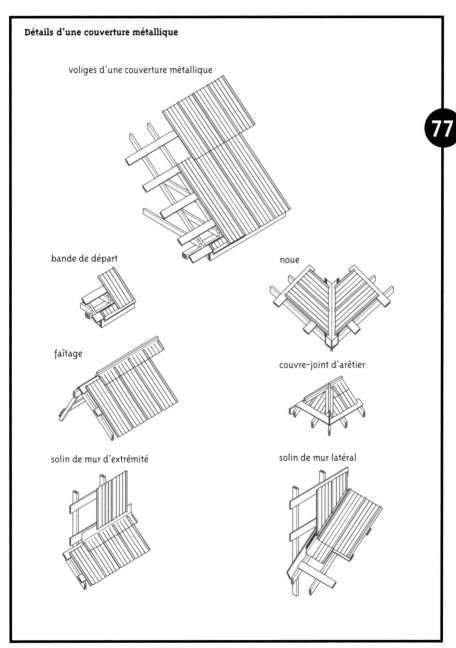

voliges d'une couverture métallique

bande de départ

noue

faîtage

couvre-joint d'arêtier

solin de mur d'extrémité

solin de mur latéral

77

arrêt à gravier ou une chanlatte de pair avec un solin (figure 76A). Lorsque la couverture multicouche rencontre un mur (sauf à placage de maçonnerie), on étend le matériau à la vadrouille jusqu'à la chanlatte, puis en remontant jusqu'à 6 po (150 mm) le long du mur. Le papier de revêtement mural et le bardage se posent ensuite par-dessus la membrane de couverture (figure 76B).

Lorsque la couverture multicouche rencontre un mur à parement de maçonnerie, la membrane de couverture doit remonter de la même façon sur la maçonnerie. Un contre-solin doit être encastré d'au moins 1 po (25 mm) dans les joints de mortier et descendre sur au moins 6 po (150 mm) le long du mur, en recouvrant le solin d'au moins 4 po (100 mm).

Une membrane monocouche s'utilise également sur un toit plat. Elle est habituellement constituée de divers matériaux synthétiques qui résistent bien aux cycles de gel et de dégel et aux effets nocifs de l'ozone et des rayons ultraviolets. Sa mise en œuvre est assez simple, mais elle est rarement utilisée sur le petit toit d'une construction à ossature de bois.

Couverture métallique

La tôle à couverture se fabrique en largeurs de 30 à 36 po (762 à 914 mm) de largeur, selon le profil des ondulations et la longueur précisée par le constructeur. Elle se vend avec tous les accessoires nécessaires à l'exécution des différents détails du toit, comme les couvre-joints d'arêtier, les solins de noue, bandes de départ et bordures (figure 77). La méthode de pose classique comporte l'utilisation de voliges en bois de 1 x 4 po (19 x 89 mm) fixées perpendiculairement aux chevrons à entraxes maximaux de 16 po (400 mm). Pour procurer une meilleure fixation et un fond de clouage plus solide, il sera fait usage de pannes jointives de 2 x 4 po (38 x 89 mm). Chaque joint d'extrémité doit être supporté (figure 77). L'épaisseur de la tôle dépend des surcharges de neige applicables, mais ne doit pas être inférieure à 0,013 po (0,33 mm) pour l'acier galvanisé, à 0,018 po (0,46 mm) pour le cuivre ou le zinc, et à 0,019 po (0,48 mm) pour l'aluminium. La documentation du fabricant fait état de l'épaisseur requise suivant des surcharges de neige spécifiques.

Couverture en tuiles de béton ou d'argile

Si l'on songe à faire usage de tuiles de béton ou d'argile, il importe de se rappeler qu'elles sont beaucoup plus lourdes que les autres matériaux de couverture et qu'on doit en tenir compte dans le calcul des chevrons ou des fermes. On consultera un ingénieur qui fera les calculs nécessaires. Les imitations de tuiles de couverture ne requièrent pas normalement d'éléments de charpente particuliers. Les directives du fabricant devront cependant être respectées à la lettre.

RAPPEL

Dimensionnement tout indiqué des éléments de charpente du toit

Compte tenu du type de couverture mise en œuvre, peut-être faudra-t-il vérifier le dimensionnement des éléments de charpente du toit. Les dimensions types des éléments de charpente du toit correspondent aux matériaux de couverture classiques, tels que bardeaux d'asphalte, bardeaux de fente en cèdre, ou couverture métallique légère. Une couverture en tuiles d'argile ou de béton obligera vraisemblablement à redimensionner les éléments de charpente en conséquence.

➡ Vérifier au chapitre intitulé *Charpente du plafond et du toit* l'à-propos des dimensions des éléments de charpente du toit.

➡ Vérifier auprès du fabricant du matériau de couverture les surcharges qu'imposent les couvertures lourdes et dimensionner les éléments de charpente du toit en fonction des données obtenues.

POUR UNE MAISON SAINE...

Réduire les déchets lors de la construction du toit

Une planification judicieuse et l'adoption de techniques de construction tout indiquées réduiront considérablement les déchets lors de la construction du toit. Voici les principaux points à envisager.

➡ Éviter de commander beaucoup plus de matériaux qu'il n'en faut, à moins de s'être entendu au préalable avec les fournisseurs sur le retour de la marchandise inutilisée.

➡ Dans la mesure du possible, établir la longueur du toit en fonction de multiples de 16 po (400 mm) ou de 24 po (600 mm) de manière à réduire les restes de support de couverture.

➡ Recueillir et entreposer les déchets de façon à favoriser le recyclage intégral. Éviter de mêler les déchets de matériaux de construction. Trier les matériaux contribue à améliorer le recyclage.

➡ Utiliser comme cales, entretoises, fourrures ou éléments en porte-à-faux les courtes pièces de bois de charpente du plafond et des murs.

Au moment de faire usage de matériaux non recyclables, envisager d'autres solutions. Par exemple, les restes de tuiles de couverture en argile pourront

suite à la page 140

suite de la page 139

servir de déflecteurs sous les descentes pluviales ou à rehausser l'aménagement paysager. Les restes de tuiles de couverture en béton pourront être broyées et mêlées au matériau granulaire comme remblai. Pour en savoir davantage sur la gestion des déchets de construction, consulter la rubrique **Application des 4R de la construction à ossature de bois** du chapitre **Ossature de la maison.**

OUVRAGES DE RÉFÉRENCE

La construction et l'environnement : Comment les constructeurs et les rénovateurs d'habitations peuvent contribuer à bâtir un avenir écologique
Société canadienne d'hypothèques et de logement

Faire un rien d'une montagne
(vidéo)
Société canadienne d'hypothèques et de logement

REVÊTEMENT MURAL INTERMÉDIAIRE ET REVÊTEMENT EXTÉRIEUR DE FINITION

Le revêtement mural intermédiaire s'entend du matériau fixé directement aux éléments d'ossature du mur extérieur. Il procure un fond de clouage pour certains types de bardage et un appui pour d'autres, tout en contribuant à raidir l'ossature, bien que la plupart des revêtements intérieurs de finition assurent un contreventement suffisant. Le revêtement intermédiaire isolant ne procure généralement pas le contreventement temporaire ou permanent requis; en cas d'usage, il faut encastrer des écharpes de bois ou de métal dans les éléments d'ossature. Un revêtement intermédiaire s'impose sur les murs pignons et les autres murs dont le parement extérieur nécessite un appui continu.

Il existe aujourd'hui plusieurs types de revêtement intermédiaire : les panneaux de fibres, les plaques de plâtre, le contreplaqué, les panneaux de copeaux orientés, l'isolant rigide et le bois de construction. Le tableau 35 précise les divers types de revêtement intermédiaire et l'épaisseur minimale requise pour constituer un appui suffisant aux matériaux de finition extérieure.

TYPES DE REVÊTEMENTS INTERMÉDIAIRES ET POSE

Le *panneau de copeaux orientés (OSB)* et le *panneau de copeaux ordinaires* désignent des panneaux structuraux faits de minces lamelles de bois agglomérées par un adhésif phénolique hydrofuge. Le panneau de copeaux ordinaires contient des lamelles plus étroites suivant une disposition tout-venant, et le panneau de copeaux orientés des lamelles plus étroites toutes disposées dans le sens longitudinal du panneau. Cette caractéristique ajoute à sa résistance et à sa rigidité. La désignation O-1 ou O-2 indique un panneau de copeaux orientés, et la désignation R-1 un panneau de copeaux ordinaires.

Les panneaux sont fabriqués en feuilles de 4 pi (1,2 m) de largeur sur 8 pi (2,4 m) de longueur. L'épaisseur minimale des panneaux à utiliser correspond à 5/16 po (7,9 mm) pour les poteaux disposés à entraxes maximaux de 2 pi (600 mm) et à 1/4 po (6,35 mm) pour les poteaux espacés jusqu'à entraxes de 16 po (400 mm). Les panneaux de copeaux ordinaires ou de copeaux orientés se mettent en œuvre comme le contreplaqué.

Le revêtement intermédiaire en panneau de fibres, de contreplaqué, de copeaux ordinaires ou de copeaux orientés se pose souvent à la verticale. Les panneaux se clouent à l'ossature murale avant même de l'élever en position. Une telle exécution permet de garder le mur d'équerre, évite de recourir à des échafaudages et protège la maison contre les intempéries dès l'achèvement de la charpente. Il arrive souvent que les baies de fenêtres soient recouvertes par les panneaux de revêtement intermédiaire et qu'elles ne soient découpées qu'àprès la livraison des fenêtres.

Les panneaux de revêtement intermédiaire se posent également à l'horizontale, les joints décalés autant que possible.

Un jeu d'au moins 1/8 po (2 à 3 mm) doit être laissé entre les panneaux pour leur permettre de se dilater sans bomber. Les panneaux se clouent à l'ossature à entraxes de 6 po (150 mm) le long des rives et de 12 po (300 mm) le long des appuis intermédiaires (figure 78).

Le **contreplaqué** est généralement de qualité «revêtement intermédiaire», non poncé, fabriqué à l'aide d'un adhésif hydrofuge et peut contenir quelques noeuds. L'épaisseur minimale du revêtement intermédiaire en contreplaqué pour usage extérieur correspond à 5/16 po (7,5 mm) pour des poteaux disposés à entraxes de 24 po (600 mm) et à 1/4 po (6 mm)

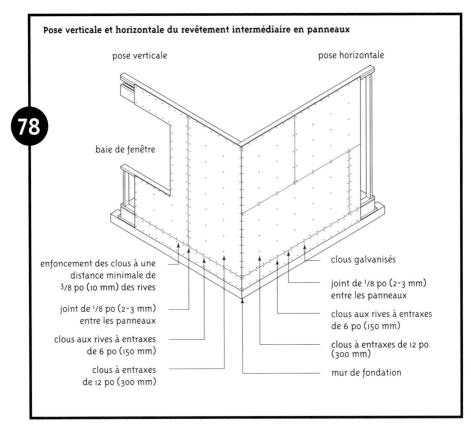

Pose verticale et horizontale du revêtement intermédiaire en panneaux

pose verticale

pose horizontale

baie de fenêtre

enfoncement des clous à une distance minimale de 3/8 po (10 mm) des rives

joint de 1/8 po (2-3 mm) entre les panneaux

clous aux rives à entraxes de 6 po (150 mm)

clous à entraxes de 12 po (300 mm)

clous galvanisés

joint de 1/8 po (2-3 mm) entre les panneaux

clous aux rives à entraxes de 6 po (150 mm)

clous à entraxes de 12 po (300 mm)

mur de fondation

pour des poteaux disposés à entraxes de 16 po (400 mm). Les feuilles mesurent 4 pi (1,2 m) de largeur sur habituellement 8 pi (2,4 m) de longueur.

Le *revêtement intermédiaire en panneau de fibres* doit avoir au moins 7/16 po (11,1 mm) d'épaisseur si les poteaux sont posés à entraxes de 24 po (600 mm) et de 3/8 po (9,5 mm) s'ils sont disposés à entraxes de 16 po (400 mm). Il est généralement fabriqué en feuilles de 4 pi (1,2 m) de largeur sur 8 pi (2,4 m) de longueur, habituellement imprégnées d'un produit bitumineux hydrofugeant.

Le *revêtement intermédiaire en plaque de plâtre* se compose d'une couche de plâtre prise dans une enveloppe de papier traité. Il doit avoir au moins 1/2 po (12,7 mm) d'épaisseur pour les poteaux disposés à entraxes de 24 po (600 mm) et 3/8 po (9,5 mm) d'épaisseur pour les poteaux disposés à entraxes de 16 po (400 mm). Il se fabrique en feuilles de 4 pi (1,2 m) de largeur sur 8 pi (2,4 m) de longueur, qui se fixent horizontalement aux éléments de charpente.

Le *revêtement intermédiaire isolant* existe en différents types. Le premier type est un panneau de fibre de verre semi-rigide, à membrane extérieure hydrofuge mais perméable à la vapeur d'eau. Les autres s'entendent de panneaux rigides de polystyrène expansé, de polystyrène extrudé, de polyuréthane, d'isocyanurate ou de résines phénoliques. Ils se fabriquent en différentes épaisseurs et leur valeur isolante par unité d'épaisseur varie d'un produit à l'autre.

Le revêtement intermédiaire isolant se pose comme tout autre revêtement en panneaux, en utilisant toutefois des clous spéciaux à tête large. On préfère le poser avant de mettre les pans de mur en position verticale à cause de leur légèreté et, pour certains types de panneaux, de leur fragilité. Même un vent relativement léger peut en rendre difficile la pose à la verticale. Le revêtement en panneaux de fibre de verre rigides avec membrane perméable à la vapeur d'eau peut s'avérer un pare-air efficace lorsque les joints sont pontés par le ruban adhésif approprié.

Il existe deux façons de poser le revêtement intermédiaire jusqu'à la lisse d'assise : ou bien les panneaux se prolongent jusqu'à la lisse d'assise et on remplit ensuite le vide ainsi laissé en partie supérieure, ou bien on utilise des panneaux de 9 pi (2,74 m) de longueur, s'il est possible de s'en procurer, pour recouvrir tout le mur, depuis la sablière jusqu'à la lisse d'assise. Cette dernière façon de procéder a l'avantage de réduire les infiltrations d'air.

Le *revêtement intermédiaire en bois de construction*, qui ne doit pas mesurer moins de 11/16 po (17 mm) d'épaisseur, est habituellement fait de planches de 6 à 12 po (140 à 286 mm) de largeur, leurs chants étant feuillurés en vue d'un assemblage à mi-bois, bouvetés ou avivés d'équerre. Les planches de 6 à 8 po (140 à 184 mm) de largeur se fixent à chacun des poteaux à l'aide de deux clous et celles de 10 à 12 po (235 à 286 mm) de largeur avec trois clous. Les joints d'extrémité doivent être réalisés au centre des appuis et décalés sur différents poteaux. Le revêtement intermédiaire en bois de construction peut se poser à l'horizontale ou en diagonale (figure 79A) et doit descendre au-delà du support de revêtement de sol pour couvrir la solive de rive et la lisse d'assise (figure 79B). La pose en diagonale requiert cependant plus de temps et de matériaux.

MEMBRANE DE REVÊTEMENT MURAL INTERMÉDIAIRE

La membrane de revêtement intermédiaire (communément appelée papier de revêtement) doit être hydrofuge mais perméable à la vapeur d'eau. La membrane, de nos jours constituée d'autres matériaux que le

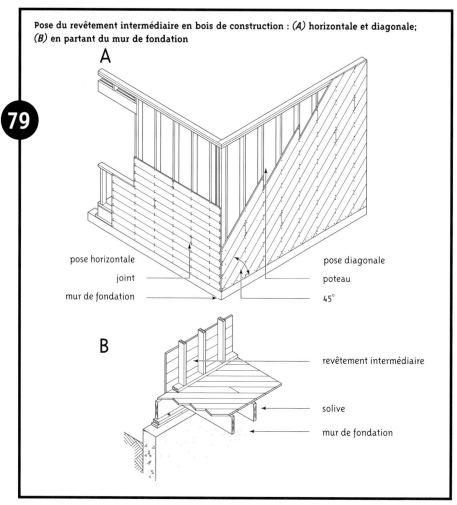

Pose du revêtement intermédiaire en bois de construction : (A) horizontale et diagonale; **(B)** en partant du mur de fondation

A

79

pose horizontale

joint

mur de fondation

pose diagonale

poteau

45°

B

revêtement intermédiaire

solive

mur de fondation

À PRÉVOIR...

Membrane de revêtement intermédiaire et pare-air

Une membrane de revêtement intermédiaire est de rigueur derrière le bardage, le stucco ou le placage de maçonnerie. Les membranes autorisées à cette fin sont destinées à être perméables à la vapeur d'eau, de façon à rejeter à l'extérieur toute accumulation d'humidité dans les murs. Par la même occasion, la membrane de revêtement est conçue pour résister à l'infiltration d'eau dans les murs extérieurs, imputable généralement à la pluie poussée par le vent.

Requis dans tous les composants extérieurs de l'enveloppe du bâtiment, le pare-air prévient les fuites d'air, cause des méfaits internes dus à l'humidité et du gaspillage d'énergie. Dans certains cas, on parvient à satisfaire aux exigences concernant le pare-air et le pare-vapeur en disposant du polyéthylène du côté intérieur scellé avec soin aux joints et aux points de pénétration. Dans d'autres, le pare-air peut être constitué d'une membrane distincte posée sur la face extérieure des murs.

Voici les points à considérer au moment de combiner la membrane de revêtement intermédiaire et le pare-air :

➜ Vérifier que le pare-air satisfait aux exigences d'une membrane de revêtement intermédiaire. Il doit permettre à la vapeur d'eau (humidité) de s'échapper à l'extérieur.

➜ Mettre en œuvre le pare-air en assurant sa continuité et son étanchéité à l'air. En général, ponter les joints et sceller les points de pénétration sont nécessaires pour obtenir un pare-air efficace contre les fuites d'air.

➜ Lorsqu'on envisage de poser un revêtement intermédiaire isolant, les produits incorporant un pare-air pourront également être considérés.

➜ Dans la plupart des cas, lorsqu'il faut mettre en œuvre une membrane de revêtement intermédiaire, il s'avère logique d'opter pour un matériau qui remplit également le rôle de pare-air.

➜ En cas de doute, consulter, avant de débuter les travaux, le service local du bâtiment quant à l'acceptabilité des matériaux et des méthodes.

Il importe de déterminer le type de pare-air et sa mise en œuvre avant de poser le revêtement mural intermédiaire et le revêtement extérieur de finition. Il vaut mieux faire preuve de prévoyance en se reportant aux exigences des pare-air énoncées dans le chapitre *Pare-vapeur et pare-air*.

papier, comme de polyoléfine filée-liée ou de polypropylène, a pour fonction d'opposer un second plan de résistance au vent et à la pluie qui réussiraient à traverser le parement, en plus de diriger l'eau qui aurait franchi le parement par-dessus le solin à la base du mur. Elle doit être suffisamment perméable pour que puisse s'échapper la vapeur d'eau qui serait parvenue dans le mur depuis l'intérieur de la maison par les imperfections du pare-vapeur et du pare-air. On utilise une épaisseur de papier de revêtement posée à l'horizontale ou à la verticale, avec recouvrement de 4 po (100 mm) aux joints. Aux solins horizontaux, la feuille supérieure doit recouvrir la feuille inférieure de façon à diriger l'humidité vers l'extérieur.

En l'absence de revêtement mural intermédiaire, on doit prévoir deux couches de membrane de revêtement intermédiaire, à moins d'utiliser un bardage constitué de grands panneaux de contreplaqué, par exemple. Les deux couches se posent à la verticale, avec recouvrement de 4 po (100 mm) aux joints réalisés sur les poteaux. Les deux couches se fixent par agrafage aux éléments de charpente, la couche supérieure l'étant avec des agrafes espacées de 6 po (150 mm) le long des rives.

PAREMENT EXTÉRIEUR

Influant grandement sur l'apparence de la maison et l'entretien, le parement extérieur doit être choisi avec soin. Les types les plus courants sont le parement de métal, de vinyle, de panneau de fibres dur ou de bois de construction; le bardage en panneau de contreplaqué, de copeaux orientés, de copeaux ordinaires ou de fibres dur; les bardeaux de sciage ou de fente en bois; le stucco et le parement de maçonnerie comme la brique d'argile et de béton, les blocs de béton et la pierre.

La plupart des bardages risquent d'être affectés par l'humidité; c'est pourquoi ils doivent s'arrêter à 8 po (200 mm) au-dessus du sol et à 2 po (50 mm) de la surface du toit adjacent, selon le cas. Les modes de pose des solins au-dessus des baies de porte et de fenêtre et entre différents types de revêtements muraux font l'objet du chapitre intitulé *Solins*.

Bardage en métal ou en vinyle

Le bardage en métal ou en vinyle s'utilise très largement d'autant plus qu'il ne nécessite pratiquement pas d'entretien puisqu'il est livré avec un fini appliqué à l'usine. Il est fabriqué en formes et modèles variés, certains simulant l'apparence du bardage à clin en bois ou du bardage vertical en planches avec couvre-joints. Le bardage est conçu et fabriqué de telle façon que seule la partie supérieure d'une planche est clouée et que sa partie inférieure s'emboîte dans la planche inférieure (figure 80A). Les angles saillants et rentrants ainsi que les jonctions avec le soffite de débord de toit, les portes et les fenêtres sont tous finis à l'aide de menuiseries conçues spécialement à cet effet. La mise en œuvre se fait habituellement comme pour les autres types de bardages de 6 à 8 po (150 à 200 mm) de largeur.

Pose horizontale. On recouvre le mur d'une membrane de revêtement intermédiaire, selon les indications précédentes. Dans les régions côtières humides, il est recommandé de ménager avec des fourrures un écran pare-pluie et de ventiler la lame d'air pour faciliter l'assèchement. On tire d'abord une ligne autour de la maison pour déterminer l'emplacement de la bande de départ qui se situe généralement à au moins 6 à 8 po (150 à 200 mm) au-dessus du niveau définitif du sol. Les menuiseries de finition des angles, fenêtres, portes et ouvertures se posent d'abord, puis viennent les bandes de départ. Le bardage se pose ensuite en rangs successifs jusqu'au soffite du débord de toit.

Le recouvrement des planches consécutives doit être décalé de plus de 24 po (600 mm) d'un rang à l'autre et toujours se faire dans le même sens.

Il importe de souligner que toutes les étapes de la pose doivent autoriser la dilatation et la contraction du bardage, surtout en vinyle, selon les fluctuations de température, et de toujours se conformer aux directives du fabricant.

Dans le cas du bardage de vinyle, la dilatation peut atteindre de $1/4$ à $1/2$ po (6 à 12 mm). Si le mouvement du bardage est entravé, il s'ensuivra du

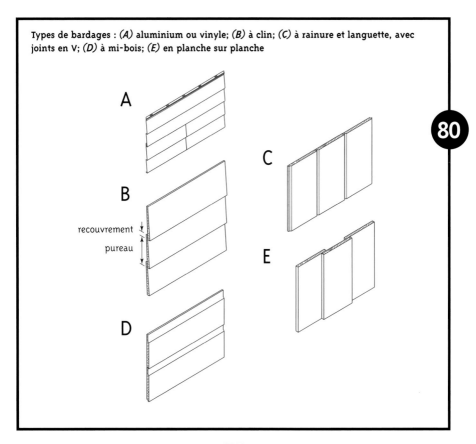

Types de bardages : *(A)* aluminium ou vinyle; *(B)* à clin; *(C)* à rainure et languette, avec joints en V; *(D)* à mi-bois; *(E)* en planche sur planche

A

B

recouvrement

pureau

D

C

E

80

POUR UNE MAISON SAINE...

Choix du parement extérieur

Les parements extérieurs ne manquent pas, de nombreux matériaux venant sans cesse en gonfler la liste. Voici les points à considérer dans le choix d'un parement extérieur approprié.

Durabilité et entretien

Le parement extérieur doit durer aussi longtemps que le bâtiment et être facile d'entretien. Éviter le parement extérieur assorti d'un piètre fiche de performance d'après l'expérience locale. Tenir compte du temps et des frais reliés au parement extérieur requérant un entretien fréquent.

Utilisation efficace des ressources

Il peut s'agir de matériaux renouvelables ou non, neufs ou recyclés, recyclables ou non, réutilisables ou non. Le recours à des matériaux non recyclables ou non réutilisables est peu souhaitable.

Compatibilité et adaptabilité

Le parement extérieur doit être compatible avec le système de construction en cours d'exécution. Par exemple, dans les régions humides du pays caractérisées par de fortes précipitations de pluie poussée par le vent, le parement extérieur qui n'agit pas comme écran pare-pluie doit être relégué aux oubliettes. Le parement extérieur doit également pouvoir s'adapter d'autant plus si on prévoit apporter de nombreuses modifications au bâtiment au cours de sa durée utile. Le bardage de même que le parement en panneau ou le stucco s'adaptent mieux que le placage de maçonnerie.

Outre ces aspects fondamentaux, voici des points touchant la performance de l'ensemble du mur.

➡ Les murs figurent parmi les éléments du bâtiment les plus coûteux à améliorer, surtout lorsque le remplacement des fenêtres entre en ligne de compte. En arrêtant son choix sur un placage de maçonnerie, on aura intérêt à veiller à la qualité exceptionnelle de l'isolation thermique et des fenêtres, au risque de devoir engager ultérieurement des coûts de rattrapage prohibitifs.

➡ Le parement extérieur entraîne rarement une importante amélioration de l'efficacité énergétique du bâtiment.

bombement. C'est pourquoi les clous doivent être enfoncés au centre de la fente de fixation et non à fond.

Pose verticale. Les mêmes règles générales s'appliquent à la pose verticale du bardage en métal ou en vinyle. Le travail commence à un angle du bâtiment par la pose de la moulure correspondante. Toutes les autres pièces de menuiserie de finition précèdent aussi la pose du bardage.

Bardage en panneau de fibres dur

Le bardage horizontal en panneau de fibres dur est apprêté ou fini en usine dans toute une gamme de couleurs et est souvent muni à l'arrière de languettes de plastique (figure 81) servant de dispositif d'accrochage. Sa pose ne diffère pas de celle du bardage en métal ou en vinyle. Dans certains cas, le fabricant propose de poser le bardage sur des fourrures. Quoi qu'il en soit, nul ne saurait passer outre aux instructions du fabricant.

Bardage en bois de construction

Le bardage en bois de construction doit être sain et exempt de trous de noeuds, de noeuds lâches, de gerces ou de fentes. Il est souhaitable qu'il se travaille bien et ne gauchisse pas facilement. Les essences les plus courantes sont le cèdre, le pin et le séquoia. On utilise de plus en plus aussi le bois traité sous pression comme bardage, notamment le pin. La teneur en eau du bardage, lors de la pose, doit être équivalente à celle qu'il connaîtra en service, c'est-à-dire environ 12 à 18 p. 100, selon le climat.

En milieu humide, notamment dans les régions côtières du Canada, la lame d'air souvent ménagée derrière le bardage par l'entremise de fourrures fixées par-dessus la membrane de revêtement intermédiaire aux poteaux d'ossature vise à prévenir l'infiltration d'eau et à évacuer l'humidité à l'extérieur. La base de la cavité doit être pourvue d'un grillage

Bardage horizontal en panneau de fibres dur

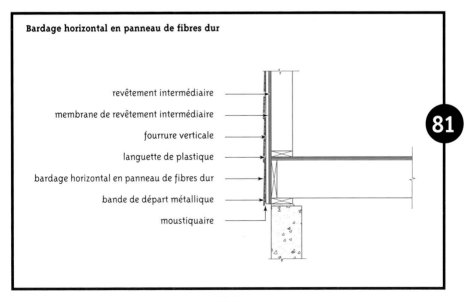

revêtement intermédiaire
membrane de revêtement intermédiaire
fourrure verticale
languette de plastique
bardage horizontal en panneau de fibres dur
bande de départ métallique
moustiquaire

81

destiné à empêcher les insectes de s'y introduire et le haut obturé pour compartimenter le mur.

Pose horizontale. La pose du bardage à clin (figure 80B) débute en général en calant le rang le plus bas sur une fourrure de $1/4$ po (6 mm), comme en fait foi la figure 82B. Les rangs suivants recouvrent la rive supérieure de celui d'en dessous d'au moins 1 po (25 mm). Il importe de bien prévoir l'espacement du bardage avant d'amorcer la mise en œuvre. Pour calculer l'espacement maximal ou le pureau, on déduit de la largeur du bardage le recouvrement minimal. Le nombre de rangs entre le soffite et le bas du premier rang commençant au mur de fondation doit être tel que le pureau maximal ne sera pas dépassé. Il se peut donc que le pureau soit inférieur au maximum admissible. Dans la mesure du possible, la rive inférieure du bardage placé juste au-dessus d'une fenêtre doit coïncider avec le dessus de celle-ci (figure 82A).

Le bord épais du bardage à clin doit avoir au moins $1/2$ po (12 mm) pour une largeur de 8 po (184 mm) ou moins et $9/16$ po (14,3 mm) pour une largeur supérieure à 8 po (184 mm). Le bord mince ne doit pas avoir moins de $3/16$ po (5 mm) d'épaisseur.

Le bardage à mi-bois, qui existe dans une vaste gamme de motifs, doit mesurer au moins $9/16$ po (14,3 mm) d'épaisseur, mais pas plus de 8 po (184 mm) de largeur. La figure 80D illustre un modèle courant de bardage à mi-bois.

Les joints d'about du bardage à clin ou à mi-bois doivent, autant que possible, être décalés d'un rang à l'autre, mais réalisés sur un poteau. Le bardage doit être taillé avec soin de façon à être en contact étroit avec les autres planches et pièces adjacentes. Ses extrémités doivent être scellées, car les joints lâches permettent à l'eau de s'infiltrer derrière le bardage, de détériorer la peinture autour des joints et d'accélérer la pourriture des extrémités du bardage. Un moyen de sceller les joints consiste à poser un mince cordon de mastic ou de pâte à calfeutrer à l'extrémité du bardage et de presser la planche suivante contre le produit. Il suffit ensuite d'enlever l'excédent pour obtenir un joint étanche lisse. On peut procéder de la même manière pour les joints qui se présentent aux menuiseries des portes et fenêtres.

Le bardage à clin ou à mi-bois doit être fixé par clouage droit au revêtement intermédiaire ou aux poteaux, la longueur et la grosseur des clous étant déterminées par l'épaisseur du bardage et le type de revêtement intermédiaire utilisés. Un mode de clouage consiste à enfoncer le clou de sorte qu'il passe au-dessus de la planche sous-jacente. (Voir le mode de clouage illustré à la figure 82.) Cette méthode permet au bardage de se dilater et de se contracter en fonction de la fluctuation de la teneur en humidité. Le bardage est ainsi moins porté à fissurer que lorsque ses deux rives sont clouées. Puisque le gonflement et le retrait sont proportionnels à la largeur du bardage, ce mode de clouage s'avère davantage important dans le cas du bardage large.

Pose verticale. Le bardage en bois de construction se prêtant à la pose verticale s'entend du bardage bouveté ordinaire, du bardage bouveté ouvré, du bardage avivé d'équerre avec couvre-joints ainsi que du bardage avivé non jointif recouvert de bardage semblable. Le bardage vertical a généralement une épaisseur de 9/16 po (14,3 mm), sans avoir plus de 12 po (286 mm) de largeur. Il peut être fixé au revêtement intermédiaire en bois de construction de 9/16 po (14,3 mm), en contreplaqué de 1/2 po (12,5 mm) ou en panneaux de copeaux ordinaires ou orientés de 1/2 po (12,5 mm), à des entretoises de

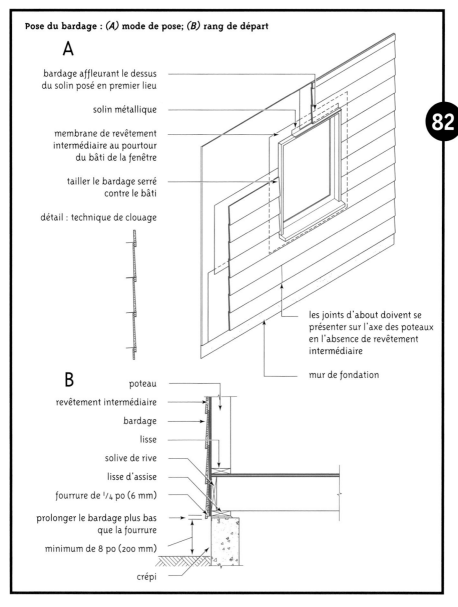

Pose du bardage : **(A)** mode de pose; **(B)** rang de départ

A

bardage affleurant le dessus du solin posé en premier lieu

solin métallique

membrane de revêtement intermédiaire au pourtour du bâti de la fenêtre

tailler le bardage serré contre le bâti

détail : technique de clouage

les joints d'about doivent se présenter sur l'axe des poteaux en l'absence de revêtement intermédiaire

mur de fondation

82

B

poteau

revêtement intermédiaire

bardage

lisse

solive de rive

lisse d'assise

fourrure de 1/4 po (6 mm)

prolonger le bardage plus bas que la fourrure

minimum de 8 po (200 mm)

crépi

2 x 2 po (38 x 38 mm) disposées à entraxes de 24 po (600 mm) ou encore à des fourrures horizontales. Les fourrures peuvent être en bois de construction de 1 x 3 po (19 x 64 mm) lorsque les poteaux d'ossature se trouvent à entraxes maximaux de 16 po (400 mm) ou de 2 x 4 po (19 x 89 mm) suivant un entraxe maximal de 24 po (600 mm). Les joints d'about doivent être taillés à onglet pour prévenir toute infiltration d'eau. Selon la technique dite «planche sur planche» (figure 80E), les planches posées contre le mur sont habituellement plus larges que celles de recouvrement et se fixent à l'aide d'une rangée de clous au centre. Les planches de recouvrement se posent ensuite de façon que leurs bords recouvrent ceux des planches sous-jacentes d'au moins 1 po (25 mm). Ces planches de recouvrement se fixent au moyen de deux rangées de clous enfoncés légèrement à l'extérieur des planches sous-jacentes. Cette technique permet aux planches plus larges de se dilater et de se contracter sans fendre.

Le bardage vertical en planches avec couvre-joints fait appel à des planches avivées d'équerre d'au plus 8 po (184 mm) de largeur. Elles se posent avec un joint d'au moins 1/4 po (6 mm) entre elles et se fixent à l'aide d'une rangée de clous près de leur centre. Pour sa part, le couvre-joint, qui chevauche les rives sur au moins 1/2 po (12 mm), se fixe avec une rangée de clous enfoncés entre les planches sous-jacentes, de sorte qu'elles peuvent se dilater et se contracter sans risquer de fendre ou de faire fendre le couvre-joint. Puisque le couvre-joint sert également à

empêcher le soulèvement des rives du bardage, les clous qui le retiennent doivent être bien enfoncés et rapprochés.

Le bardage bouveté utilisé à la verticale (figure 80C) n'a généralement pas plus de 8 po (184 mm) de largeur. La première planche se fixe par clouage droit près de la rainure et par clouage en biais à travers la languette. Les autres planches se posent à joint serré et se clouent en biais à travers la languette. Le clouage se termine au chasse-clou.

Le coût des clous représente bien peu de choses comparativement au bardage et à la main-d'œuvre, mais il importe d'en utiliser de bons. Ce serait réaliser des économies de bouts de chandelles que d'acheter un bardage qui durera des années mais de le fixer avec des clous qui rouilleraient en peu de temps. Les clous protégés contre la corrosion, comme les clous galvanisés par immersion à chaud, fixeront le bardage en permanence sans dégrader la surface peinte. Les clous à finir ou les clous à bardage s'utilisent à cette fin. La tête du clou est enfoncée à égalité avec la surface du bardage, puis recouverte de peinture. En cas d'emploi de clous à finir, on en chasse la tête sous la surface, puis on obture le trou de mastic, après l'application de la couche d'apprêt. La longueur des clous dépend de l'épaisseur du bardage et du type de revêtement intermédiaire utilisés. Les clous doivent être suffisamment longs pour pénétrer d'au moins 1 po (25 mm) dans le fond de clouage.

Panneaux de contreplaqué

Les panneaux de contreplaqué pour

usage extérieur s'emploient comme bardage. Offerts en surface unie ou rainurée, ils se posent généralement à la verticale. Les joints peuvent être en V ou affleurés, sinon surmontés d'un couvre-joint. Le contreplaqué s'obtient également couvert d'un côté de papier kraft imprégné de résine, ce qui permet d'obtenir une surface lisse et hydrofuge qui résiste bien aux gerces et au fendillement après l'application de peinture.

Le contreplaqué posé sur le revêtement intermédiaire doit avoir une épaisseur minimale de $1/4$ po (6 mm). Il peut recouvrir directement l'ossature, mais le fil de face doit être perpendiculaire aux appuis et son épaisseur correspondre à $1/4$ po (6 mm) si les poteaux sont disposés à entraxes de 16 po (400 mm) et à $5/16$ po (8 mm) s'ils le sont à entraxes de 24 po (600 mm). S'il est posé le fil de face parallèle aux appuis, son épaisseur minimale doit être de $5/16$ po (8 mm) selon un entraxe des poteaux de 16 po (400 mm) et de $7/16$ po (11 mm) pour un entraxe des poteaux de 24 po (600 mm).

Après avoir taillé et bien ajusté les panneaux de contreplaqué, leurs chants doivent être protégés par un bouche-pores ou une peinture convenable avant leur mise en œuvre. Le contreplaqué pourra se dilater librement s'il est posé avec des joints verticaux et horizontaux de $1/8$ po (2 à 3 mm) entre les panneaux et entre ses joints d'about. Les joints verticaux doivent être remplis de pâte à calfeutrer ou recouverts d'un couvre-joint. L'étanchéité des joints horizontaux est assurée par un solin ou par le recouvrement des panneaux sur au moins

1 po (25 mm).

Les panneaux doivent être appuyés aux rives et fixés à l'aide de clous protégés contre la corrosion, mesurant généralement 2 po (51 mm) de longueur. Les clous se posent à entraxes de 6 po (150 mm) le long des rives et de 12 po (300 mm) aux appuis intermédiaires.

Panneaux de fibres durs

Les panneaux de fibres durs existent dans une variété de finis et se posent soit sur le revêtement intermédiaire, soit directement sur l'ossature. Ils doivent avoir une épaisseur minimale de $1/4$ po (6 mm) s'ils recouvrent des appuis à entraxes maximaux de 16 po (400 mm) et se fixer aux éléments d'ossature ou au revêtement intermédiaire avec des clous protégés contre la corrosion d'au moins 2 po (51 mm) de longueur. L'espacement des clous correspond à 6 po (150 mm) le long des rives et à 12 po (300 mm) le long des appuis intermédiaires. Un joint minimal de $1/8$ po (2 à 3 mm) doit être prévu entre les panneaux.

Assemblage d'angle du bardage

Le modèle de maison risque d'influer sur le mode d'assemblage d'angle du bardage. Les planches cornières conviendront mieux à certaines maisons et les joints à onglet à d'autres.

Quant au bardage horizontal en planches (figure 83), les joints à onglet sont les plus répandus, bien que les cornières métalliques et les planches cornières s'utilisent également.

Les joints à onglet doivent être serrés et bien ajustés (figure 83B) sur toute la surface de contact. Pour qu'ils le demeurent, il importe que le bardage soit bien sec lors de sa livraison et protégé de la pluie pendant son entreposage à pied d'œuvre. Il arrive souvent, lors de la pose du bardage, qu'on garnisse les joints d'about de calfeutrage ou de mastic.

Aux angles rentrants, le bardage s'aboute habituellement contre un tasseau cornier de 1 ou 1 ½ po (25 ou 38 mm), selon l'épaisseur du bardage.

Les cornières métalliques (figure 83C), qui se substituent aux joints à onglet, sont fabriqués de tôle d'aluminium ou d'acier galvanisé de faible épaisseur. Leur pose requiert moins d'habileté que l'exécution de joints à onglet ou l'ajustage du bardage contre la planche cornière.

Les planches cornières (figure 83A et D) s'emploient généralement avec le bardage à mi-bois et parfois avec d'autres types. Ces planches ont 1 ou 1 ½ po (25 ou 38 mm), selon l'épaisseur du bardage. Les planches cornières se posent contre le revêtement intermédiaire, le bardage fermement appuyé contre leur chant. L'intersection du bardage et des planches cornières doit être obturé de calfeutrage ou de mastic lors de la pose.

Les panneaux de contreplaqué ou de fibres durs se chevauchent

---

83

Assemblage d'angle du bardage : *(A)* planches cornières; *(B)* bardage taillé à onglet; *(C)* cornière métallique; *(D)* bardage de la lucarne et planches cornières. On peut aussi tailler le bardage à onglet ou utiliser des cornières métalliques aux angles de la lucarne, selon le modèle de maison.

A   B   C

planches cornières

bardage

D

planche cornière

éléments de solin

le bardage doit s'arrêter à 2 po (50 mm) des bardeaux

généralement aux angles ou viennent s'ajuster contre la planche cornière. Le bardage vertical en bois de construction se chevauche aux angles.

Bardeaux de bois et bardeaux de fente rainurés mécaniquement

Les bardeaux de bois et les bardeaux de fente rainurés mécaniquement s'utilisent parfois comme parement mural. Il en existe une gamme variée, y compris des bardeaux faits spécialement pour les murs, en longueurs de 16, 18 et 24 po (400, 450 et 600 mm), peints ou teints en usine.

Les bardeaux se classent généralement en trois catégories. La première comprend les bardeaux clairs constitués de duramen débité sur maille; la deuxième se compose des bardeaux à bout épais clair, mais tolère certains défauts dans la partie du bardeau habituellement couverte lors de la mise en œuvre. La troisième comprend les bardeaux qui affichent des défauts autres que ceux qui sont tolérés dans la deuxième catégorie. Ces bardeaux peuvent toutefois s'utiliser pour le rang de fond.

Les bardeaux sont fabriqués en largeurs tout-venant, variant de 2 1/2 à 14 po (65 à 350 mm); la première catégorie n'admet toutefois qu'une faible portion d'éléments étroits. On peut également se procurer des bardeaux de largeur uniforme, de 4, 5 ou 6 po (100, 125 ou 150 mm). Le tableau 36 indique les épaisseurs et les pureaux les plus courants pour les bardeaux de bois et les bardeaux de fente rainurés mécaniquement. Les bardeaux doivent être posés sur un revêtement intermédiaire en bois de construction, en panneau de contreplaqué, de particules ordinaires ou de copeaux orientés.

Lorsqu'on pose les bardeaux en simple épaisseur, les joints d'un rang doivent être décalés d'au moins 1 9/16 po (40 mm) par rapport à ceux des rangs contigus; on devra également prendre soin de ne pas aligner les joints sur deux ou trois rangs consécutifs.

On peut accentuer le jeu d'ombres en posant les bardeaux en double épaisseur. Un bardeau de catégorie inférieure peut alors constituer la couche non exposée. Le bout épais du bardeau exposé doit se prolonger d'au moins 1/2 po (12 mm) au-delà de celui du bardeau du rang d'en dessous. La pose en double épaisseur permet d'élargir le pureau. Les joints du rang exposé doivent être décalés d'au moins 1 9/16 po (40 mm) par rapport à ceux du rang d'en dessous.

Les bardeaux doivent être fixés à l'aide de clous protégés contre la corrosion. Les bardeaux ayant jusqu'à 8 po (200 mm) de largeur ne requièrent que deux clous, et ceux de plus de 8 po (200 mm), trois. Les clous doivent être enfoncés à environ 13/16 po (20 mm) des rives et à 1 po (25 mm) au-dessus de la ligne de pureau dans le cas de la pose en simple épaisseur et à 2 po (50 mm) dans le cas de la pose en double épaisseur.

Stucco

Le stucco désigne un enduit de parement constitué d'un mélange de ciment portland et de sable de granulométrie uniforme auquel on ajoute de la chaux hydratée pour le rendre plus plastique. Dans un autre type de stucco, la chaux hydratée est remplacée par du ciment à maçonner. Le tableau 37 indique le dosage de chacun de ces deux enduits. Il existe d'autres stuccos de marque exclusive, dont la composition varie selon le fabricant du dosage.

Le stucco, qui se pose en trois couches (deux couches de base et une couche de finition), est maintenu en place à l'aide d'une armature appelée lattis. La couche de finition peut conserver la teinte naturelle du ciment ou la fine texture d'un revêtement acrylique. La couche de finition en gravillons s'emploie rarement, sauf lors de travaux de rattrapage.

Le lattis, fait de treillis métallique soudé ou de treillis tissé, galvanisé ou recouvert d'un apprêt, s'étend horizontalement sur le papier de revêtement intermédiaire avec un recouvrement minimal de 2 po (50 mm) aux joints. Les angles saillants se renforcent soit en prolongeant de 6 po (150 mm) le lattis sur la face adjacente, soit en posant des bandes verticales d'armature sur une distance de 6 po (150 mm) de chaque côté de l'angle. Le stucco ne doit pas être mis en œuvre à moins de 8 po (200 mm) du niveau définitif du sol, sauf s'il l'est sur un fond de béton ou de maçonnerie.

On pose d'abord avec soin une couche de papier de construction résistant, avec chevauchement de 4 po (100 mm) aux rives. Il importe au plus haut point de poser les solins aux points de pénétration des murs. Le papier de construction doit être soigneusement posé autour des baies de portes et de fenêtres et bien se

chevaucher pour que l'eau ne puisse pas s'infiltrer par les brides de fenêtres. Le feutre ou le papier bitumé ne doit pas s'utiliser sous le stucco, car le bitume finirait par entraîner une décoloration inesthétique.

Des attaches en acier galvanisé doivent maintenir en place le grillage métallique. En l'occurrence, il s'agit de clous de 1/8 po (3,2 mm) de diamètre à tête de 7/16 po (11,1 mm) ou d'agrafes de 0,078 po (1,98 mm) d'épaisseur. Les attaches doivent être espacées de 6 po (150 mm) verticalement et de 16 po (400 mm) horizontalement, ou de 4 po (100 mm) verticalement et 24 po (600 mm) horizontalement. On pourra disposer les attaches autrement, pourvu qu'il y ait au moins 2 attaches par pied carré (20 attaches par mètre carré) de surface murale. Si le revêtement intermédiaire n'est pas en bois de construction, en panneau de contreplaqué ou de copeaux, les attaches doivent le traverser et s'enfoncer d'au moins 1 po (25 mm) dans les éléments d'ossature (poteaux, lisse, sablière).

La couche de base se compose de deux épaisseurs de stucco. La première couche, d'une épaisseur de 1/2 po (12 mm) enrobe complètement le lattis. Elle doit être striée afin de faciliter l'accrochage de la deuxième couche. Le temps de séchage dépend de la température extérieure et des conditions météorologiques. Il n'est pas rare de devoir attendre 48 heures avant d'appliquer la deuxième couche.

Juste avant l'application de la deuxième couche, la base doit être humidifiée en vue de favoriser l'adhérence de la deuxième couche. Celle-ci, d'au moins ¼ po (6 mm) d'épaisseur, se serre fermement à la truelle contre la surface striée de la couche de base.

Il existe dans le commerce une vaste gamme de revêtements de finition, allant du blanc standard ou du ciment coloré au fini acrylique modifié. La couche de finition acrylique, qui s'applique souvent par-dessus le ciment portland, donne de bons résultats. Il importe d'arrêter son choix sur un produit résistant bien aux intempéries et bien perméable à la vapeur d'eau. Lorsque le mur doit comporter un degré de résistance au feu, l'épaisseur de la couche de base devra faire l'objet d'une vérification.

Il faut humidifier la deuxième couche pendant au moins 48 heures et la laisser sécher pendant cinq jours, ou plus longtemps de préférence, avant d'y appliquer la couche de finition. La base doit être humectée dans le but de favoriser l'adhérence de la couche de finition qui doit avoir au moins ⅛ po (3 mm) d'épaisseur.

Par temps chaud et sec, le stucco frais doit être maintenu humide pour que la cure se déroule bien; par temps froid, chaque couche de stucco doit être maintenue à une température minimale de 50°F (10°C) pendant les 48 heures suivant l'application.

Placage de maçonnerie

Lorsqu'un placage de maçonnerie revêt les murs au-dessus du niveau du sol, l'arase des fondations doit offrir un appui suffisamment large pour

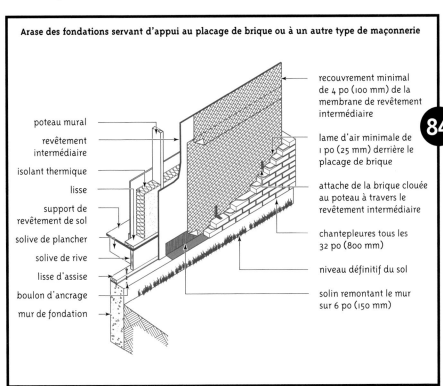

Arase des fondations servant d'appui au placage de brique ou à un autre type de maçonnerie

poteau mural

revêtement intermédiaire

isolant thermique

lisse

support de revêtement de sol

solive de plancher

solive de rive

lisse d'assise

boulon d'ancrage

mur de fondation

recouvrement minimal de 4 po (100 mm) de la membrane de revêtement intermédiaire

lame d'air minimale de 1 po (25 mm) derrière le placage de brique

attache de la brique clouée au poteau à travers le revêtement intermédiaire

chantepleures tous les 32 po (800 mm)

niveau définitif du sol

solin remontant le mur sur 6 po (150 mm)

84

ménager une lame d'air d'environ 1 po (25 mm) entre la maçonnerie et le papier de revêtement intermédiaire (figure 84).

Le solin de base doit partir de la face extérieure du mur, couvrir l'appui et remonter d'au moins 6 po (150 mm) le long du mur derrière le papier de revêtement intermédiaire. Le placage doit être liaisonné à la charpente à l'aide d'attaches métalliques protégées contre la corrosion scellées dans les joints de mortier. Des attaches métalliques protégées contre la corrosion, clouées aux poteaux et enrobées dans les joints de mortier de la maçonnerie, assujettissent le placage à l'ossature. Les attaches fixées à tous les deux poteaux sont généralement espacées de 32 po (800 mm) horizontalement et de 16 po (400 mm) verticalement. Lorsqu'elles sont fixées à tous les poteaux, leur espacement peut correspondre à 24 po (600 mm) horizontalement et à 20 po (500 mm)

verticalement ou à 16 po (400 mm) horizontalement et à 24 po (600 mm) verticalement, compte tenu de l'espacement des poteaux.

Les vides laissés à la base du mur, appelés chantepleures, assurent la ventilation et l'évacuation de l'eau. On les ménage dans le rang de départ du placage de maçonnerie et au-dessus des portes et des fenêtres en laissant un joint vertical sans mortier tous les 32 po (800 mm).

Le placage de maçonnerie doit avoir une épaisseur d'au moins 3 1/2 po (90 mm) lorsque les joints sont râclés et d'au moins 2 3/4 po (75 mm) s'ils ne le sont pas.

Dans le cas d'un placage, la brique doit être dure, absorber peu d'eau et être fabriquée de façon à résister aux intempéries, ou la pierre reconnue localement pour sa durabilité.

La pierre ou la brique se pose sur un lit plein de mortier, tout en prenant

À PRÉVOIR...

Peinture et teinture

Si le revêtement extérieur de finition requiert l'application de peinture ou de teinture, faire preuve de prévoyance permettra de réduire les travaux et les ennuis.

➜ Se préparer pour les travaux de peinture ou de teinture dès l'étape de la mise en œuvre du revêtement extérieur de finition. Chasser les clous et obturer les trous lors de la mise en œuvre des matériaux.

➜ Pour les endroits difficiles d'accès et les boiseries ou moulures décoratives, appliquer un bouche-pores et un apprêt avant leur mise en œuvre garantira une couverture intégrale et facilitera l'application des couches de finition.

Pour plus d'information sur les revêtements extérieurs de finition, consulter le chapitre intitulé *Peinture.*

soin de ne pas laisser tomber de mortier entre le placage et le papier de revêtement intermédiaire, ce qui aurait pour effet d'obstruer la lame d'air. Les joints extérieurs doivent être lissés afin de résister parfaitement à l'infiltration d'eau. Le dosage du mortier doit être conforme aux indications du tableau 5.

La maçonnerie exécutée par temps froid doit être protégée du gel jusqu'à ce que le mortier ait eu le temps de durcir. La température de la maçonnerie et du mortier doit être maintenue au-dessus de 41°F (5°C) pendant au moins 24 heures suivant sa mise en œuvre.

POUR UNE MAISON SAINE...

Réduction des déchets de revêtement mural intermédiaire et de parement

La réduction des déchets de revêtement mural intermédiaire et de parement extérieur suppose une planification attentive et des techniques de construction tout indiquées. Voici les points à considérer :

➡ Commander uniquement la quantité de matériaux requis. Avant de passer une commande, prendre des dispositions avec les fournisseurs concernant le retour de la marchandise inutilisée.

➡ Toujours entreposer et manipuler les matériaux avec soin. Les déchets découlent bien souvent de dommages qui peuvent être évités. Couvrir de bâches les matériaux sur le chantier.

➡ Confier à une personne la tâche de tailler tous les matériaux à un seul endroit pour pouvoir réutiliser au maximum les retailles.

➡ Opter pour des murs de hauteur standard évite de tailler le revêtement intermédiaire et les panneaux. Dans la mesure du possible, établir la longueur des murs en fonction de multiples de 16 po (400 mm) ou de 24 po (600 mm) permet de mieux utiliser les retailles.

➡ Une petite quantité de déchets de parement extérieur est pratiquement inévitable. Si des services de recyclage sont offerts, recueillir et entreposer les déchets de matériaux à cette fin.

Pour en savoir davantage sur la gestion des déchets de construction, consulter la rubrique *Application des 4R de la construction à ossature de bois* du chapitre *Ossature de la maison*.

PORTES ET FENÊTRES

Le choix judicieux et la pose tout indiquée des portes et fenêtres marquent un aspect très important de la construction de maison à ossature de bois. En effet, les portes et fenêtres remplissent souvent plusieurs fonctions à l'intérieur du bâtiment, si bien que la lumière du jour, la vue, la ventilation naturelle et le moyen d'évacuation sont tributaires de leur choix.

Des portes et fenêtres dont la qualité laisse à désirer se traduiront par des factures d'énergie et coûts d'entretien élevés. Par contre, en dépit de leur qualité, les portes et fenêtres mal posées seront cause d'ennuis. Contrairement à la peinture et au papier peint, le coût de remplacement de portes et fenêtres peu performantes est très élevé et souvent dérangeant. Le souci d'efficience dicte d'investir dans des portes et fenêtres de qualité et de veiller à bien les faire poser, plutôt que d'adopter plus tard des mesures d'amélioration.

Plusieurs importants facteurs méritent considération lors du choix des portes et fenêtres. L'efficacité énergétique des portes, et surtout des fenêtres, est tout à fait primordial, puisque ces éléments peuvent représenter une proportion élevée des pertes calorifiques du bâtiment. Il importe d'envisager la taille et le battement des portes extérieures, non seulement pour se conformer aux exigences du code du bâtiment, mais également pour faciliter les déplacements des gens et des articles d'ameublement. Les dimensions et le style des fenêtres doivent être mûrement réfléchis, étant donné que ces caractéristiques influent sur l'aspect de la maison de même que sur la ventilation naturelle et la lumière du jour. La durabilité et l'entretien constituent deux autres aspects touchant l'extérieur de la maison, et particulièrement les portes et fenêtres. Enfin, il faudra accorder de l'attention au type et à l'endroit des portes et fenêtres de manière à offrir une résistance suffisante à l'intrusion.

Lumière, vue et ventilation

Les fenêtres et portes vitrées bien dimensionnées et placées offrent lumière et vue aux occupants. Certaines pièces requièrent des surfaces vitrées dégagées suffisamment grandes pour admettre la lumière du jour. Normalement, la salle de séjour et la salle à manger nécessitent une surface vitrée correspondant à au moins 10 p. 100 de la surface desservie. Les chambres, le cabinet de travail et la salle de jeux doivent comporter une fenêtre dont la surface vitrée équivaut à au moins 5 p. 100 de la surface de plancher desservie. Ces exigences visent l'aménagement d'aires intérieures saines et tiennent compte du bien-être psychologique des occupants.

En admettant de l'air de l'extérieur, les fenêtres assurent également la ventilation naturelle. En effet, les fenêtres ouvrantes évitent de recourir à la ventilation mécanique en dehors de la saison de chauffe. Ainsi, dans la plupart des pièces où la ventilation naturelle se fait par les fenêtres, l'ouverture vitrée dégagée requise correspond à au moins 3 pi² (0,28 m²). Les salles de bains requièrent une fenêtre d'au moins 1 pi² (0,09 m²). Le sous-sol non aménagé doit comporter des fenêtres ouvrantes représentant au moins 0,2 p. 100 de la surface desservie pour ne pas être assujetti à l'exigence de ventilation mécanique en dehors de la saison de chauffe.

Malgré leurs avantages susmentionnés, les fenêtres peuvent aussi faire courir un risque d'incendie aux propriétés voisines. Puisque l'incendie peut se propager par les fenêtres jusqu'aux maisons voisines, les codes du bâtiment limitent rigoureusement le vitrage des murs situés à proximité des limites de la propriété. Il n'est pas permis de mettre en place une ouverture vitrée dans un mur situé à moins de 4 pi (1,2 m) de la limite de propriété. Un mur se trouvant à plus de 4 pi (1,2 m) peut comporter certaines ouvertures vitrées selon sa distance de la limite de propriété et la surface du mur en face de la limite de propriété. Pour obtenir des précisions, veuillez consulter le service du bâtiment de votre municipalité.

Moyen d'évacuation

Les fenêtres constituent un moyen d'évacuation des occupants en cas d'urgence. Généralement situées dans les chambres, ces fenêtres doivent s'ouvrir vers l'extérieur sans quincaillerie spéciale. Elles doivent également comporter une portion libre dégagée dont aucune dimension ne saurait être inférieure à 15 po (380 mm) et une surface libre d'au moins 3,8 pi² (0,35 m²), selon la figure 85. Par exemple, une fenêtre dont l'ouverture mesure 18 x 30 po (450 x 750 mm) serait conforme à l'exigence correspondante.

L'appui des fenêtres destinées à servir de moyens d'évacuation ne doit pas se trouver à plus de 39 po (1,0 m) du plancher ni à plus de 23 pi (7 m) du niveau du sol. L'accès aux fenêtres placées en partie haute des murs et destinées à servir de moyens d'éva-

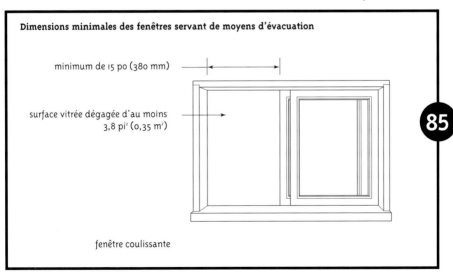

Dimensions minimales des fenêtres servant de moyens d'évacuation

minimum de 15 po (380 mm)

surface vitrée dégagée d'au moins 3,8 pi² (0,35 m²)

85

fenêtre coulissante

cuation peut être amélioré par l'ajout d'ameublement encastré qui tiendrait lieu de marches pour faciliter l'évacuation en cas d'incendie.

Types de fenêtres

Les fenêtres existent aujourd'hui dans une vaste gamme de types, chacun possédant ses propres avantages et inconvénients dont il faut tenir compte au moment de faire son choix.

Les *fenêtres fixes*, qui coûtent généralement le moins cher, offrent généralement la meilleure efficacité énergétique et résistance à l'intrusion. Elles n'autorisent évidemment pas la ventilation naturelle pas plus qu'elles ne sauraient servir de moyens d'évacuation du logement en situation d'incendie.

Les *fenêtres à guillotine à un ou deux vantaux* appartiennent au style classique. Dans une fenêtre à un vantail, seul un châssis (généralement celui du bas) s'ouvre, alors que dans une fenêtre à deux vantaux, les deux châssis se manœuvrent. Avant les progrès qui en ont marqué la technologie, ces fenêtres n'accusaient pas de performance reluisante en matière de facilité de manœuvre et d'étanchéité à l'air. Par contre, de nos jours, la situation a bien changé et, de plus, elles offrent une bonne résistance à l'intrusion.

Les *fenêtres coulissantes* se manœuvrent facilement et, puisqu'elles ne font aucune saillie sur la maison, se révèlent plus sûres, ne constituant aucun obstacle. Leur mode de manœuvre les rend moins étanches à l'air que les fenêtres pivotantes, basculantes ou oscillo-battantes, puisque leur coupe-froid s'use en raison du frottement.

Les *fenêtres pivotantes et basculantes* comptent parmi les types les plus coûteux. Leur mode de manœuvre leur confère une excellente

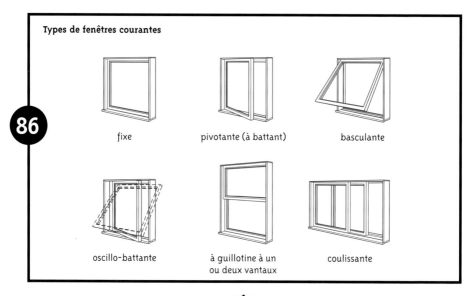

Types de fenêtres courantes

fixe

pivotante (à battant)

basculante

oscillo-battante

à guillotine à un ou deux vantaux

coulissante

86

étanchéité à l'air et résistance à l'intrusion. Les fenêtres pivotantes contribuent à admettre à l'intérieur de la maison les vents dominants à des fins de ventilation naturelle et de refroidissement passif. Pour leur part, les fenêtres basculantes en position ouverte offrent l'avantage d'évacuer efficacement la pluie.

Les **fenêtres oscillo-battante**s s'avèrent le plus flexible de tous les types de fenêtres. En effet, elles se manœuvrent à l'exemple d'une fenêtre pivotante et basculante. Elles affichent une excellente étanchéité à l'air lorsqu'elles sont assorties de dispositifs de fermeture compressibles.

Avant de traiter des critères de sélection et de performance des fenêtres, il importe de mieux en connaître la terminologie. Elle est d'ailleurs résumée à la figure 87.

Performance des fenêtres

Grâce à la recherche et au développement auxquels se sont livré le gouvernement et l'industrie, la technologie des fenêtres a connu des progrès vraiment appréciables qui se traduisent par des options offertes à l'égard de la plupart des produits des fabricants. Il importe de constater, lors de la sélection, à quel point elles contribuent à accroître la performance.

Fenêtres à vitrage isolant

Par souci de réduire les risques de condensation, les fenêtres séparant un espace chauffé d'un espace non chauffé ou de l'extérieur doivent être

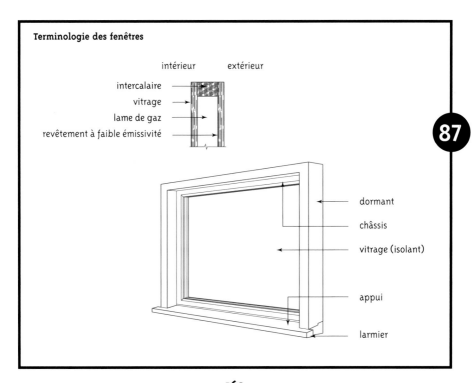

Terminologie des fenêtres

intérieur   extérieur

intercalaire
vitrage
lame de gaz
revêtement à faible émissivité

87

dormant

châssis

vitrage (isolant)

appui

larmier

tout au moins à double vitrage. Chaque panneau de verre (d'un double ou triple vitrage) contribue à élever la température superficielle intérieure de la paroi interne du vitrage, réduisant par la même occasion les risques de condensation.

La mise en place de fenêtres éconergétiques de qualité permet de réduire les risques de condensation, motif de plainte courant de la part des propriétaires-occupants. Il est tout à fait normal qu'il se forme un peu de condensation au pourtour du vitrage par temps froid. Quoi qu'il en soit, les fenêtres à vitrage isolant dont les parois sont séparées par un intercalaire de qualité et logées dans un dormant avec coupure thermique sont en mesure de vraiment diminuer les risques de condensation dans les maisons d'aujourd'hui.

Revêtement à faible émissivité

Une forte proportion des gains et pertes calorifiques par une fenêtre est attribuable au rayonnement, phénomène par lequel les objets chauds rayonnent la chaleur vers les objets froids, à l'exemple du soleil qui réchauffe la terre par son énergie rayonnante. Le revêtement à faible émissivité équivaut à une mince pellicule métallique déposée contre le verre, qui, agissant tel un miroir, réfléchit la chaleur à l'intérieur par temps froid et à l'extérieur par temps chaud. Le revêtement à faible émissivité contribue à réduire la facture énergétique, conférant ainsi au double vitrage à peu près la même performance que le triple vitrage transparent, mais à moindre coût. De plus en plus de fabricants offrent comme caractéristique standard le revêtement à faible émissivité en raison de sa meilleure résistance à la formation de condensation sur la paroi intérieure du vitrage par temps froid.

Lame de gaz

La technologie des fenêtres a connu une autre évolution : la lame d'air a fait place à l'insertion d'un gaz inerte entre les vitres du vitrage isolant. Étant plus lourd, le gaz inerte possède une valeur isolante supérieure à l'air, entraînant par le fait même moins de pertes de chaleur par convection et conduction entre les vitres. L'argon est le gaz le plus utilisé à cet effet vu sa disponibilité et son coût peu élevé. Le vitrage rempli de gaz constitue une amélioration efficiente par rapport au vitrage classique incorporant une lame d'air.

Intercalaire

L'efficacité thermique du vitrage isolant peut être grandement augmentée par le recours à un intercalaire à faible conductivité entre les parois de verre. Auparavant, les intercalaires se composaient d'aluminium qui, à cause de sa conductivité thermique élevée, occasionnait des zones froides au pourtour du vitrage. De nos jours, les fabricants emploient des intercalaires de plastique, de silicone et de fibre de verre qui réduisent la formation de ponts thermiques au pourtour du vitrage isolant.

Dormant avec coupure thermique

Le dormant des fenêtres faites de métal, de plastique ou de fibre de verre peut être conducteur d'une forte quantité de chaleur sauf s'il intègre une coupure thermique assurée par la présence d'un matériau isolant. Sans coupure thermique, le dormant d'une fenêtre peut devenir tellement froid que du givre se formera sur la face interne par temps très froid. Le problème se pose moins dans le cas des fenêtres en bois, puisque le bois a une meilleure valeur isolante, et des fenêtres avec dormant extrudé rempli de matériau isolant. Il importe de vérifier que le dormant de la fenêtre est bien isolé ou qu'il comporte une coupure thermique.

Cote énergétique

La cote énergétique donne une précieuse indication de la performance générale de la fenêtre dans une habitation type, en saison de chauffe. Elle tient compte de la perte de chaleur par transmission ou attribuable aux fuites d'air, et des gains solaires établis en moyenne par rapport à une exposition au nord, au sud, à l'est ou à l'ouest. La cote énergétique peut être positive ou négative. La cote positive indique qu'en moyenne la fenêtre accuse plus de gains énergétiques solaires que de pertes au cours de la saison de chauffe. La plupart des fenêtres sont

Tableau comparatif de l'efficacité thermique de fenêtres types

Performance thermique d'une fenêtre pivotante type avec intercalaire à faible conductivité

Valeur R (RSI)/CÉ	Dormant en aluminium avec coupure thermique	Dormant en bois ou vinyle	Dormant en fibre de verre
Double vitrage transparent avec lame d'air	1,59(0,28)/-40,6	2,04(0,36)/-24,9	2,38 (0,42)/-19,0
Double vitrage à faible émissivité avec lame d'air	1,99 (0,35)/-32,7	2,67 (0,47)/-17,1	3,12 (0,55)/-11,5
Double vitrage à faible émissivité rempli d'argon	2,10 (0,37)/-29,0	2,90 (0,51)/-13,3	3,46 (0,61)/-8,0
Triple vitrage transparent avec lame d'air	1,99 (0,35)/-32,7	2,84 (0,50)/-11,8	3,18 (0,56)/-10,8
Triple vitrage à faible émissivité avec lame d'air	2,21 (0,39)/-27,9	3,41 (0,60)/-9,5	3,86 (0,68)/-6,2
Triple vitrage à faible émissivité rempli d'argon	2,33 (0,41)/-25,2	3,69 (0,65)/-6,8	4,25 (0,75)/-5,4

88

165

assorties de cotes négatives, comme en fait foi la figure 88. Bien des fabricants indiquent comme résistance thermique de leurs fenêtres la valeur enregistrée au centre du vitrage. Cette valeur se révèle toujours plus élevée que la résistance thermique effective de la fenêtre lorsque sont pris en compte les effets de l'intercalaire et du dormant. Les valeurs types de résistance thermique exprimées aussi bien en unités anglaises (valeurs R) que métriques (valeurs RSI) sont indiquées à la figure 88. De nombreuses études consacrées aux améliorations énergétiques efficientes des logements neufs révèlent que les fenêtres devraient avoir une cote énergétique minimale de 13, cote correspondant à une fenêtre à double vitrage avec revêtement à faible émissivité et rempli d'argon. L'emploi de fenêtres plus efficaces encore est recommandé dans les régions froides du Canada.

Étanchéité à l'air, résistance à l'eau et résistance aux charges dues au vent

Au Canada, les fenêtres sont censées être conformes à la norme *CAN/CSA-A440-M, Fenêtres,* de la CSA. La norme précitée comporte un système de classification qui cote les fenêtres en fonction de leur étanchéité à l'air, de leur résistance à l'eau ainsi que de leur résistance aux charges dues au vent. La cote obtenue est généralement indiquée sur la fenêtre. Les fenêtres destinées aux maisons doivent porter une attestation de leur conformité aux cotes AI (étanchéité à l'air, BI (résistance à l'eau) et CI (résistance aux charges dues au vent) de la norme de la CSA.

Choix des fenêtres

Le choix des fenêtres ne repose rarement que sur les exigences minimales du code du bâtiment en matière d'éclairage et de ventilation naturelle, car bien souvent l'apparence extérieure de la maison, une vue agréable (ou l'intimité), la lumière du jour et le chauffage solaire passif pèsent plus lourd dans la balance. Le style et le mode de manoeuvre des fenêtres doivent faire l'objet d'un choix minutieux dans ce contexte. Ventilation naturelle efficace ne signifie pas nécessairement que toutes les fenêtres doivent pouvoir s'ouvrir. L'utilisation sélective de types ouvrants réduira le coût des fenêtres et offrira donc l'occasion d'investir dans des fenêtres de meilleure qualité.

La durabilité et l'entretien intérieur et extérieur méritent réflexion. En effet, il est fortement recommandé d'opter pour des revêtements de finition sans entretien qui réduisent les besoins de peinture, surtout pour les maisons de deux ou trois étages, où l'accès poserait une difficulté. Dans les salles de bains, par exemple, il est de mise de prévoir un revêtement intérieur de finition hydrofuge car il protégera le dormant et les châssis contre tout dommage imputable à l'eau et réduira ainsi les besoins d'entretien périodique.

La sécurité dicte également l'emplacement et le type de fenêtres. L'encadré *Pour une maison saine...* traite plus en détail de cet aspect.

Mise en place des fenêtres

La mise en place des fenêtres survient généralement après l'exécution de la charpente et de la couverture. L'ordonnancement prévoit normalement la livraison des fenêtres à ce stade-ci, bien qu'il faille peut-être en accepter la livraison plus tôt et prendre des dispositions en vue de les entreposer sur le chantier. Il est recommandé d'entreposer les fenêtres droit sur une surface sèche, de niveau, dans leur emballage d'origine avec leurs contreventements temporaires. En cas d'entreposage à l'extérieur, il vaut mieux les disposer sur une plate-forme aérée recouverte d'une grande bâche. Il convient de ne pas négliger d'étiqueter les moustiquaires et de les ranger à part, car s'ils demeuraient en place au cours des travaux, ils finiraient par s'endommager ou s'empoussiérer.

Avant la mise en place, il importe de revoir les directives de pose du fabricant et de s'assurer d'avoir sous la main les outils, les attaches et les matériaux tout indiqués. Les fenêtres doivent être posées d'aplomb et de niveau dans le bâti d'attente à l'aide de cales visant à maintenir le dormant d'équerre et les vides autour égaux. Compte tenu des techniques retenues, on pourra assurer l'isolation thermique et l'étanchéité à l'air au pourtour de la fenêtre avant sa mise en place ou après. Aujourd'hui, la technique la plus courante consiste à obturer le jeu de mousse de polyuréthane et ainsi à faire d'une pierre deux coups.

Cette étape peut également

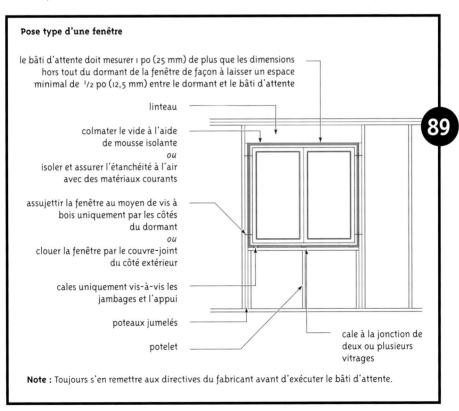

Pose type d'une fenêtre

le bâti d'attente doit mesurer 1 po (25 mm) de plus que les dimensions hors tout du dormant de la fenêtre de façon à laisser un espace minimal de 1/2 po (12,5 mm) entre le dormant et le bâti d'attente

linteau

colmater le vide à l'aide de mousse isolante
ou
isoler et assurer l'étanchéité à l'air avec des matériaux courants

assujettir la fenêtre au moyen de vis à bois uniquement par les côtés du dormant
ou
clouer la fenêtre par le couvre-joint du côté extérieur

cales uniquement vis-à-vis les jambages et l'appui

poteaux jumelés

potelet

cale à la jonction de deux ou plusieurs vitrages

89

Note : Toujours s'en remettre aux directives du fabricant avant d'exécuter le bâti d'attente.

s'effectuer lors des travaux d'isolation thermique et d'étanchéité à l'air de la maison.

Portes extérieures

À l'instar des fenêtres, les portes extérieures rehaussent l'apparence de la maison et leur choix est souvent motivé par le style et le revêtement de finition. Exception faite des portes commandées sur mesure, la plupart viennent en blocs-portes, donc déjà ajustées dans leur encadrement, prêtes à être fixées au bâti d'attente. Généralement fabriquées de bois,

d'acier, de plastique ou de fibre de verre, les portes extérieures sont normalement massives bien que d'autres types se composent d'une âme isolée pourvue de part et d'autre de panneaux structuraux. Ces types de portes modernes se révèlent généralement plus éconergétiques. Par contre, la performance éprouvée des portes de bois et leur aspect classique ont su maintenir leur popularité au sein du marché. Peu importe le style ou l'aspect de la porte, voici des points qui méritent d'être notés.

La quincaillerie, en particulier les

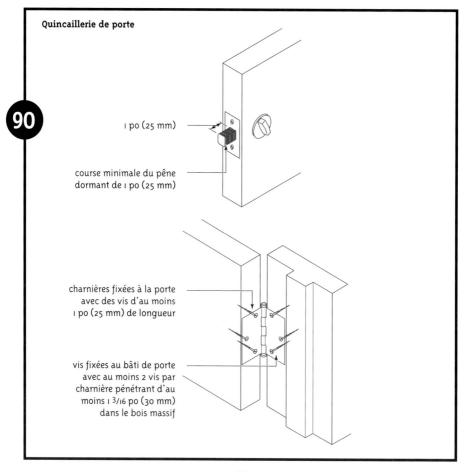

Quincaillerie de porte

90

1 po (25 mm)

course minimale du pêne dormant de 1 po (25 mm)

charnières fixées à la porte avec des vis d'au moins 1 po (25 mm) de longueur

vis fixées au bâti de porte avec au moins 2 vis par charnière pénétrant d'au moins 1 3/16 po (30 mm) dans le bois massif serrures et les charnières, revêtent de l'importance sur le plan de la fonctionnalité et de la durabilité. La porte d'entrée principale de la maison sera verrouillée et déverrouillée, ouverte et fermée d'innombrables fois au cours de sa durée utile. La quincaillerie bon marché pourrait ne pas s'avérer la moins coûteuse à longue échéance.

Les exigences de résistance à l'intrusion énoncées dans le Code national du bâtiment s'appliquent à la quincaillerie de porte. Les portes extérieures des maisons doivent être équipées d'une serrure à pêne dormant ayant une course d'au moins 1 po (25 mm) avec barillet comportant au moins 5 goupilles. Les doubles portes doivent comporter, en haut et en bas, des loquets de modèle

renforcé d'une profondeur d'engagement d'au moins 5/8 po (15 mm). Les charnières doivent être fixées aux portes en bois avec des vis à bois d'au moins 1 po (25 mm) de longueur et au cadre par au moins deux vis à bois pénétrant d'au moins 1 3/16 po (30 mm). Veuillez vous reporter à la figure 90.

La résistance à l'intrusion s'étend, au-delà de la quincaillerie, au bâti de la porte. Les deux chambranles de la porte doivent être renforcés à la hauteur de la serrure par des traverses afin de résister à l'écartement par la force. Des vis supplémentaires enfoncées dans les plaques de plâtre autour du dormant de porte accroîtront également la résistance à l'intrusion.

Constituant le principal moyen

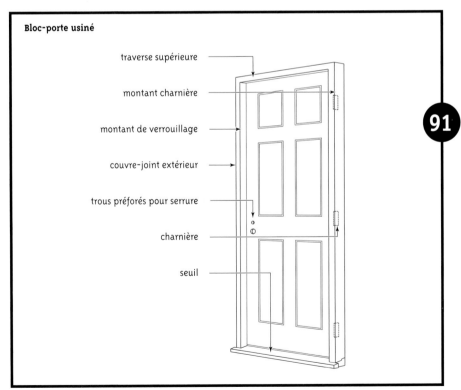

Bloc-porte usiné

traverse supérieure

montant charnière

montant de verrouillage

couvre-joint extérieur

trous préforés pour serrure

charnière

seuil

91

d'assurer l'étanchéité à l'air, les coupe-froid doivent faire l'objet d'un examen minutieux lors du choix des portes extérieures. Ils devront allier efficacité, durabilité et facilité de remplacement. Les fuites d'air qu'occasionnent notamment les fentes à lettres méritent également considération.

Le vitrage des portes extérieures doit respecter la notion d'efficacité thermique et, compte tenu de sa taille et de son emplacement, pourrait devoir être en verre trempé par souci de sécurité. En règle générale, les panneaux latéraux vitrés de plus de 20 po (500 mm) de largeur qui pourraient être pris pour une porte et la contre-porte ou la porte coulissante doivent être en verre de sécurité. Il est recommandé d'opter pour des panneaux latéraux à double vitrage, sinon pour un judas pour les besoins de sécurité. À l'instar des fenêtres, le vitrage des portes latérales situées à proximité des limites de la propriété peuvent faire l'objet de restrictions.

La mise en place des blocs-portes doit toujours s'effectuer conformément aux instructions du fabricant, sinon la garantie risquerait d'être nulle.

À présent, presque toutes les portes et fenêtres se vendent et se posent en ensembles préfabriqués complets. Parfois, l'acheteur arrêtera son choix sur un modèle commandé sur mesure, ou, s'il s'agit d'une maison ancienne, sur une fenêtre nécessitant des améliorations. En pareilles circonstances, certaines composantes devront être menuisées avant l'assemblage et la mise en place ou les travaux de rattrapage. Pour plus de précisions sur l'assemblage sur place des portes et fenêtres, veuillez consulter le chapitre suivant intitulé *Menuiseries et boiseries extérieures.*

OUVRAGE DE RÉFÉRENCE

Gare au crime : Protégez votre résidence contre le vol
Société canadienne d'hypothèques et de logement

POUR UNE MAISON SAINE...

Résistance à l'intrusion

La santé et le bien-être des occupants sont largement tributaires de la sécurité au foyer assurée par l'adoption de mesures appropriées de résistance à l'intrusion. Le Code national du bâtiment énonce des exigences minimales à respecter à l'égard des portes et fenêtres, mais il y a d'autres aspects de la sécurité au foyer à envisager. Les actes d'intrusion font partie de la réalité de quelque quartier que ce soit. Voici donc les points à envisager au moment de concevoir et de construire une maison.

Dissuader l'intrusion

➜ L'emplacement des portes et fenêtres peut soit encourager ou dissuader les tentatives d'intrusion. Les fenêtres du sous-sol situées hors de vue de la rue et des maisons avoisinantes constituent des lieux communs d'entrée par effraction. De même, toute fenêtre accessible du sol doit être équipée d'un dispositif de verrouillage solide. Les portes latérales ou arrière ne doivent pas se trouver en retrait ou derrière tout type d'écran, tel que treillis ou jardinières.

➜ L'aménagement paysager ne doit pas masquer ou dissimuler les portes ou les fenêtres. Les arbustes ou la haie plantés devant les fenêtres de sous-sol permettent au cambrioleur de bien se cacher, à moins d'être taillés bas.

➜ L'éclairage extérieur peut favoriser les actes d'intrusion si les appareils de forte intensité sont dirigés vers la rue ou les maisons avoisinantes, plutôt que près du bâtiment. Leur effet éblouissant rend les secteurs voisins de la maison moins visibles. Il vaut mieux diriger l'éclairage vers le bâtiment ou l'environnement immédiat. Il est recommandé d'installer des appareils d'éclairage extérieurs avec détecteurs de mouvement aux endroits clés.

➜ Les minuteries d'éclairage intérieur permettent d'allumer automatiquement la lumière et de laisser croire que la maison est occupée. L'usage de ces dispositifs est recommandé aux ménages qui s'absentent souvent ou longtemps de leur domicile.

➜ Les systèmes de sécurité résidentiels représentent un moyen plus coûteux et plus efficace de contrer les tentatives d'intrusion. Ils vont de simples dispositifs mis en place par le propriétaire-occupant à des systèmes perfectionnés contrôlés par des entreprises spécialisées.

Un train de mesures bien planifiées de résistance contre l'intrusion ne garantit certes pas l'absolue sécurité, mais il contribuera efficacement à dissuader les tentatives d'intrusion les plus courantes.

MENUISERIES ET BOISERIES EXTÉRIEURES

Les menuiseries extérieures (matériaux de finition autres que le parement mural) s'entendent des boiseries de portes et de fenêtres, des soffites, ainsi que de la bordure du toit. La plupart de ces éléments se taillent, s'assemblent et se clouent à pied d'œuvre. Les autres éléments, comme les persiennes et les volets, sont généralement fabriqués en usine.

Les matériaux utilisés à cet effet doivent être faciles à travailler et à peindre, résistants aux intempéries et peu sujets au gauchissement. Il est recommandé de sceller les joints d'extrémité et les joints à onglet exposés à l'humidité.

Les attaches utilisées pour les boiseries, qu'il s'agisse de clous ou de vis, doivent être à l'épreuve de la corrosion, c'est-à-dire en acier galvanisé ou en aluminium. Lorsqu'on utilise des clous à finir, il importe d'en chasser la tête et de remplir les trous de mastic après l'application de la couche d'impression. Cette façon de procéder obvie aux risques d'oxydation de la tête des clous. Les attaches doivent être compatibles avec les menuiseries métalliques dans le but de prévenir toute corrosion galvanique entre métaux dissemblables, comme l'aluminium et l'acier.

DÉBORD DE TOIT À L'ÉGOUT

Le débord de toit à l'égout procure une certaine protection au mur extérieur tout en raccordant le mur au toit. Le soffite est souvent constitué de panneaux métalliques ou vinyliques finis en usine ou encore en contreplaqué poncé de 1/4 po (6 mm) cloué à entraxes de 6 po (150 mm) le long des rives et de 12 po (300 mm) aux appuis intermédiaires. Le revêtement extérieur de finition vient ensuite s'abouter contre le revêtement de soffite. Ensuite, la bordure de toit se fixe au chevron de rive. Celle-ci se prolonge généralement de 1/2 po (12 mm) sous le revêtement de soffite pour former un larmier. La figure 92 illustre trois genres de débords de toit courants.

Les toits à pente raide présentent parfois un débord de toit étroit (figure 92A). En l'occurrence, les chevrons se prolongent quelque peu au-delà de la sablière et leurs extrémités se taillent à l'angle voulu pour y fixer le chevron de rive et le soffite. Celui-ci se cloue à la face inférieure des chevrons taillée à l'horizontale. Lorsque le soffite mesure moins de 5 1/2 po (140 mm) de largeur, une planche de 1 po (19 mm) s'utilise généralement à cette fin, puisqu'aucun support n'est requis le long de ses rives.

Dans le cas d'un débord de toit plus large avec soffite horizontal, on fixe des tringles de clouage horizontales au pied des chevrons et à une fourrure fixée au mur (figure 92B). La fourrure de 1 po (19 mm) se cloue à l'ossature à travers le revêtement intermédiaire. Elle supporte les

Débords de toit : *(A)* étroit débord; *(B)* large débord avec soffite horizontal; *(C)* large débord avec soffite incliné

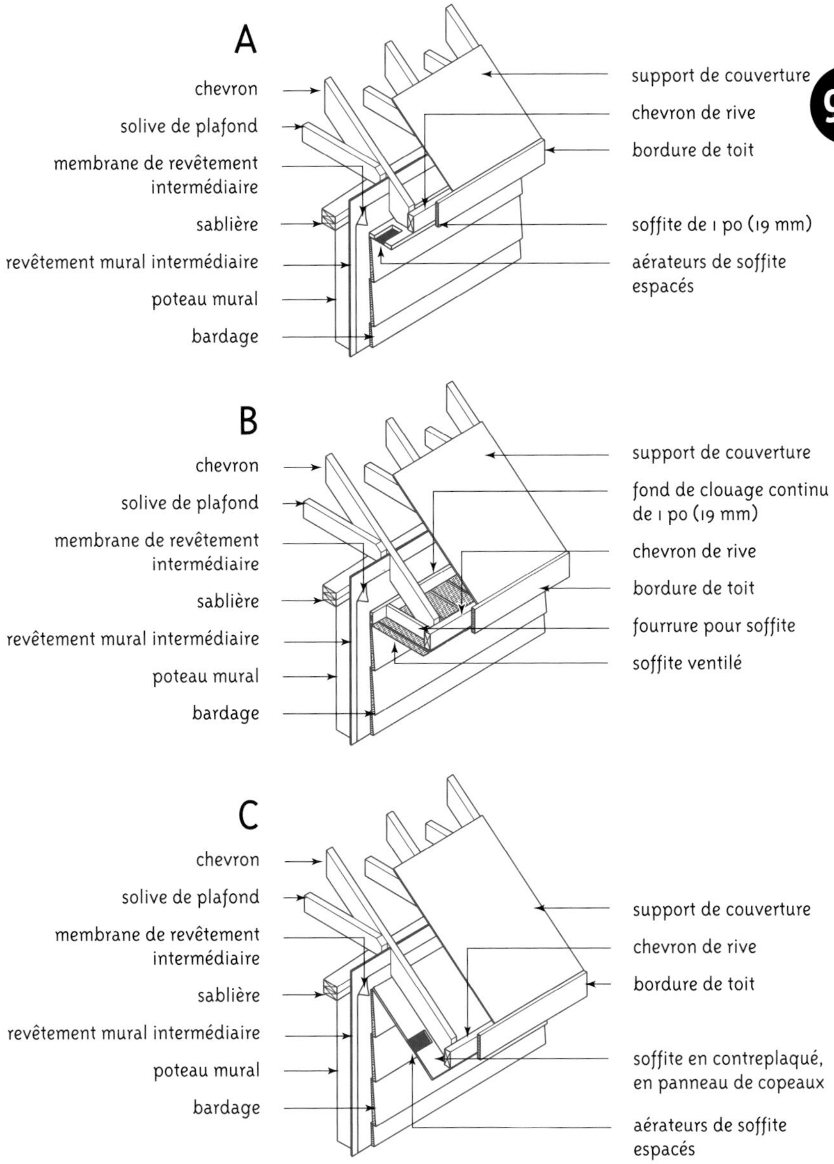

A

chevron
solive de plafond
membrane de revêtement intermédiaire
sablière
revêtement mural intermédiaire
poteau mural
bardage

support de couverture
chevron de rive
bordure de toit
soffite de 1 po (19 mm)
aérateurs de soffite espacés

92

B

chevron
solive de plafond
membrane de revêtement intermédiaire
sablière
revêtement mural intermédiaire
poteau mural
bardage

support de couverture
fond de clouage continu de 1 po (19 mm)
chevron de rive
bordure de toit
fourrure pour soffite
soffite ventilé

C

chevron
solive de plafond
membrane de revêtement intermédiaire
sablière
revêtement mural intermédiaire
poteau mural
bardage

support de couverture
chevron de rive
bordure de toit
soffite en contreplaqué, en panneau de copeaux
aérateurs de soffite espacés

extrémités intérieures des tringles de clouage et la rive intérieure du soffite.

Les tringles de clouage, qui peuvent mesurer 2 x 2 po (38 x 38 mm), se posent habituellement à entraxes de 24 po (300 mm). Elles se clouent en biais à la fourrure et se fixent par clouage droit au chevron de rive. Vient ensuite le clouage du soffite et de la bordure.

Lorsque les tringles de clouage contribuent également à supporter le débord de toit (figure 57), on se sert plutôt de pièces de 2 x 4 po (38 x 89 mm). Les tringles se clouent alors solidement à la face latérale de chaque chevron et en biais à une fourrure de 2 x 4 po (38 x 89 mm) fixée le long du mur sur le revêtement intermédiaire. Ce genre de support ne s'emploie généralement que pour le débord de toit d'au plus 4 pi (1,2 m).

Le soffite épouse parfois la pente du chevron (figure 92C) au lieu d'être horizontal. Dans ce cas, il se fixe à la sous-face des chevrons, sa rive extérieure se clouant au chevron de rive et sa rive intérieure, à des tringles de clouage de 2 x 2 (38 x 38 mm) disposées entre les chevrons.

RACCORDEMENT DES DÉBORDS DE TOIT DE L'ÉGOUT ET DU PIGNON

Le raccordement des débords de toit dépend surtout de la forme du débord de toit à l'égout. La figure 93 (A à C) montre trois pratiques courantes. La figure 94D montre un exemple de soffite d'aluminium. Précisons que l'aluminium peut s'employer avec les

trois genres de raccordements illustrés.

Lorsque le soffite du débord de toit à l'égout est en pente, celui du débord au pignon doit se prolonger dans le même plan (figure 93B).

Si le soffite du débord à l'égout est horizontal, son revêtement peut se prolonger jusqu'au chevron de bordure (figure 93C). Ici, le revêtement de soffite du côté pignon se termine au mur latéral et se raccorde verticalement à celui du débord à l'égout. On doit alors élargir la bordure de toit côté pignon, à son raccordement avec le débord de toit à l'égout, de manière à en fermer l'extrémité.

Il arrive parfois qu'on arrête au mur pignon le soffite horizontal du débord de toit à l'égout (figure 93A). Le revêtement intermédiaire et le bardage du mur pignon recouvrent alors l'extrémité du débord de toit à l'égout et assurent le raccordement avec le débord au pignon. Le soffite de ce dernier se termine alors à la bordure de toit à l'égout.

FENÊTRES

Les fenêtres servent principalement à l'éclairage et à l'aération des locaux, mais elles constituent un élément architectural important. Il existe de nombreux types de fenêtres, chacun possédant ses avantages particuliers, mais les plus courants désignent les fenêtres à guillotine, coulissantes, pivotantes (à battant) et basculantes. Les éléments constitutifs du dormant et des châssis peuvent être le bois, le métal, la fibre de verre ou le plastique ou encore une combinaison de ces matériaux.

Raccordement des débords de toit : *(A)* le soffite à l'égout se termine au mur, alors que celui du pignon se prolonge jusqu'à la bordure du débord de toit; *(B)* les soffites au pignon et à l'égout sont inclinés dans le même plan; *(C)* le soffite à l'égout se prolonge jusqu'au chevron de bordure et le soffite au pignon jusque vers le bas jusqu'au soffite à l'égout; *(D)* bordure de toit et soffite de vinyle ou d'aluminium.

93

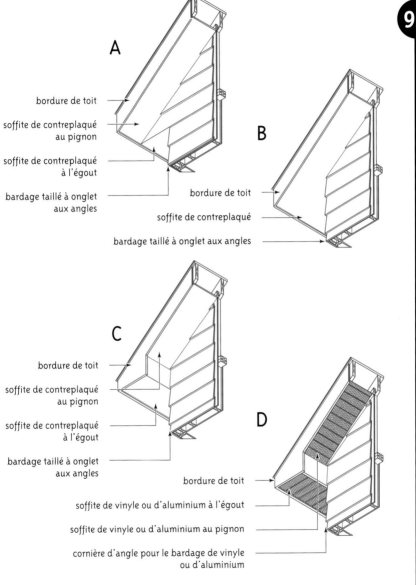

A

bordure de toit

soffite de contreplaqué au pignon

B

soffite de contreplaqué à l'égout

bardage taillé à onglet aux angles

bordure de toit

soffite de contreplaqué

bardage taillé à onglet aux angles

C

bordure de toit

soffite de contreplaqué au pignon

D

soffite de contreplaqué à l'égout

bardage taillé à onglet aux angles

bordure de toit

soffite de vinyle ou d'aluminium à l'égout

soffite de vinyle ou d'aluminium au pignon

cornière d'angle pour le bardage de vinyle ou d'aluminium

Toute fenêtre doit évacuer l'eau et la neige et son vitrage pouvoir se remplacer facilement en cas de bris. La construction du dormant et des châssis doit généralement satisfaire à des normes reconnues. En règle générale, les fenêtres doivent répondre aux critères des normes en matière d'étanchéité à l'air, d'étanchéité à l'eau et de résistance aux charges dues au vent. Dans les aires d'activité de la maison, la surface vitrée doit correspondre à environ 10 p. 100 de l'aire de plancher. Dans les chambres, ce pourcentage peut passer à 5 p. 100, mais chaque chambre doit disposer d'au moins une fenêtre s'ouvrant de l'intérieur sans outils ou connaissances spéciales, de dimensions suffisantes pour servir de moyen d'évacuation. Il n'est pas nécessaire de prévoir de fenêtre dans la cuisine ni dans la salle de bains si ces pièces sont éclairées à l'électricité et ventilées mécaniquement.

Il faut éviter d'avoir trop de surface vitrée parce que la chaleur s'échappe beaucoup plus facilement par les fenêtres que par un mur isolé de surface équivalente. On considère habituellement comme satisfaisante une surface vitrée totale correspondant à environ 12 p. 100 de l'aire de plancher de la maison. Par contre, les fenêtres éconergétiques exposées plein sud, sans être ombragées, contribuent au chauffage de la maison, surtout si elles sont en plus pourvues de tentures épaisses ou de volets isolants pouvant se tirer ou se fermer par temps couvert ou à la tombée du jour. Par ailleurs, les nouvelles fenêtres hautement performantes sont offertes dans la plupart des zones du marché canadien.

Le vitrage isolant, constitué de parois de verre maintenues espacées, existent pour fins d'insertion dans les châssis ou dormants de fenêtres. Le recours à des fenêtres avec vitrages multiples, avec revêtement sélectif, remplis d'argon ou de krypton, peut faire réaliser d'importantes économies sur le plan énergétique.

Le double vitrage peut également prendre la forme de deux panneaux de verre, dont l'un est fixe dans le châssis, et l'autre amovible. Ces deux types de double vitrage jouissent d'une plus grande efficacité énergétique que le simple vitrage et risquent moins d'occasionner la formation de condensation. Les fenêtres composées d'un châssis intérieur et d'un châssis extérieur obtiennent des valeurs isolantes semblables.

Une maison bien étanche à l'air, où les fuites sont vraiment réduites au minimum, tolérera un degré d'humidité plus élevé à l'intérieur. Les fenêtres à double vitrage ou avec contre-fenêtres constituent l'exigence minimale à respecter pour éviter la manifestation importante de condensation sur le verre.

Les fenêtres d'excellente qualité perdront de leur efficacité si leur mise en œuvre ne procure pas une étanchéité périmétrique presque parfaite. Puisqu'il est très difficile d'obtenir une étanchéité parfaite entre le châssis et son dormant, on utilise souvent un coupe-froid pour réduire les infiltrations d'air. La plupart des fabricants offrent des blocs-fenêtres tout montés avec châssis vitrés, coupe-froid, contrepoids et quincaillerie. Certains offrent également des fenêtres avec moustiquaires et contre-fenêtres.

Les châssis et dormants de fenêtres en bois doivent être traités contre la pourriture ou être fabriqués d'essences de bois imputrescible de nature à en prolonger la durée utile.

Les menuiseries extérieures se fixent habituellement au dormant de fenêtre lors de la fabrication.

La baie ménagée dans le mur destinée à recevoir la fenêtre est toujours un peu plus grande que la fenêtre afin d'en faciliter la pose. Des cales permettent ensuite d'ajuster le dormant de la fenêtre dans la baie. Une fois en position, le dormant de la fenêtre se cloue à l'ossature murale par

les cales. Les menuiseries extérieures se clouent aussi aux poteaux et au linteau. Le jeu au pourtour du dormant de la fenêtre est ensuite rempli d'isolant thermique. La figure 94 montre la pose type d'une fenêtre.

PORTES EXTÉRIEURES

Le dormant d'une porte extérieure se compose de montants et d'une traverse supérieure de 1 3/8 po (35 mm) d'épaisseur et d'un seuil de 1 3/4 po (44 mm). Bien que le bois dur ait une plus grande durabilité, on trouve fréquemment des seuils en bois tendre recouverts de métal. Les feuillures pratiquées dans le dormant servent de

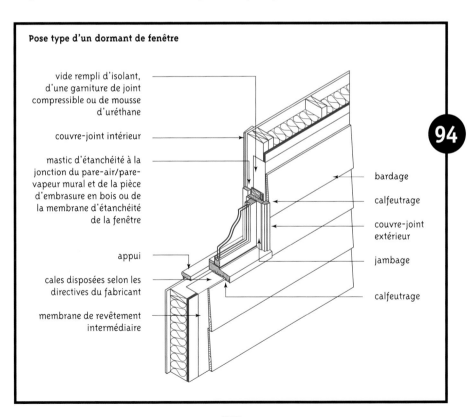

Pose type d'un dormant de fenêtre

vide rempli d'isolant, d'une garniture de joint compressible ou de mousse d'uréthane

couvre-joint intérieur

mastic d'étanchéité à la jonction du pare-air/pare-vapeur mural et de la pièce d'embrasure en bois ou de la membrane d'étanchéité de la fenêtre

appui

cales disposées selon les directives du fabricant

membrane de revêtement intermédiaire

bardage

calfeutrage

couvre-joint extérieur

jambage

calfeutrage

94

butée à la porte principale. La rive du dormant et les menuiseries extérieures forment une butée pour une porte-moustiquaire ou contre-porte avec moustiquaire.

Le seuil doit reposer solidement sur la charpente du plancher (figure 95) et le dormant doit être bien cloué au bâti d'attente. On y arrive habituellement en ajustant le bâti à l'aide de cales et en le clouant à travers les cales et les boiseries. Les portes extérieures doivent être dotées d'un coupe-foid périphérique. Pour assurer une meilleure protection contre l'intrusion, il convient de caler le dormant de porte juste au-dessus et en dessous de l'emplacement de la serrure. En outre, on doit assembler des entretoises entre les poteaux du bâti d'attente et les poteaux adjacents.

Les portes principales ne doivent pas avoir moins de 1 3/4 po (44 mm) d'épaisseur. Elles doivent mesurer au moins 32 po (810 mm) de largeur et 6 pi 6 po (1,98 m) de hauteur. Les contre-portes en bois doivent mesurer au moins 1 3/8 po (35 mm) d'épaisseur et les portes métalliques 1 po (25 mm) au moins. Enfoncer des vis supplémentaires dans les plaques de plâtre autour du dormant de la porte contribue également à accroître la résistance à l'intrusion.

Les portes extérieures sont habituellement planes ou à panneaux. Pour la pose des portes et de la quin-

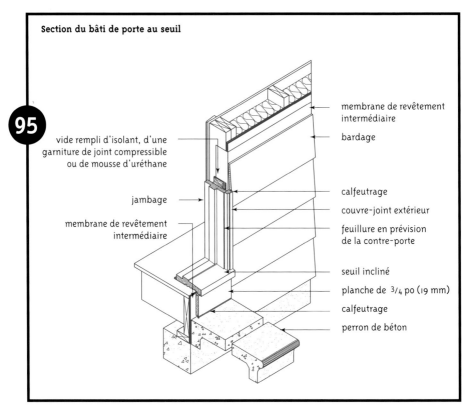

Section du bâti de porte au seuil

95

vide rempli d'isolant, d'une garniture de joint compressible ou de mousse d'uréthane

jambage

membrane de revêtement intermédiaire

membrane de revêtement intermédiaire

bardage

calfeutrage

couvre-joint extérieur

feuillure en prévision de la contre-porte

seuil incliné

planche de 3/4 po (19 mm)

calfeutrage

perron de béton

caillerie, veuillez consulter le chapitre *Boiseries, portes et bâtis intérieurs*.

Les portes planes sont constituées de deux parois de contreplaqué ou d'un autre matériau approprié plaquées sur une ossature légère et une âme. La porte dont l'âme est constituée d'éléments de bois massifs est dite pleine et celle dont l'âme est constituée d'un matériau alvéolaire ou en forme de treillis, creuse. Pour les portes extérieures, on préfère habituellement l'âme pleine, surtout en régions froides, parce que la porte à âme pleine ne risque guère de gauchir sous l'effet des différences d'humidité et de température qui existent de part et d'autre de la porte. De

plus, les portes à âme pleine peuvent se vitrer.

Les portes à panneaux sont faites d'éléments verticaux (montants), transversaux (traverses) massifs et d'éléments minces (panneaux) qui remplissent les vides entre les montants et les traverses. Il existe de nombreux modèles de panneaux en verre ou en bois. Les portes à revêtement de métal ou de contreplaqué, dont l'âme est constituée d'un isolant rigide, gagnent en popularité. On doit les utiliser en l'absence de contre-porte.

On utilise parfois une porte coulissante, partiellement ou totalement vitrée, pour avoir accès au patio

POUR UNE MAISON SAINE...

Entretien et durabilité

L'entretien et la durabilité des boiseries et menuiseries extérieures importent lors de la planification et de la construction de l'habitation. Voici les facteurs
à prendre soigneusement en considération avant d'amorcer la construction :

→ Les coûts d'entretien des boiseries et menuiseries extérieures peuvent souvent dépasser le coût des matériaux posés à l'origine pendant la durée utile du bâtiment. En général, tout type de revêtement de finition peint, et en particulier ceux qui s'appliquent sur place, requerront une refinition périodique.

→ L'entretien exigeant beaucoup de main-d'œuvre et fréquemment requis est généralement mal exécuté. La situation se retrouve le plus souvent dans les maisons pour accédants, chez les ménages à revenu fixe ou dans les logements des personnes âgées. La durabilité de ces composantes de bâtiment peut donc en souffrir énormément.

Il est, en règle générale, recommandé de choisir un revêtement de finition sans entretien et durable pour les boiseries et menuiseries extérieures. Bien des matériaux répondant à ces critères existent dans le commerce. C'est prouvé, le léger supplément qu'ils supposent constitue une mesure d'efficience.

ou au jardin. Le vitrage doit être double et en verre de sécurité. Le verre transparent des portes et des panneaux latéraux, qui pourrait facilement être pris pour un passage non obstrué, doit être du verre de sécurité, comme le verre trempé ou le verre armé.

La porte de la maison qui communique avec le garage doit être pourvue à la périphérie d'une garniture formant une barrière étanche aux gaz d'échappement et équipée d'un dispositif de fermeture automatique.

OUVRAGE DE RÉFÉRENCE

Portes, fenêtres et lanterneaux sans problèmes
Société canadienne d'hypothèques et de logement

ESCALIERS

Les escaliers doivent être conçus, disposés et construits de façon à assurer la sécurité et à offrir suffisamment d'échappée et d'espace pour le déplacement du mobilier. En règle générale, une maison comporte deux types d'escaliers : l'un (qualifié de principal) sépare les pièces aménagées et l'autre conduit aux endroits servant uniquement à l'entreposage, à l'aire de lessive et à l'installation de chauffage, comme le sous-sol non aménagé ou le comble. L'escalier principal s'exécute de façon à pouvoir se monter aisément et constitue souvent un élément architectural de premier ordre, tandis que l'escalier menant au sous-sol non aménagé ou au comble est souvent plus étroit, plus raide et fait de matériaux de moindre qualité. Toutefois, lorsque le sous-sol ou le comble sont aménagés en aires habitables, les dimensions de l'escalier doivent s'apparenter à celles de l'escalier principal. Les escaliers peuvent être préfabriqués ou fabriqués à pied d'œuvre.

Terminologie

Les termes généralement employés dans la conception des escaliers (figures 96 à 99) se définissent comme suit :

Balustre : Élément vertical du garde-corps, reliant la main courante à la marche, du côté du vide d'un escalier, d'un palier ou d'un balcon (figure 96D).

Contremarche : Élément vertical entre deux marches consécutives d'un escalier (figure 97).

Crémaillère : Élément découpé pour recevoir les marches et contremarches (figure 98B et C).

Échappée : Distance verticale mesurée depuis l'extrémité du nez d'une marche jusqu'à la face inférieure du plafond au-dessus (figure 97).

Garde-corps : Barrière établie le long des côtés ouverts d'un escalier, d'un palier ou d'un balcon.

Giron : Largeur utile de la marche mesurée horizontalement entre deux contremarches successives (figure 97).

Hauteur de l'escalier : Distance verticale séparant la surface d'un plancher fini d'une autre.

Hauteur de marche : Distance verticale entre deux marches consécutives (figure 97).

Hauteur utile : Hauteur du limon après qu'il a été entaillé ou découpé pour recevoir les extrémités des marches et des contremarches.

Limon : Élément entaillé dans son épaisseur pour recevoir les extrémités des marches et des contremarches (figure 96C).

Longueur de l'escalier : Distance horizontale séparant la surface d'un plancher fini d'une autre.

Main courante : Partie supérieure d'un garde-corps, ou élément similaire fixé au mur, qu'on saisit pour monter ou descendre l'escalier.

Marche : Surface plane reliant deux contremarches successives.

Marche d'angle : Marche du quartier tournant dont les rives convergent vers un point central selon un angle de 30°.

Nez : Saillie de la marche sur la face de la contremarche (figure 97).

Palier : Plate-forme de largeur et de longueur au moins égales à la largeur de l'escalier, qui sert d'habitude à changer de direction

Éléments constitutifs d'un escalier : **(A)** marches et contremarches assemblées à rainure et languette; **(B)** marches et contremarches assemblées à l'aide de blocs d'angle; **(C)** limon taillé; **(D)** crémaillère, balustres et retour du nez taillé à onglet

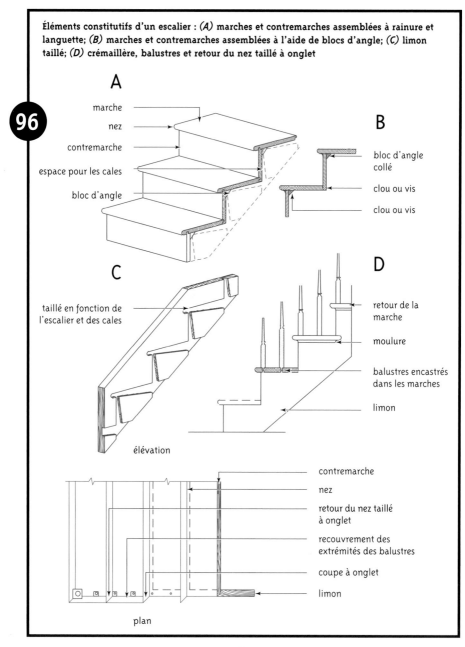

96

A

marche
nez
contremarche
espace pour les cales
bloc d'angle

B

bloc d'angle collé
clou ou vis
clou ou vis

C

taillé en fonction de l'escalier et des cales

élévation

D

retour de la marche
moulure
balustres encastrés dans les marches
limon

contremarche
nez
retour du nez taillé à onglet
recouvrement des extrémités des balustres
coupe à onglet
limon

plan

182

à angle droit, sans recourir à des marches d'angle.

Pilastre : Poteau principal du garde-corps, au pied et à la tête de l'escalier, de même qu'aux paliers.

Rapport hauteur-giron

Le rapport entre la hauteur et le giron des marches doit être conforme aux règles établies. L'expérience démontre qu'une hauteur de 7 à 7 1/2 po (180 à 190 mm) et un giron d'environ 9 3/4 à 10 1/4 po (250 à 265 mm) procurent confort et sécurité. Ce sont les dimensions courantes des escaliers principaux.

Bien que ces dimensions soient souhaitables, l'espace ne les autorise pas toujours. Si tel est le cas, il convient de respecter les limites suivantes : les marches de tout escalier doivent avoir une hauteur d'au plus 7 7/8 po (200 mm), un giron de 8 1/4 po (210 mm) et une marche d'au moins 9 1/4 po (235 mm). De plus, l'escalier ne saurait avoir une hauteur de marche inférieure à 5 po (125 mm), un giron ou une largeur de marche d'au plus 14 po (355 mm). Ces dimensions ne s'appliquent qu'à l'escalier ne desservant qu'un logement.

Conception de l'escalier

L'escalier peut comporter une seule volée sans palier intermédiaire, ou deux ou trois volées avec changement de direction. La solution la meilleure et la plus sécuritaire consiste à construire un palier à chaque changement de direction, mais on peut aussi avoir recours à des marches d'angle. La longueur ou la largeur d'un palier ne doit pas être inférieure à la largeur de l'escalier. Tout escalier doit avoir une largeur de 34 po (860 mm) au moins entre les faces des murs.

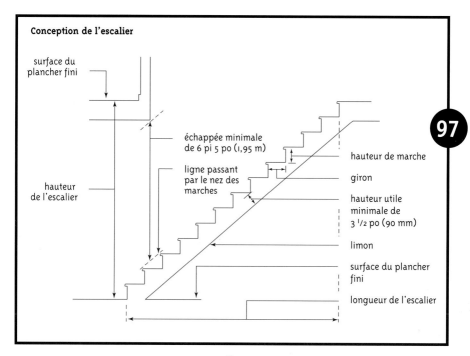

Conception de l'escalier

surface du plancher fini

hauteur de l'escalier

échappée minimale de 6 pi 5 po (1,95 m)

ligne passant par le nez des marches

hauteur de marche

giron

hauteur utile minimale de 3 1/2 po (90 mm)

limon

surface du plancher fini

longueur de l'escalier

97

Les schémas de la figure 99 illustrent les divers agencements d'escaliers possibles. Si l'exiguïté des lieux nécessite l'utilisation de marches d'angle, celles-ci doivent former un angle de 30°, de sorte qu'il faudra trois marches pour réaliser un changement de direction de 90°. L'escalier ne doit pas comporter plus d'un quartier tournant entre deux niveaux consécutifs.

Une fois que l'emplacement de même que la largeur de l'escalier et du palier, le cas échéant, ont été déterminés, l'étape suivante consiste à établir la hauteur de marche et le giron. On obtient une hauteur de marche tout à fait convenable en divisant la distance exacte séparant les deux surfaces de plancher fini par 7 1/4 po (184 mm). Le quotient équivaut au nombre de contremarches nécessaires. S'il s'agit d'un nombre fractionnaire, on arrondit au chiffre entier suivant. On établit ensuite le giron en divisant la longueur totale de l'escalier par le nombre de marches.

Par exemple, si la hauteur de l'escalier correspond à 8 po 11 po ou 107 po (2 718 mm) et celle de la contremarche à 7 1/4 po (184 mm), il faudra alors 14,8 contremarches (soit

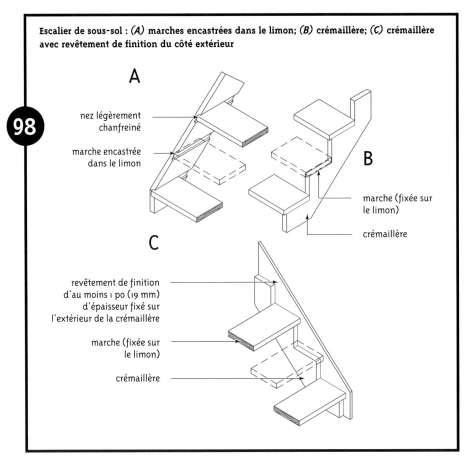

Escalier de sous-sol : **(A)** marches encastrées dans le limon; **(B)** crémaillère; **(C)** crémaillère avec revêtement de finition du côté extérieur

98

A

nez légèrement chanfreiné

marche encastrée dans le limon

B

marche (fixée sur le limon)

crémaillère

C

revêtement de finition d'au moins 1 po (19 mm) d'épaisseur fixé sur l'extérieur de la crémaillère

marche (fixée sur le limon)

crémaillère

107/7,25 = 14,8). En arrondissant ce nombre, on obtient 15 contremarches, chacune mesurant 7,13 po (181 mm) (soit 107/15=7,13).

Il importe de se rappeler que l'escalier doit avoir une échappée minimale de 6 pi 5 po (1,95 m) (figure 97).

Types d'escaliers

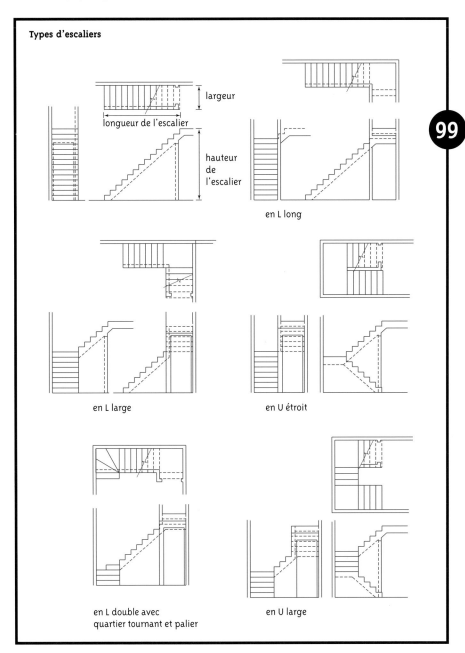

largeur

longueur de l'escalier

hauteur de l'escalier

en L long

en L large

en U étroit

en L double avec quartier tournant et palier

en U large

99

Limons et crémaillères

Les marches et les contremarches reposent sur des éléments d'appui qui doivent être solidement supportés et fixés à leur position exacte. Ces éléments prennent le nom de crémaillère (figures 96D et 98B et C) ou de limon (figure 96C), selon qu'ils sont découpés en crans ou entaillés dans leur épaisseur d'après le profil des marches et contremarches.

Les limons et crémaillères ne doivent pas avoir moins de 1 po (25 mm) d'épaisseur lorsqu'ils sont appuyés sur toute leur longueur et pas moins de 1 1/2 po (38 mm) lorsqu'ils ne le sont qu'à la base et au sommet de l'escalier. Ils doivent avoir une hauteur hors tout minimale de 9 1/4 po (235 mm) et la hauteur utile des crémaillères doit être d'au moins 3 1/2 po (90 mm). On doit utiliser un troisième appui, limon ou crémaillère, lorsque l'escalier mesure plus de 35 po (900 mm). Cette distance peut être portée à 48 po (1,2 m) lorsque des contremarches supportent la partie avant des marches. Les marches non supportées par des contremarches doivent mesurer au moins 1 1/2 po (38 mm) d'épaisseur. Cette épaisseur peut être réduite à 1 po (25 mm) lorsque l'écartement des limons ou crémaillères est de 29 po (750 mm) ou moins, ou lorsque des contremarches supportent les marches.

Dans le cas d'un escalier adossé contre un mur, le faux limon (du côté du mur) peut être entaillé selon le profil exact des marches et contremarches, en laissant suffisamment d'espace à l'arrière de celles-ci pour y insérer des cales (figure 96C). La partie supérieure de la contremarche peut être assemblée sous la marche à l'aide de blocs d'angle collés aux deux surfaces et vissés; le bas de la contremarche est vissé à l'arrière de la marche (figure 96B). Une autre méthode consiste à pratiquer une rainure sous l'avant des marches et dans le chant supérieur des contremarches, qui s'emboîtera dans une languette correspondante pratiquée à l'arrière des marches et dans le chant supérieur des contremarches (figure 96A). Le faux limon se cloue au mur, les clous enfoncés à l'emplacement des marches et contremarches. Les marches et les contremarches s'assemblent les unes aux autres, puis sont engagées de force dans les entailles du faux limon en poussant vers l'avant de l'escalier; elles se maintiennent en place par des coins collés et enfoncés solidement dans les entailles. Le faux limon apparaît ainsi au-dessus du profil des marches et des contremarches comme un élément de finition contre le mur et il assure souvent la continuité avec les plinthes des deux niveaux.

Lorsqu'on a une crémaillère du côté opposé au mur, on la découpe en fonction des marches et contremarches. L'extrémité correspondante des contremarches s'assemble à onglet à la crémaillère et le nez des marches peut se poursuivre latéralement sur leur extrémité libre (figure 96D).

Pilastres, main courante et garde-corps

La main courante est l'élément parallèle aux volées, qu'on saisit pour monter ou descendre l'escalier, alors que le garde-corps vise à prévenir les chutes. Il doit y avoir une main courante sur au moins un côté de l'escalier de trois contremarches ou plus d'une largeur inférieure à 43 po (1,1 m) et sur les deux côtés d'un escalier de plus 43 po (1,1 m). Dans le cas d'un escalier encloisonné, la main courante se fixe au mur au moyen de consoles; pour ce qui est d'un escalier ouvert sur un ou deux côtés, la main courante constitue la partie supérieure du garde-corps du côté ouvert. La main courante doit se trouver à entre 32 et 38 po (800 et 965 mm) au-dessus du nez des marches, à 1 5/8 po (40 mm) du mur au moins et être construite de manière que rien ne vienne en interrompre la continuité.

Le garde-corps doit être placé le long des côtés ouverts du palier ou balcon qui se trouve à plus de 24 po (600 mm) au-dessus du niveau voisin, ainsi que le long des côtés ouverts de l'escalier. Il ne doit jamais mesurer moins de 35 po (900 mm) de hauteur autour des ouvertures et au-dessus du nez des marches le long des côtés ouverts de l'escalier. Lorsque l'un ou les deux côtés de l'escalier sont ouverts, le garde-corps tient également lieu de main courante. Le garde-corps d'un balcon extérieur ou d'un palier, perron ou terrasse situés à plus de 5 pi 11 po (1,8 m) au-dessus du niveau définitif du sol doit avoir au moins 42 po (1,07 m) de hauteur. L'espacement entre les balustres de tout garde-corps ne doit pas permettre à un objet sphérique de 4 po (100 mm) de passer.

Escalier de sous-sol

Les limons entaillés (figure 98A) constituent probablement le mode de support de marches le plus courant pour l'escalier de sous-sol, mais on peut également utiliser des crémaillères (figure 98B). Une autre façon de faire consiste à utiliser des crémaillères auxquelles on cloue un élément de finition (figure 98C).

Marches extérieures et perron

Il faut apporter autant de soin à bien proportionner les marches et les contremarches du perron ou de l'escalier d'accès aux terrasses que des escaliers intérieurs. Le rapport hauteur-giron ne doit pas être supérieur à celui recommandé précédemment pour l'escalier principal.

Les marches extérieures et le perron doivent reposer sur une base solide. S'ils ont leurs propres fondations, celles-ci doivent se prolonger jusqu'au non non remanié, au-delà de la limite de pénétration du gel. Les marches extérieures et le perron installés à l'entrée sont généralement constitués d'éléments de béton préfabriqués très résistants à l'humidité, au gel et aux chocs. Si les marches et le perron doivent être bétonnés à pied d'œuvre, le béton devra contenir une proportion d'entraîneurs d'air de 5 à 8 p. 100 et avoir une résistance minimale à la compression de 3 600 lb/po^2 (25 MPa).

DÉTAILS DE CHARPENTE CONCERNANT LA PLOMBERIE, LE CHAUFFAGE, LA VENTILATION ET L'ÉLECTRICITÉ

La construction à ossature de bois possède ce grand avantage que l'espace laissé entre les éléments structuraux des murs, du toit et des planchers constitue un moyen sûr et peu coûteux de dissimuler la majeure partie des conduits de chauffage, canalisations de plomberie et câbles électriques.

La plupart des câbles électriques et bon nombre des canalisations de plomberie et conduits de ventilation ont un parcours parallèle aux solives et aux poteaux de sorte qu'ils peuvent se dissimuler facilement entre ces éléments de charpente. Lorsque les canalisations et les câbles doivent avoir un parcours perpendiculaire aux solives et aux poteaux, ceux-ci peuvent être entaillés ou percés. Sous réserve de certaines restrictions, ces entailles et trous n'influent que légèrement sur la résistance structurale des éléments.

ENTAILLAGE DES ÉLÉMENTS DE CHARPENTE

Entaillage des solives de toit, de plafond ou de plancher. Toute entaille pratiquée en partie supérieure d'une solive doit être située à moins d'une demi-hauteur de solive du bord de l'appui; la profondeur de l'entaille ne doit pas être supérieure au tiers de la hauteur de la solive (figure 100B).

Si les entailles doivent être pratiquées ailleurs (figure 100A), il faudra en tenir compte lors du choix des solives et augmenter leur hauteur de la profondeur de l'entaille. Le chant inférieur des solives ne doit pas être entaillé, puisque les solives pourraient se fendre par suite d'un fléchissement sous la charge.

Perçage des solives. En règle générale, les trous percés dans les solives ne doivent pas représenter plus du quart de la hauteur des solives ni se trouver à moins de 2 po (50 mm) des chants (figure 101).

Entaillage et perçage des poteaux. Les poteaux de murs porteurs qui ont été entaillés ou percés sur plus du tiers de leur profondeur doivent être renforcés à l'aide d'éclisses en bois de 2 po (38 mm) clouées sur les côtés des poteaux et s'étendant d'environ 24 po (600 mm) de part et d'autre du trou ou de l'entaille. On renforce de la même façon les poteaux de cloisons entaillés ou percés auxquels il reste moins de 1 9/16 po (40 mm) de bois massif (figure 102).

Entaillage et perçage des sablières. Dans les murs porteurs, on renforce également avec des éléments de bois de 2 po (38 mm) les sablières entaillées ou percées, lorsque le bois massif qui reste mesure moins de 2 po (50 mm) de largeur. Lorsque le renfort doit être posé sur la rive de la sablière ou du poteau, on utilise généralement une pièce de tôle pour faciliter la pose du parement mural.

Exemple des limites à respecter : *(A)* entaille éloignée de l'appui; *(B)* dans le cas d'une solive de 8 po (184 mm), l'entaille pratiquée à proximité de l'appui doit avoir une profondeur maximale de 2 3/8 po (61 mm) et une longueur d'au plus 3 5/8 po (92 mm) mesurée à partir de l'appui.

A

dimension augmentée de la profondeur de l'entaille

100

hauteur utile de la solive

B

maximum : 1/3 de la hauteur de la solive

maximum : 1/2 de la hauteur de la solive

ne jamais entailler la sous-face de la solive

Diamètre maximal des trous percés dans les solives

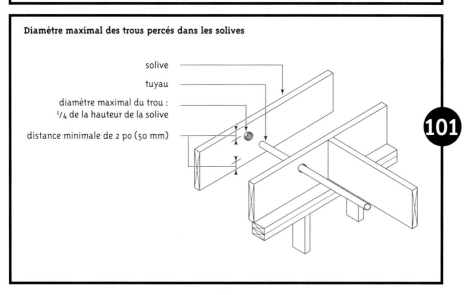

solive

tuyau

diamètre maximal du trou : 1/4 de la hauteur de la solive

distance minimale de 2 po (50 mm)

101

DÉTAILS DE CHARPENTE CONCERNANT LA PLOMBERIE

L'installation de la plomberie débute ordinairement une fois l'ossature des murs achevée. Il s'agit de mettre en place les canalisations d'évacuation des eaux usées (et la colonne de ventilation), d'alimentation en eau froide et eau chaude qui seront dissimulées dans les murs et les plafonds et sous le plancher du sous-sol. Les canalisations installées dans les murs extérieurs doivent être calorifugées. Puisque la baignoire doit être mise en place avant le revêtement mural, son installation survient généralement lors de cette étape. Les autres appareils et accessoires de plomberie ne sont pas raccordés tant que les revêtements intérieurs n'ont pas été mis en œuvre. La conception et la réalisation de l'installation de plomberie tombent généralement sous le coup des dispositions des codes provincial et municipal. (Voir les détails d'installation aux figures 103, 104 et 105).

Avec les canalisations de cuivre ou de plastique de 3 po (75 mm), le mur dissimulant la colonne de chute peut être constitué d'éléments de 2 x 4 po (38 x 89 mm). Il faut obturer le périmètre de la canalisation pour empêcher l'air de s'échapper dans le comble (figure 106).

Lorsque la colonne de chute ou les canalisations de forte section doivent avoir un parcours horizontal et perpendiculaire aux solives, on devra ménager une trémie, en mettant en œuvre des chevêtres entre les solives (figure 107), sinon pratiquer une retombée de plafond.

RAPPEL

Exécution de la charpente en fonction de la plomberie, du chauffage et de l'électricité

Au moment de planifier la plomberie, le chauffage et l'électricité d'une habitation, il importe de considérer comment l'agencement des éléments de charpente risque de se répercuter sur ces installations. Veuillez vous reporter à l'encadré *Passage des conduits et tuyaux* du chapitre *Charpente du plancher,* qui livre des directives utiles en ce sens.

Certains éléments monopièce, tels que baignoire, cabine de douche ou cuve thermale, devront être mis en place avant l'exécution des murs. Veuillez à ce propos vous reporter à l'encadré *Installation d'éléments particuliers avant d'exécuter la charpente des murs* du chapitre *Ossature murale.*

Poteaux entaillés pour les besoins de la plomberie

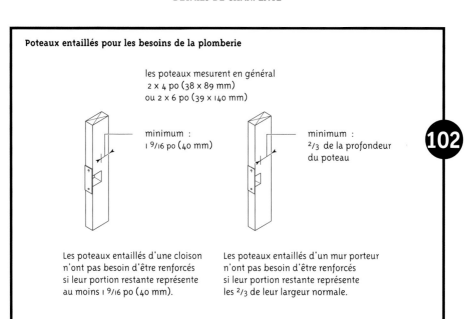

les poteaux mesurent en général
2 x 4 po (38 x 89 mm)
ou 2 x 6 po (39 x 140 mm)

minimum :
1 9/16 po (40 mm)

minimum :
2/3 de la profondeur
du poteau

102

Les poteaux entaillés d'une cloison
n'ont pas besoin d'être renforcés
si leur portion restante représente
au moins 1 9/16 po (40 mm).

Les poteaux entaillés d'un mur porteur
n'ont pas besoin d'être renforcés
si leur portion restante représente
les 2/3 de leur largeur normale.

Cuisine et salle de bains situées à proximité l'une de l'autre pour réduire la longueur des tuyaux.

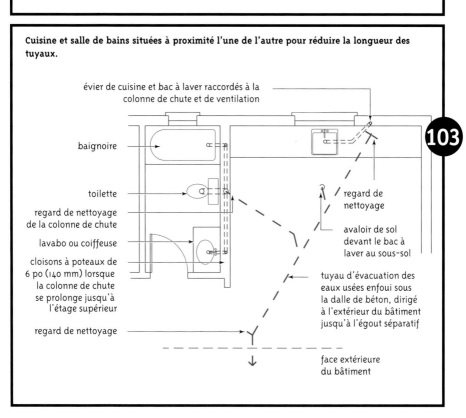

évier de cuisine et bac à laver raccordés à la
colonne de chute et de ventilation

baignoire

toilette

regard de nettoyage
de la colonne de chute

lavabo ou coiffeuse

cloisons à poteaux de
6 po (140 mm) lorsque
la colonne de chute
se prolonge jusqu'à
l'étage supérieur

regard de nettoyage

103

regard de
nettoyage

avaloir de sol
devant le bac à
laver au sous-sol

tuyau d'évacuation des
eaux usées enfoui sous
la dalle de béton, dirigé
à l'extérieur du bâtiment
jusqu'à l'égout séparatif

face extérieure
du bâtiment

DÉTAILS DE CHARPENTE

Lavabo et baignoire

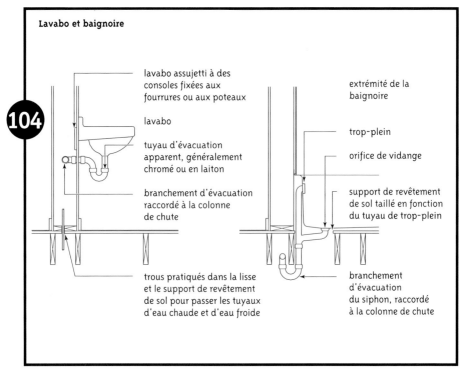

104

lavabo assujetti à des consoles fixées aux fourrures ou aux poteaux

lavabo

tuyau d'évacuation apparent, généralement chromé ou en laiton

branchement d'évacuation raccordé à la colonne de chute

trous pratiqués dans la lisse et le support de revêtement de sol pour passer les tuyaux d'eau chaude et d'eau froide

extrémité de la baignoire

trop-plein

orifice de vidange

support de revêtement de sol taillé en fonction du tuyau de trop-plein

branchement d'évacuation du siphon, raccordé à la colonne de chute

Toilette

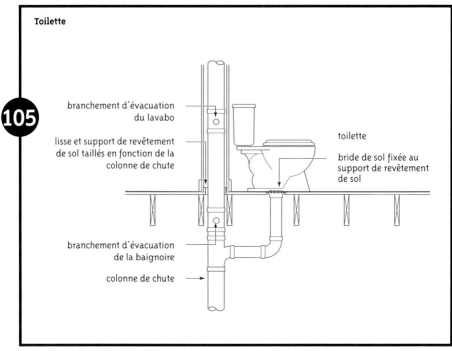

105

branchement d'évacuation du lavabo

lisse et support de revêtement de sol taillés en fonction de la colonne de chute

branchement d'évacuation de la baignoire

colonne de chute

toilette

bride de sol fixée au support de revêtement de sol

Ventilation de la plomberie

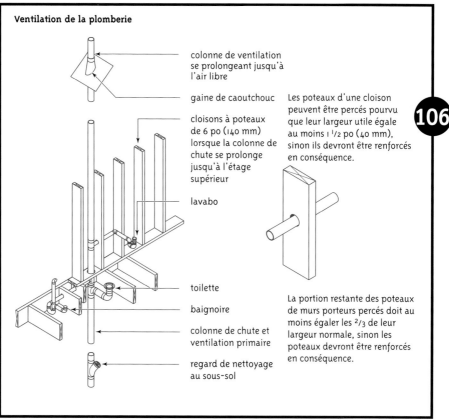

colonne de ventilation se prolongeant jusqu'à l'air libre

gaine de caoutchouc

cloisons à poteaux de 6 po (140 mm) lorsque la colonne de chute se prolonge jusqu'à l'étage supérieur

Les poteaux d'une cloison peuvent être percés pourvu que leur largeur utile égale au moins 1 1/2 po (40 mm), sinon ils devront être renforcés en conséquence.

106

lavabo

toilette

baignoire

colonne de chute et ventilation primaire

La portion restante des poteaux de murs porteurs percés doit au moins égaler les 2/3 de leur largeur normale, sinon les poteaux devront être renforcés en conséquence.

regard de nettoyage au sous-sol

Disposition des éléments de charpente autour de la colonne de chute

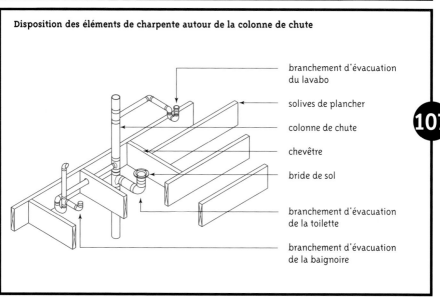

branchement d'évacuation du lavabo

solives de plancher

colonne de chute

107

chevêtre

bride de sol

branchement d'évacuation de la toilette

branchement d'évacuation de la baignoire

POUR UNE MAISON SAINE...

Appareils domestiques économiseurs d'eau

L'un des plus importants aspects de l'utilisation efficace des ressources, principe conforme à la maison saine, se traduit par l'économie de l'eau. Le recours à des appareils économiseurs d'eau contribue non seulement à préserver cette ressource vitale, mais à réduire l'énergie nécessaire à l'approvisionnement en eau potable et au traitement des eaux usées. La situation importe encore plus dans les milieux ruraux qui s'en remettent à des puits pour l'alimentation en eau.

Ces dernières années, les fabricants d'appareils domestiques ont lancé une technologie axée sur l'économie de l'eau dans le but de répondre aux exigences des codes d'aujourd'hui. Il existe, par contre, des appareils qui consomment beaucoup moins d'eau que le maximum permis dans les codes, tout comme il existe des différences spectaculaires entre les appareils comme les lave-linge et les lave-vaisselle.

Les appareils et accessoires les plus importants à considérer sont les toilettes, les pommes de douche et les lave-linge. Ils représentent la majeure partie de la consommation d'un ménage type. Les toilettes à faible consommation utilisent une quantité moindre d'eau. Les pommes de douche économisant l'eau utilisent environ deux fois moins d'eau que les modèles conventionnels. Les lave-linge et les lave-vaisselle qui consomment environ deux fois ou trois fois moins d'eau que les modèles classiques existent également dans le commerce.

L'été, l'arrosage de la pelouse peut signifier une consommation anormalement élevée d'eau. Si l'on préfère la pelouse à d'autres options offertes en aménagement paysager, il conviendrait alors d'envisager le recours à des sortes d'herbe très résistante ou à un système d'irrigation dans le sol.

DÉTAILS DE CHARPENTE CONCERNANT L'INSTALLATION DE CHAUFFAGE

Le chauffage de la maison peut être assuré de bien des façons. En effet, la gamme des systèmes de chauffage va du chauffage électrique ou à eau chaude commandé par de multiples régulateurs aux simples appareils de chauffage autonomes. Au Canada, le gaz naturel, le mazout et l'électricité constituent les sources d'énergie les plus courantes.

Il existe trois types courants de chauffage : à air chaud pulsé, par plinthes électriques et à eau chaude par circulation forcée. Il y a bien sûr d'autres installations moins courantes comme la pompe à chaleur air-air, sol-air ou eau-air avec chauffage d'appoint par résistance électrique; la pompe à chaleur avec chauffage d'appoint au gaz naturel, et les appareils de chauffage à combustibles solides

(bois ou charbon). La figure 108 montre une disposition type des conduits de chauffage et la figure 109, la vue isométrique d'une installation de chauffage type.

Toutes les installations de chauffage peuvent s'installer facilement et en toute sécurité dans les maisons à ossature de bois. Il faut cependant prévoir des dégagements entre certains de leurs éléments et les matériaux combustibles. Les installateurs doivent être bien au fait des règlements locaux avant d'entreprendre les travaux.

Dans une installation à air chaud, les conduits de chauffage et de reprise sont habituellement placés entre les poteaux muraux et entre les solives de plancher. Il convient donc, lors de l'élaboration des plans de la maison, de disposer les poutres, solives et poteaux en fonction du réseau de distribution.

La planification du réseau de distribution doit tenir compte des exigences de ventilation forcée. En présumant de l'étanchéité à l'air de la construction, le système de ventilation doit pouvoir évacuer l'air vicié (surtout de la cuisine et de la salle de bains, mais également des autres pièces) et admettre une certaine quantité d'air frais pour préserver la qualité de l'air ambiant.

Installations de chauffage à air chaud et de ventilation

Les poteaux muraux et les solives sont généralement placés de façon qu'il ne soit pas nécessaire de les entailler ou de les couper pour faire passer les conduits de chauffage. Lorsqu'ils doivent traverser verticalement un mur en vue de chauffer la pièce au-dessus, on doit enlever la sablière et la lisse à cet endroit, et insérer les conduits dans l'espace ainsi libéré entre les poteaux.

Lorsqu'une cloison repose sur des solives jumelées et qu'un conduit de chaleur doit les traverser pour pénétrer dans la cloison, les solives sont habituellement écartées de façon à laisser passer le conduit. On évite ainsi de couper les éléments d'ossature sans raison ou de devoir recourir à des raccordements compliqués.

Les grilles de reprise qui se posent généralement sur les murs intérieurs près du plancher peuvent se raccorder à un conduit ou à un vide entre deux poteaux. À ces endroits, on coupe la lisse et le support de revêtement de sol pour y faire passer le conduit ou,

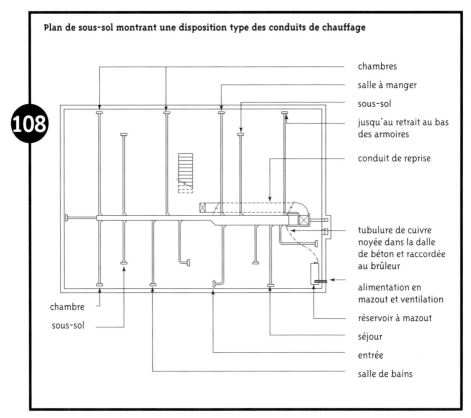

Plan de sous-sol montrant une disposition type des conduits de chauffage

chambres

salle à manger

sous-sol

jusqu'au retrait au bas des armoires

conduit de reprise

tubulure de cuivre noyée dans la dalle de béton et raccordée au brûleur

alimentation en mazout et ventilation

réservoir à mazout

séjour

entrée

salle de bains

chambre

sous-sol

108

simplement, l'air repris par l'installa-tion. On cloue des cales entre les solives pour soutenir l'extrémité des planches, s'il s'agit d'un support de revêtement de sol en planches posées en diagonale. Il arrive parfois qu'il faille tailler les poteaux pour poser de grandes grilles de reprise. Si tel est le cas, on utilise un linteau pour appuyer les poteaux ainsi coupés et on exécute un bâti de la même façon que pour la baie de porte illustrée à la figure 42.

Une fois fermé, l'espace entre les solives sert de conduit de reprise et les autres conduits de reprise peuvent s'y raccorder. On doit revêtir d'un matériau incombustible, comme de la tôle, l'intérieur des espaces entre solives sur une distance de 24 po (600 mm) à partir de l'appareil de chauffage; il en va de même sous les bouches de chaleur et au bas des conduits verticaux.

Les registres de chaleur sont

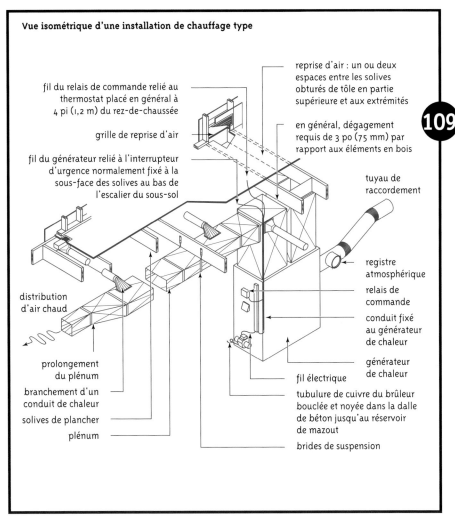

Vue isométrique d'une installation de chauffage type

reprise d'air : un ou deux espaces entre les solives obturés de tôle en partie supérieure et aux extrémités

fil du relais de commande relié au thermostat placé en général à 4 pi (1,2 m) du rez-de-chaussée

grille de reprise d'air

en général, dégagement requis de 3 po (75 mm) par rapport aux éléments en bois

fil du générateur relié à l'interrupteur d'urgence normalement fixé à la sous-face des solives au bas de l'escalier du sous-sol

tuyau de raccordement

distribution d'air chaud

registre atmosphérique

relais de commande

conduit fixé au générateur de chaleur

prolongement du plénum

fil électrique

générateur de chaleur

branchement d'un conduit de chaleur

tubulure de cuivre du brûleur bouclée et noyée dans la dalle de béton jusqu'au réservoir de mazout

solives de plancher

plénum

brides de suspension

109

197

habituellement placés dans le plancher à proximité des murs extérieurs, de préférence sous les fenêtres; ils comportent des lames qui répartissent l'air chaud sur une bonne partie des murs extérieurs. Les conduits de chaleur alimentant ces bouches doivent, dans la mesure du possible, être situés entre deux solives et être raccordés à la bouche au moyen d'un coude réducteur. De cette façon, il n'est nécessaire de couper que le support et le revêtement de sol. S'il y a lieu, le support posé en diagonale reposera sur des cales fixées entre les solives pour soutenir l'extrémité des planches.

Dans la maison érigée sur vide sanitaire, le générateur-pulseur d'air chaud peut s'installer dans un local distinct à l'intérieur de la maison, être suspendu sous le plancher ou encore être monté sur un socle de béton. Dans les deux premiers cas, les solives doivent être en mesure de soutenir le poids du générateur.

Le système de ventilation s'intègre souvent à l'installation de chauffage à air chaud de la maison, puisqu'il peut exploiter les mêmes conduits pour distribuer l'air de ventilation. Dans certains cas, en particulier dans les maisons dépourvues d'un système de chauffage à air pulsé, un système central de ventilation distinct s'emploie. Il requiert souvent des

POUR UNE MAISON SAINE...

Choix de l'énergie et de l'appareil de chauffage

Les options en matière d'énergie et de matériel de chauffage ne manquent certes pas. Elles pourraient ne pas être toutes offertes dans une région donnée. Il convient de noter que certains choix valent mieux que d'autres.

Source d'énergie

Les sources d'énergie de chauffage sont, pour la majorité, non renouvelables. Le bois et l'énergie solaire font exception à la règle. Il est judicieux d'exploiter ces sources d'énergies renouvelables au maximum avant de se tourner vers une source d'énergie non renouvelable. Le consommateur doit savoir que l'électricité représente la source d'énergie la plus coûteuse dans la plupart des régions du Canada, alors que les combustibles fossiles le sont beaucoup moins. Le bois demeure cependant le combustible de choix dans de nombreux secteurs ruraux.

Type de matériel et efficacité

Les systèmes de chauffage fourmillent, mais ils appartiennent essentiellement à deux catégories : les installations centrales (générateurs de chaleur et chaudières, et les appareils de chauffage autonomes (radiateurs-plinthes à commande individuelle, radiateurs muraux, foyers et poêles à bois). L'installation centrale présente l'avantage de

suite à la page 199

suite de la page 198

pouvoir se combiner au chauffe-eau domestique et ainsi de requérir l'achat d'un seul appareil à entretenir. L'installation à air pulsé permet d'ajouter facilement le conditionnenent de l'air et la ventilation, sans toutefois offrir la possibilité de commander la température de chaque pièce ou zone de la maison. En revanche, lorsqu'il est fait usage du chauffage à eau chaude, la température de certaines zones peut être commandée individuellement; le chauffage du plancher du sous-sol et des salles de bains devient possible. Le chauffage combiné s'avère utile dans les secteurs isolés ou pour les locaux utilisés de façon saisonnière dans la maison. Le chauffage à eau chaude et
le chauffage combiné nécessitent un système de ventilation distinct.

Abordabilité et adaptabilité

Le système de chauffage peu coûteux à l'achat ne représente pas nécessairement l'option la plus abordable. L'appareil de faible efficacité et le prix élevé des combustibles peuvent se révéler moins abordables que le système plus cher à l'achat mais qui se traduit par des frais d'entretien moins élevés. Cet aspect importe surtout chez les accédants et les ménages à revenu fixe. L'adaptabilité du système de chauffage mérite aussi considération. Le chauffage à l'eau chaude s'avère l'un des systèmes les plus durables et flexibles possible. L'installation à air pulsé, tout en étant moins flexible, exige l'adoption de dispositions particulières comme le recours à des registres coupe-feu lorsque le logement individuel est transformé en collectif d'habitation.

Il importe de bien choisir et bien planifier tout choix d'énergie de chauffage et d'appareil.

conduits de plus petite section que les conduits de chauffage. Ils se posent à l'intérieur de l'ossature sensiblement de la même manière que les conduits de chauffage.

Installation de chauffage à eau chaude

Lorsque l'installation de chauffage ne requiert que de petites canalisations de distribution et de reprise, il n'est pas nécessaire d'en tenir compte dans la conception de l'ossature.

Les convecteurs-plinthes s'installent contre les murs extérieurs sous les fenêtres. Ainsi, l'air chaud qui s'élève de l'appareil se propage le long des murs extérieurs. L'installation ne requiert à peu près pas d'entaillage de solives ou de poteaux puisque les appareils se montent à la surface des murs.

Plinthes chauffantes électriques

Puisqu'il est facile de dissimuler les câbles électriques dans les murs et les planchers, l'installation de chauffage électrique requiert peu sinon pas de planification en ce qui concerne les éléments d'ossature. Tout comme les bouches de chaleur de l'installation à eau chaude ou à air chaud, les plinthes électriques se situent généralement le long des murs extérieurs de façon que l'air chaud qui s'en dégage se répartisse sur leur surface. Il n'est pas nécessaire de tailler les poteaux puisque les appareils sont montés à la surface des murs. Le chauffage peut également se faire par rayonnement, auquel cas les éléments sont situés dans le plafond.

Avec les systèmes de chauffage à eau chaude ou à l'électricité qui font appel à des radiateurs-plinthes, il est important, surtout si la maison est bien construite et assez étanche, de prévoir un mode de renouvellement d'air et de ne pas compter seulement sur la convection naturelle et les infiltrations. Si on néglige d'en tenir compte, il se peut que le niveau d'humidité s'élève au point de créer de la condensation.

DÉTAILS DE CHARPENTE CONCERNANT LES CANALISATIONS ÉLECTRIQUES

L'installation électrique de la maison commence généralement après que la couverture et le revêtement mural intermédiaire sont en place.

Cette première étape de l'installation électrique comprend la pose des canalisations et des boîtes des interrupteurs, appareils d'éclairage et prises de courant. La figure 110 illustre certains accessoires types de l'ins-

---

Matériel électrique type

110

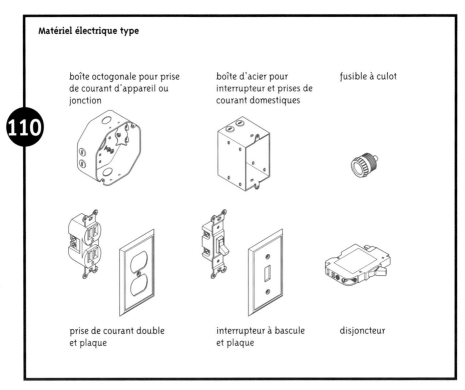

boîte octogonale pour prise de courant d'appareil ou jonction

boîte d'acier pour interrupteur et prises de courant domestiques

fusible à culot

prise de courant double et plaque

interrupteur à bascule et plaque

disjoncteur

---

tallation électrique.

L'installation de base se fait avant la mise en place des revêtements intérieurs de finition et généralement avant la mise en œuvre de l'isolant dans les murs et les plafonds. Les appareils d'éclairage, interrupteurs, prises de courant et plaques ne s'installent qu'après les travaux de finition intérieure et de peinture.

La conception et la mise en œuvre

de toute l'installation électrique sont généralement régies par le code d'électricité provincial. Les codes provinciaux s'inspirent très étroitement du Code canadien de l'électricité publié par l'Association canadienne de normalisation. Les codes provinciaux précisent habituellement de confier l'installation à un électricien autorisé. Il est recommandé aux propriétaires de consulter les autorités compétentes

Branchement type

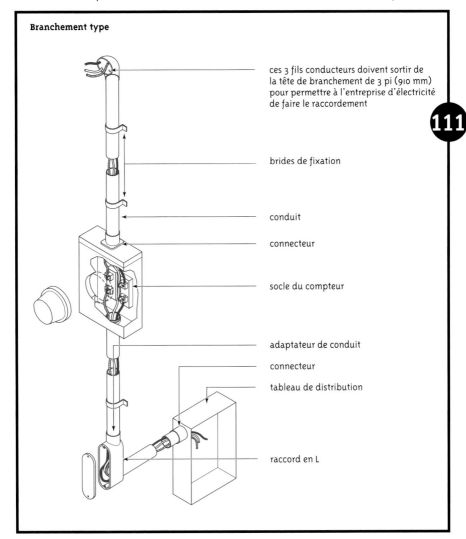

ces 3 fils conducteurs doivent sortir de la tête de branchement de 3 pi (910 mm) pour permettre à l'entreprise d'électricité de faire le raccordement

111

brides de fixation

conduit

connecteur

socle du compteur

adaptateur de conduit

connecteur

tableau de distribution

raccord en L

Équipement de branchement du réseau électrique

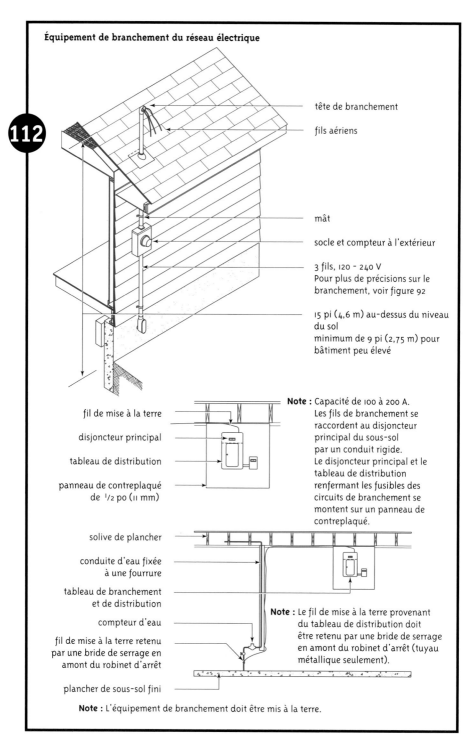

tête de branchement

fils aériens

mât

socle et compteur à l'extérieur

3 fils, 120 - 240 V
Pour plus de précisions sur le
branchement, voir figure 92

15 pi (4,6 m) au-dessus du niveau
du sol
minimum de 9 pi (2,75 m) pour
bâtiment peu élevé

fil de mise à la terre

disjoncteur principal

tableau de distribution

panneau de contreplaqué
de ½ po (11 mm)

Note : Capacité de 100 à 200 A.
Les fils de branchement se
raccordent au disjoncteur
principal du sous-sol
par un conduit rigide.
Le disjoncteur principal et le
tableau de distribution
renfermant les fusibles des
circuits de branchement se
montent sur un panneau de
contreplaqué.

solive de plancher

conduite d'eau fixée
à une fourrure

tableau de branchement
et de distribution

compteur d'eau

fil de mise à la terre retenu
par une bride de serrage en
amont du robinet d'arrêt

plancher de sous-sol fini

Note : Le fil de mise à la terre provenant
du tableau de distribution doit
être retenu par une bride de serrage
en amont du robinet d'arrêt (tuyau
métallique seulement).

Note : L'équipement de branchement doit être mis à la terre.

locales avant d'entreprendre toute installation électrique.

Les figures 111 et 112 illustrent un branchement extérieur d'électricité.

La figure 113 illustre la façon de percer les éléments structuraux pour passer les câbles.

Perçage des éléments de charpente pour le passage des canalisations électriques

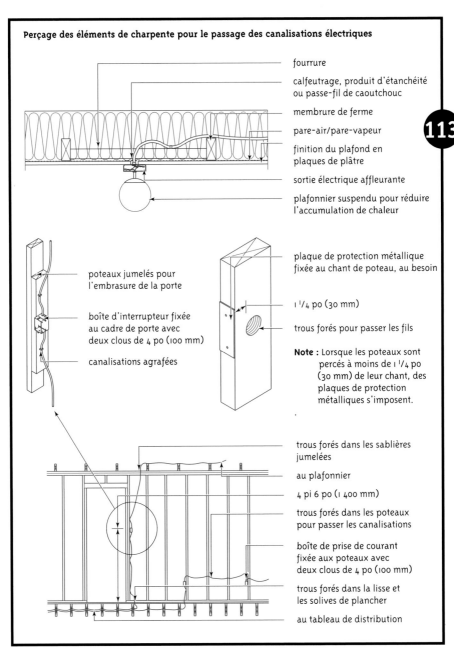

fourrure

calfeutrage, produit d'étanchéité ou passe-fil de caoutchouc

membrure de ferme

pare-air/pare-vapeur

113

finition du plafond en plaques de plâtre

sortie électrique affleurante

plafonnier suspendu pour réduire l'accumulation de chaleur

poteaux jumelés pour l'embrasure de la porte

boîte d'interrupteur fixée au cadre de porte avec deux clous de 4 po (100 mm)

canalisations agrafées

plaque de protection métallique fixée au chant de poteau, au besoin

1 1/4 po (30 mm)

trous forés pour passer les fils

Note : Lorsque les poteaux sont percés à moins de 1 1/4 po (30 mm) de leur chant, des plaques de protection métalliques s'imposent.

trous forés dans les sablières jumelées

au plafonnier

4 pi 6 po (1 400 mm)

trous forés dans les poteaux pour passer les canalisations

boîte de prise de courant fixée aux poteaux avec deux clous de 4 po (100 mm)

trous forés dans la lisse et les solives de plancher

au tableau de distribution

Emplacement des boîtes

L'emplacement des interrupteurs et des prises de courant étant capital, il importe d'étudier soigneusement les plans des canalisations pour s'assurer de ne rien oublier. Une maison moderne utilise l'électricité pour toutes sortes d'appareils, de la radio et du téléviseur aux gros électroménagers qui nécessitent chacun un circuit distinct. Il importe donc de bien prévoir l'emplacement des diverses prises de courant.

Lorsqu'on détermine l'intensité du branchement au réseau et le nombre de circuits et de sorties électriques à prévoir dans la maison, il faut aussi tenir compte des besoins futurs puisque les modifications et les ajouts effectués après coup s'avèrent très coûteux. Le branchement au réseau a habituellement une intensité de 200 A de manière à pouvoir desservir les nombreux appareils électriques que compte la maison d'aujourd'hui.

Au moment de prévoir l'emplacement des sorties électriques, il faut se rappeler que les sorties installées dans les plafonds et les murs extérieurs isolés constituent une source importante de fuites d'air. On doit donc les rendre aussi étanches que possible.

INTERRUPTEURS

Les interrupteurs sont généralement placés à l'intérieur de la pièce, tout près de la porte et à portée de la main. Ils peuvent commander la prise murale d'une lampe posée sur une table ou sur le plancher, aussi bien que les plafonniers et les appliques murales. On les place ordinairement à environ 4 pi 6 po (1,4 m) du sol.

Les interrupteurs multipolaires s'avèrent commodes à divers endroits de la maison puisqu'ils permettent de commander un même éclairage à partir de plus d'un interrupteur. Un luminaire du salon peut être commandé par un interrupteur situé près de l'entrée extérieure et un autre près de l'entrée de la cuisine ou du corridor menant aux chambres. Dans les maisons à deux étages, on installe habituellement un interrupteur tripolaire au pied de l'escalier et un autre en haut. L'éclairage de l'escalier du sous-sol doit également pouvoir se commander par deux interrupteurs tripolaires, un à la tête de l'escalier et l'autre au pied, surtout si le sous-sol comporte une aire habitable ou un garage, ou s'il s'y trouve une issue vers l'extérieur.

OUVRAGES DE RÉFÉRENCE

Code canadien de la plomberie
Conseil national de recherches du Canada
Code canadien de l'électricité
Association canadienne de normalisation, CAN3-C22
Comment se conformer aux exigences de ventilation du Code national du bâtiment de 1995
Société canadienne d'hypothèques et de logement

POUR UNE MAISON SAINE...

Éconergie des appareils d'éclairage et des électroménagers

Les appareils d'éclairage et les électroménagers comptent pour beaucoup dans la consommation d'énergie d'un ménage type. Leur choix judicieux peut grandement contribuer à réduire la consommation d'énergie.

Électroménagers

➡ Lors de l'achat d'électroménagers, toujours se référer à la cote Énerguide. Arrêter son choix sur des appareils les plus proches de la cote la plus faible disponible pour le type d'électroménager envisagé.

➡ Pour les électroménagers à consommation d'eau tels le lave-linge et le lave-vaisselle, vérifier la quantité d'eau qu'ils requièrent. Les appareils économiseurs d'eau économisent aussi l'énergie.

Éclairage électrique

➡ Un grand nombre d'options en matière d'éclairage électrique existent, mais elles varient énormément sur le plan de l'efficacité énergétique.

➡ L'éclairage incandescent se révèle le moins efficace et doit à ce titre être limité aux appareils ne servant qu'à l'occasion. L'éclairage à halogène ou à tungsten constitue un choix plus efficace que l'éclairage incandescent.

➡ La préférence va à l'éclairage fluorescent lorsque l'éclairage est appelé à servir souvent. Les fluorescents compacts et les lampes fluorescentes économisant l'énergie constituent les options les plus efficaces.

➡ L'éclairage extérieur commandé par cellule photoélectrique est conseillé puisque les cellules photoélectriques empêchent les appareils de fonctionner jusqu'à la brunante. Cela évite le gaspillage d'énergie lorsque les occupants oublient de fermer l'éclairage extérieur.

Éclairage diurne

➡ La taille et la disposition des lanterneaux peut assurer un bon éclairage et réduire l'utilisation d'éclairage électrique.

➡ L'éclairage diurne et le chauffage solaire passif sont tout à fait compatibles et représentent des moyens efficaces de réduire la consommation d'énergie.

Après avoir fait des choix écologiques dans la sélection des appareils et de l'éclairage, force est d'admettre que le nettoyage et l'entretien des appareils ménagers, des appareils d'éclairage et des fenêtres constituent des facteurs importants en vue de réaliser pleinement le plein potentiel de ces investissements en efficacité énergétique.

CHEMINÉE ET FOYER À FEU OUVERT

La cheminée et le foyer à feu ouvert peuvent constituer des ouvrages de maçonnerie reposant sur des fondations appropriées, mais de plus en plus la vogue va vers les modèles préfabriqués légers qui ne nécessitent aucune fondation. Quoi qu'il en soit, la cheminée doit avoir assez de tirage pour maintenir la combustion et en évacuer les produits.

Étant donné que le foyer classique n'a qu'une très faible efficacité de chauffage, sa valeur est plutôt d'ordre décoratif. On peut toutefois en augmenter l'efficacité en y encastrant un élément métallique préfabriqué. Ainsi, la pièce peut être chauffée par rayonnement direct et par la circulation d'air chaud à travers l'élément préfabriqué. Pour gagner en efficacité, l'appareil doit être pourvu de portes étanches et d'une prise distincte d'air comburant extérieur.

L'inefficacité du chauffage au bois et les pertes de chaleur caractéristiques du foyer à feu ouvert peuvent être compensées par l'utilisation d'un poêle à bois. Les normes de sécurité relatives aux poêles à bois sont identiques à celles qui régissent les foyers à feu ouvert.

La cheminée et le foyer doivent être construits avec soin de façon à éliminer tout risque d'incendie. Dans la mesure du possible, ils ne doivent pas être situés sur un mur extérieur. Lorsqu'ils se trouvent entièrement à l'intérieur de la maison, ils procurent de précieux avantages :

- la chaleur qui autrement s'échapperait par la cheminée reste à l'intérieur de la maison;
- la maçonnerie se détériore moins sous l'effet de la condensation des gaz de combustion;
- s'ils sont construits en maçonnerie et situés près des fenêtres orientées au sud, ils contribuent à accroître l'inertie thermique de la maison en accumulant l'énergie solaire pendant la journée et en la libérant dans le milieu ambiant la nuit venue;
- enregistrant une température plus élevée, la cheminée a un meilleur tirage et évacue mieux les gaz de combustion.

CHEMINÉE

La cheminée de maçonnerie doit reposer sur une semelle de béton bien proportionnée pour en supporter la charge. Étant donné que la cheminée peut loger plusieurs conduits de fumée, ses dimensions minimales dépendent de leur nombre, de leur agencement et de leur taille. La paroi d'une cheminée en maçonnerie doit être constituée d'au moins 3 po (75 mm) d'éléments de maçonnerie massifs.

Le conduit de fumée désigne la gaine verticale évacuant la fumée et les gaz à l'air libre. Un seul conduit de fumée peut desservir un ou plus d'un appareil aménagés au même niveau, comme l'appareil de chauffage et le chauffe-eau, par exemple. Dans un tel cas, les raccordements au conduit de fumée doivent se faire l'un au-dessus de l'autre pour garantir un bon tirage. Il est également recommandé de garnir la cheminée d'un chemisage certifié. La section du conduit de fumée et la disposition des différents raccordements sont fonction de la capacité des appareils qui y sont raccordés. Par ailleurs, chaque foyer doit avoir son propre conduit de fumée.

Le chemisage du conduit de fumée est habituellement constitué de boisseaux d'argile vernissé rectangulaires d'environ 24 po (600 mm) de longueur, placés lors de la mise en œuvre de la maçonnerie. On doit prendre soin de bien aligner les boisseaux les uns sur les autres, sur un lit continu de mortier. Lorsque la cheminée comporte plus d'un conduit de fumée, ceux-ci doivent être séparés les uns des autres par au moins 3 po

(75 mm) de maçonnerie massive ou de béton, ou par 3 ½ po (90 mm) de brique réfractaire dans le cas d'un chemisage en brique réfractaire (figure 114). Le chemisage commence habituellement à 8 po (200 mm) sous le tuyau de raccordement et se prolonge de 2 à 4 po (50 à 100 mm) au-dessus du couronnement de la cheminée.

La cheminée doit être surmontée d'un couronnement, généralement en béton, destiné à écarter l'eau des joints de maçonnerie. Le dessus du couronnement doit présenter une inclinaison vers l'extérieur à partir du chemisage et se prolonger d'au moins 1 po (25 mm) au-delà de la face de la cheminée pour former un larmier.

La cheminée préfabriquée vient généralement en sections qui s'assemblent à pied d'œuvre. Relativement légère, elle peut être retenue par des ancrages spéciaux aux solives de

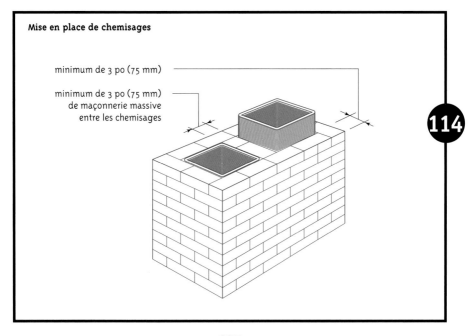

Mise en place de chemisages

minimum de 3 po (75 mm)

minimum de 3 po (75 mm) de maçonnerie massive entre les chemisages

114

plancher une fois la cheminée montée. L'utilisation d'une cheminée préfabriquée suppose deux précautions :
• s'assurer que le modèle retenu a été mis à l'essai et homologué par *Underwriters' Laboratories of Canada (ULC);*
• veiller à ce que son installation soit conforme aux directives du fabricant et aux conditions d'homologation d'ULC.

Le conduit de fumée doit se prolonger au-dessus du toit pour éviter tout refoulement attribuable à la turbulence du vent. Il doit dominer d'au moins 3 pi (900 mm) le plus haut point de jonction entre le toit et la cheminée et d'au moins 2 pi (600 mm) le faîte ou toute autre structure se trouvant dans un rayon de 10 pi (3 m) de la cheminée (figure 115).

Il faut prévoir une trappe de ramonage en métal près du bas de la cheminée pour permettre d'en retirer facilement la suie.

La cheminée peut servir à évacuer les produits de combustion d'un appareil à gaz pourvu que le chemisage soit conforme au code d'installation des appareils à gaz. L'appareil pourra aussi bien être équipé d'un conduit d'évacuation spécialement approuvé à cette fin.

FOYER À FEU OUVERT

Pour que la cheminée tire bien, il suffit d'appliquer les principes de conception établis. Le foyer doit disposer d'une prise d'air extérieur pour améliorer la combustion et la paroi

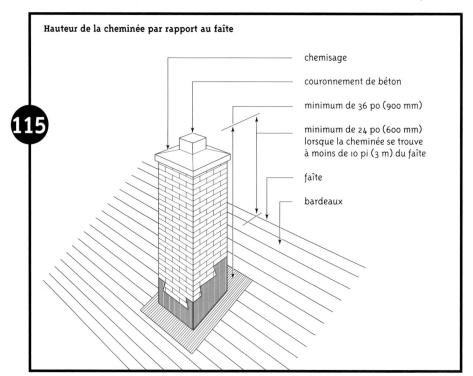

Hauteur de la cheminée par rapport au faîte

chemisage
couronnement de béton
minimum de 36 po (900 mm)
minimum de 24 po (600 mm) lorsque la cheminée se trouve à moins de 10 pi (3 m) du faîte
faîte
bardeaux

115

interne du conduit de fumée pourvue d'un chemisage dont la taille est proportionnée à l'ouverture du foyer. Une règle courante consiste à établir la section minimale du conduit de fumée à 1/10 de la superficie de l'ouverture du foyer; par contre, les dimensions extérieures du conduit de fumée ne doivent jamais être inférieures à 8 x 12 po (200 x 300 mm). La figure 116 illustre l'emplacement des divers éléments constituants d'un foyer à feu ouvert.

Voici d'autres principes couramment appliqués dans la construction du foyer à feu ouvert d'un seul côté :

- l'avant du foyer doit être plus large que le contrecœur (paroi arrière) dont la partie supérieure doit être inclinée vers l'avant pour rejoindre la gorge et ainsi améliorer la performance de la combustion;
- la largeur du contrecœur, qui doit s'élever sur la moitié de la hauteur de l'ouverture avant de commencer

Éléments d'un foyer à feu ouvert

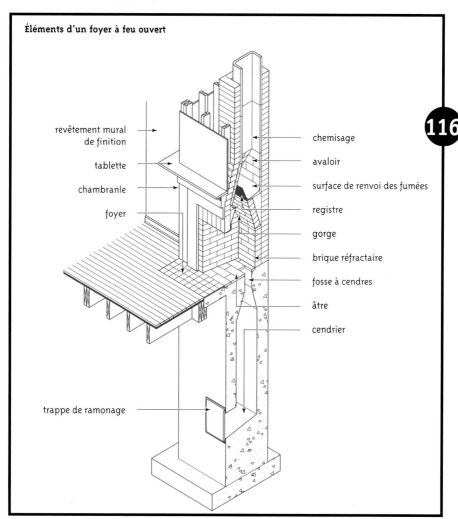

revêtement mural de finition

tablette

chambranle

foyer

chemisage

avaloir

surface de renvoi des fumées

registre

gorge

brique réfractaire

fosse à cendres

âtre

cendrier

trappe de ramonage

116

à s'incliner vers l'avant, correspond habituellement aux deux tiers de celle de l'ouverture du foyer;

- la surface de renvoi des fumées, destinée à prévenir les refoulements, est formée en ménageant la gorge aussi près de l'avant que possible, mais sa section totale doit être égale à celle du conduit de fumée;
- au-dessus de la gorge, les côtés se rapprochent en s'inclinant pour constituer le conduit de fumée qui est généralement centré sur la largeur du foyer; cette inclinaison ne doit pas cependant faire plus de 45° par rapport à la verticale.

Le chemisage du foyer doit être fait d'un matériau très résistant à la chaleur. Un chemisage d'acier conçu à cette fin ou un revêtement de brique réfractaire de 2 po (50 mm) satisfont à cette exigence. La brique réfractaire doit être posée à l'aide de mortier d'argile réfractaire ou de ciment pour hautes températures.

Pour le chemisage en brique réfractaire de 2 po (50 mm) d'épaisseur, les côtés et le contrecœur du foyer doivent avoir au moins 8 po (190 mm) d'épaisseur, y compris l'épaisseur du chemisage. Lorsque la partie arrière du foyer donne sur l'extérieur, on pourra se contenter de 5 ½ po (140 mm). Dans le cas d'un chemisage d'acier comportant une chambre de circulation d'air, le contrecœur et les côtés peuvent être en éléments massifs de 3 ½ po (90 mm) d'épaisseur ou en éléments creux de 8 po (190 mm).

Le registre, grande plaque mobile installée dans la gorge du foyer, règle le tirage grâce à une manette de commande disposée à l'avant du foyer. Il en existe de nombreux types; en en choisissant un bien proportionné à la gorge, on réduit les risques de malfonctionnement du foyer. Le registre doit pouvoir se fermer complètement et être aussi étanche que possible, afin de minimiser les pertes de chaleur par la cheminée lorsque le foyer ne sert pas.

La dalle de l'âtre peut être au même niveau que le sol de la maison, ou surélevée. Puisqu'elle est exposée à une grande chaleur, elle est habituellement en brique réfractaire. Son prolongement avant, qui n'est qu'une mesure de protection contre les étincelles, est généralement constitué d'une plaque de béton armé de 4 po (100 mm) recouverte de carreaux céramiques. Le prolongement de la dalle doit s'avancer d'au moins 16 po (400 mm) devant l'ouverture du foyer et s'étendre d'au moins 8 po (200 mm) de chaque côté.

Il est d'usage, quoique non indispensable, de ménager à l'arrière du foyer une fosse pour acheminer la cendre en direction du cendrier. On pourra également aménager, au sous-sol, une porte d'accès pour en retirer périodiquement la cendre.

Le foyer préfabriqué (figure 117) doit faire l'objet des mêmes précautions que la cheminée préfabriquée.

Dans tous les cas, la cheminée du foyer doit avoir une allure aussi verticale que possible pour bien ventiler le foyer.

Une vaste gamme d'appareils à combustion au gaz (naturel et propane) fait maintenant concurrence au foyer à combustion au bois.

Certains, remplissant une fonction purement décorative, sont fabriqués pour fins d'installation dans un foyer en maçonnerie déjà en place. Par contre, les foyers à gaz à haute efficacité équipés d'un ventilateur pour distribuer la chaleur sont également offerts dans le commerce. Leur installation doit respecter les instructions du fabricant et être conforme aux dispositions du code d'installation d'un appareil au gaz naturel ou au propane.

Foyer préfabriqué

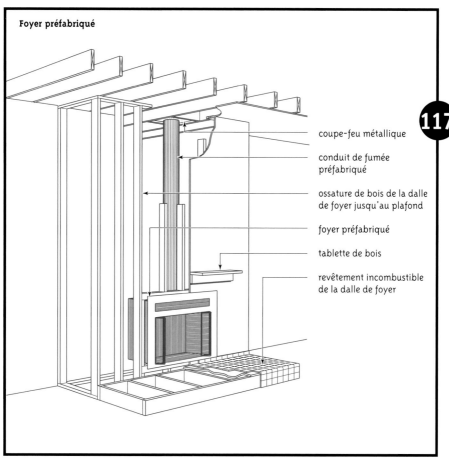

coupe-feu métallique

conduit de fumée préfabriqué

ossature de bois de la dalle de foyer jusqu'au plafond

foyer préfabriqué

tablette de bois

revêtement incombustible de la dalle de foyer

POUR UNE MAISON SAINE...

Choix d'un appareil à combustion au bois

L'appareil à combustion au bois assure un mode de chauffage efficace et abordable de la maison, exploitant une ressource énergétique renouvelable. Il importe de choisir l'appareil tout indiqué qui fonctionne sûrement, proprement et efficacement.

Appareil à combustion au bois

➡ Lors de la sélection d'un appareil de chauffage au bois, rechercher, en plus de l'homologation d'*Underwriters' Laboratory*, l'étiquette de certification de l'EPA. Cette agence de protection de l'environnement des États-Unis a été, en Amérique du Nord, le premier organisme à établir des normes d'émission concernant les appareils de chauffage au bois, en réaction aux préoccupations soulevées à l'égard de la pollution de l'air par la combustion du bois. La certification de l'EPA garantit la combustion propre de l'appareil et, par conséquent, sa haute efficacité.

➡ Placer l'appareil dans un secteur de la maison où sa chaleur immédiate sera ressentie. Les pièces où les occupants passent beaucoup de leur temps, comme la salle familiale ou le séjour, bénéficieront de la présence d'un poêle à bois ou d'un foyer. Un appareil avec portes vitrées offre la vue agréable du feu. Les appareils de chauffage au bois se révèlent également utiles dans les solariums ou les ateliers non chauffés.

➡ Distribuer la chaleur dans les autres parties de la maison en faisant fonctionner le système de chauffage à air pulsé ou le système de ventilation en mode de recirculation.

➡ Ne recourir qu'au type de cheminée qui a été certifié pour fins d'emploi avec l'appareil. Suivre les instructions du fabricant et faire inspecter l'installation par le service de lutte contre l'incendie de sa localité avant de finir les travaux.

➡ Brûler du bois en provenance de terres à bois gérées. Éviter d'encourager les approvisionneurs qui n'observent pas les règles de la gestion des ressources écologiques des forêts. Le bois qui a séché pendant au moins 2 ans s'avère le bois le meilleur et le plus propre à brûler. Les bois durs ont généralement préséance sur les bois tendres puisqu'ils brûlent généralement plus longtemps. Par contre, toute espèce convenable, séchée, se consumera comme il se doit dans un système de chauffage au bois bien installé.

ISOLATION THERMIQUE

La résistance thermique désigne l'efficacité d'un ensemble de construction, mur ou plafond à ralentir la progression du mouvement de chaleur qui le traverse. Cette résistance thermique s'exprime en valeur R (RSI). Bien que la plupart des matériaux opposent une certaine résistance à la transmission de la chaleur, ceux qui s'utilisent généralement pour l'ossature, le bardage et la finition y résistent plutôt faiblement. L'isolant thermique a justement pour raison d'être de réduire les déperditions de chaleur de la maison. La construction à ossature de bois se prête bien à cette opération puisqu'elle compte beaucoup de vides qui se remplissent aisément de matériaux isolants assez peu coûteux. Les cavités ou lames d'air proprement dites offrent une bonne résistance aux déperditions de chaleur, mais cette caractéristique intéressante est grandement accrue par l'addition d'isolant.

Autrefois, en raison du prix de l'énergie, il était peu courant de combler d'isolant thermique l'espace entre les poteaux, d'isoler le comble sur plus de la hauteur de la membrure inférieure des fermes ou des solives de toit, ou encore d'isoler les murs de fondation. La situation a bien changé. En effet, le coût élevé de l'énergie et le souci de l'économiser incitent fortement à combler les vides de la structure et même à en modifier la construction pour admettre davantage d'isolant. Il est aussi devenu de plus en plus évident que les murs de fondation non isolés représentent une importante source de déperditions calorifiques.

TYPES D'ISOLANTS

Les isolants thermiques se fabriquent à partir de différents matériaux et se présentent sous diverses formes. Ils se rangent en quatre catégories principales.

Isolant en matelas

L'isolant en matelas est constitué de bandes de fibres de verre ou de fibres de laitier d'aciérie retenues ensemble par un liant, coupées en longueurs et en largeurs convenant aux entraxes courants, et offertes dans une gamme d'épaisseurs. Étant légèrement plus large que l'espacement des éléments d'ossature, l'isolant en matelas tient en place par friction.

Il arrive souvent qu'il faille mettre en œuvre de l'isolant dans des vides moins profonds que l'épaisseur des matelas. Par exemple, on peut utiliser des matelas de 6 po (150 mm) dans un mur à poteaux de 2 x 6 po (38 x 140 mm). La compression qui s'ensuit exerce une influence négligeable sur la résistance thermique de l'isolant.

Isolant en vrac

Les nombreux types d'isolants en vrac, constitués de fibre de verre, de fibre minérale ou de fibre cellulosique, se mettent en œuvre à la main ou à l'aide d'un appareil de soufflage.

Isolant rigide

L'isolant rigide se fabrique en

panneaux à partir de matériaux tels que la fibre de bois, la mousse plastique expansée ou extrudée.

Isolant semi-rigide

L'isolant en panneau semi-rigide, généralement fait de fibre de verre ou de laine minérale, s'avère assez souple comparativement à l'isolant en panneau rigide de sorte qu'il ne s'endommage pas aussi facilement sous l'effet de chocs d'impact ou de la flexion.

Isolant en mousse

Il existe des procédés d'isolation faisant appel à la pulvérisation ou à l'injection sous pression de mousse plastique comme le polyuréthane et l'isocyanurate qui, en quelques minutes à peine, se transforment en mousse rigide. Puisque cette opération représente la dernière étape de fabrication et qu'elle se déroule à pied d'œuvre, l'installateur doit être très compétent et consciencieux pour offrir un produit de qualité et de consistance uniformes.

QUANTITÉ D'ISOLANT THERMIQUE

La quantité d'isolant thermique requise à l'égard des différentes parties de la maison se trouve dans le *Code national de l'énergie pour les habitations - Canada 1995*. Elle est liée à la rigueur du climat selon la répartition par zones au sein de chaque province et au coût du combustible de chauffage des locaux. Les zones de chacune des provinces sont établies en fonction des degrés-jours. Le calcul des degrés-jours pour une localité donnée s'obtient en additionnant les écarts entre 64°F (18°C) et la température moyenne de chacune des journées de l'année accusant une température moyenne inférieure à 18°C. Les valeurs de calcul pour certaines localités du Canada sont indiquées dans le Code national du bâtiment.

Il faut bien comprendre que les valeurs de résistance thermique R (RSI) répertoriées dans le *Code national de l'énergie pour les habitations* ne constituent que des valeurs minimales de résistance thermique effective. La *résistance thermique effective* diffère de la *résistance thermique nominale* en ce sens que la première tient compte de la formation des ponts thermiques imputables aux éléments d'ossature, alors que la seconde se rapporte à la somme des valeurs R (RSI) mises en œuvre. La valeur requise de résistance thermique effective figurant dans le *Code national de l'énergie pour les habitations* représente vraiment le minimum. Dans de nombreux cas, il vaut la peine d'envisager des valeurs R (RSI) plus élevées au moment de construire une maison, car il s'avère beaucoup plus facile d'y incorporer alors de l'isolant supplémentaire qu'après coup.

Tout mur, plafond et plancher séparant un espace chauffé d'un espace non chauffé ou de l'extérieur doit être isolé. Les murs de fondation séparant le sous-sol chauffé ou le vide sanitaire de l'extérieur ou du sol doivent être isolés sur leur face intérieure jusqu'à au moins 24 po (600 mm) sous le niveau du sol, sinon sur la pleine hauteur de leur paroi

RAPPEL

Détails des fondations et de la charpente

Le choix du type et de la quantité d'isolant ne saurait se faire sans égard aux détails des fondations et de la charpente. Se reporter aux chapitres mentionnés ci-dessous pour faire en sorte que la charpente de la maison puisse recevoir la quantité d'isolant requise :

➡ Consulter la section Fondations du chapitre **Semelles, fondations et dalle.**

➡ Revoir les chapitres intitulés **Charpente du plancher, Ossature murale** et **Charpente du plafond et du toit.**

Mise en œuvre d'isolant rigide contre la face extérieure d'un mur de béton

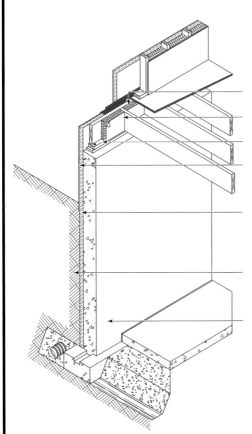

118

matelas isolant R 12 (RSI 2,1)

pare-vapeur

lisse d'assise

crépi de ciment de ½ po (12 mm) appliqué sur lattis métallique cloué à la lisse d'assise et au béton

polystyrène extrudé de type 4, de 2 po (50 mm), ou polystyrène expansé de type 2, ou isolant rigide de fibre de verre collé au béton

remblai granulaire rapporté autour de l'isolant pour éviter toute dégradation imputable au soulèvement dû au gel

mur de béton de 8 po (200 mm)

Valeur de résistance thermique effective :
R 11.2 (RSI 1,97)

extérieure. Les sections suivantes indiquent les méthodes d'isolation applicables aux différentes parties de la maison. Les figures illustrent plusieurs méthodes d'isolation des éléments du bâtiment. Cela ne signifie pas qu'elles sont les seules valables. Des matériaux, épaisseurs et espacements spécifiques sont indiqués dans ces figures afin de permettre le rapprochement avec les différents modes de calcul de la résistance thermique effective. Dans la plupart des

cas, ils ne reflètent qu'une solution parmi d'autres tout aussi acceptables. Il faut cependant recalculer la résistance thermique effective si les éléments diffèrent de ceux des illustrations ou des indications des tableaux du *Code national de l'énergie pour les habitations*.

ISOLATION DES FONDATIONS

Les murs de fondation enfermant un

Isolation d'un mur de béton à l'aide de matelas (fourrures horizontales)

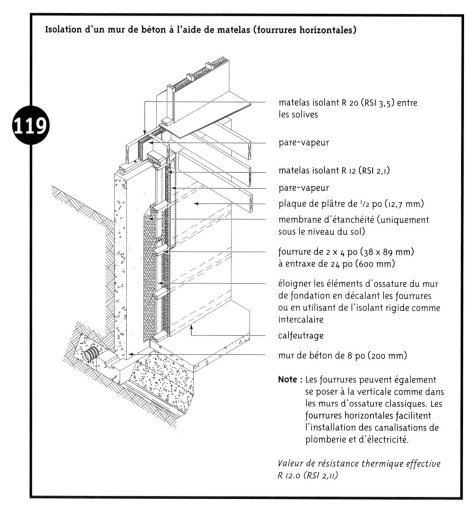

matelas isolant R 20 (RSI 3,5) entre les solives

pare-vapeur

matelas isolant R 12 (RSI 2,1)

pare-vapeur

plaque de plâtre de 1/2 po (12,7 mm)

membrane d'étanchéité (uniquement sous le niveau du sol)

fourrure de 2 x 4 po (38 x 89 mm) à entraxe de 24 po (600 mm)

éloigner les éléments d'ossature du mur de fondation en décalant les fourrures ou en utilisant de l'isolant rigide comme intercalaire

calfeutrage

mur de béton de 8 po (200 mm)

Note : Les fourrures peuvent également se poser à la verticale comme dans les murs d'ossature classiques. Les fourrures horizontales facilitent l'installation des canalisations de plomberie et d'électricité.

Valeur de résistance thermique effective R 12.0 (RSI 2,11)

119

espace chauffé doivent être isolés sur leur pleine hauteur.

L'isolant mis en œuvre sur la face extérieure du mur ou sur le pourtour de la dalle doit être d'un type non susceptible d'être endommagé par l'eau, comme le polystyrène expansé ou extrudé, soit d'un type qui puisse évacuer l'eau, comme les panneaux rigides de fibre de verre. En outre, l'isolant se trouvant au-dessus du sol doit être protégé par un crépi de ciment de ½ po (12 mm) appliqué sur un lattis métallique contre la face et le chant exposés (figure 118).

Posé sur la face intérieure du mur de fondation, l'isolant se trouvant sous le niveau du sol et les fourrures de bois rapportées doivent être protégés contre l'humidité par une membrane d'étanchéité en polyéthylène de 0,002 po (0,05 mm) ou par deux couches de bitume appliquées sur le mur jusqu'au niveau du sol. L'emploi d'isolant peu absorbant (polystyrène expansé, par exemple) ne requiert pas au préalable d'imperméabiliser le mur, sauf qu'il faudra protéger les fourrures, par exemple, en les enveloppant partiellement dans une pellicule de polyéthylène. Par contre, pour que l'humidité qui aurait réussi à s'infiltrer dans le mur puisse s'échapper, les deux faces du mur situées au-dessus du sol ne doivent pas être imperméabilisées (figure 119).

L'isolant rigide en panneau doit être collé au mur au moyen d'un coulis de ciment ou d'un adhésif synthétique appliqué en bandes formant grillage. Ce mode de collage est recommandé pour limiter la circulation d'air humide derrière l'isolant et ainsi éviter la formation de conden-

sation et de givre entre le mur et l'isolant. L'adhésif à base de protéines devra également renfermer un produit de préservation.

Vu le risque élevé de propagation des flammes, l'isolant en matière plastique appliqué sur la face intérieure des murs de sous-sol doit être revêtu d'un matériau de finition acceptable. D'autres types d'isolant doivent aussi être protégés contre tout dommage. Lorsqu'un revêtement de protection contre l'incendie est exigé, l'isolant doit être fixé mécaniquement aux éléments d'ossature au moins en partie supérieure et inférieure des panneaux et autour des ouvertures.

L'isolant se place généralement entre les poteaux des fondations en bois traité. Les vides seront de préférence comblés parfaitement de façon à prévenir les poches d'air et les boucles de convection.

Le béton ordinaire, c'est-à-dire ayant une masse volumique de 15 lb/pi³ (2 400 kg/m³), s'utilise généralement pour la construction des murs du sous-sol. Le béton léger permet d'atteindre une résistance thermique plus élevée, sauf qu'il doit avoir, après 28 jours, une résistance à la compression d'au moins 2 000 lb/po² (15 MPa).

Dans les illustrations suivantes, l'isolant couvre toute la hauteur du mur de fondation. Dans les murs en blocs de béton qui ne sont pas recouverts d'isolant sur toute leur hauteur, il peut se former des courants de convection. C'est pourquoi le chant inférieur de l'isolant rigide doit être scellé par calfeutrage et celui de l'isolant en matelas, par une fourrure massive.

ISOLATION DU PLANCHER

Tout plancher construit au-dessus d'un vide sanitaire non chauffé ou d'un garage chauffé ou non doit être isolé.

Lorsque le dessous du plancher n'est pas fini, il faut prévoir un moyen de supporter l'isolant. Dans le cas des matelas isolants maintenus par friction ou de l'isolant rigide (figure 120), le moyen le plus économique consiste à agrafer un treillis métallique ou un «grillage à poules» à la face inférieure des solives. Quant à l'isolant en vrac (figure 121), le support doit être en matériau massif (empêchant l'isolant de s'échapper), mais suffisamment perméable (pour ne pas emprisonner la vapeur d'eau qui aurait réussi à traverser le pare-vapeur).

Le pare-vapeur se pose bien sûr contre la face supérieure ou du côté chaud de l'isolant. Aucun autre pare-vapeur n'est requis lorsque le support de revêtement de sol est en contre-plaqué à joints serrés ou obturés, puisqu'il remplit généralement bien la fonction de pare-air et très bien celle de pare-vapeur.

L'isolant doit être soigneusement ajusté autour des croix de Saint-André et des entretoises disposées entre les solives, surtout s'il s'agit de matelas isolants ou d'isolant rigide. L'isolant en matelas et l'isolant rigide requièrent un soin particulier. Il importe également de ne pas oublier de mettre de l'isolant dans les petits vides, comme entre les solives jumelées séparées par des cales ou entre un mur et la première solive. Dans ces cas, l'isolant doit être taillé légèrement plus grand et posé avec

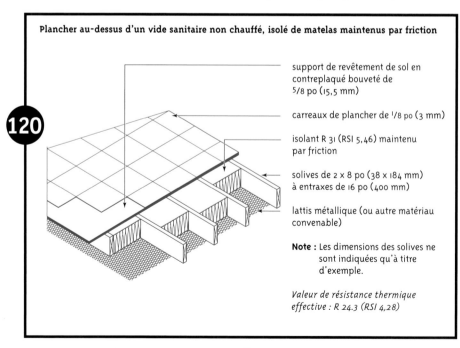

Plancher au-dessus d'un vide sanitaire non chauffé, isolé de matelas maintenus par friction

120

support de revêtement de sol en contreplaqué bouveté de 5/8 po (15,5 mm)

carreaux de plancher de 1/8 po (3 mm)

isolant R 31 (RSI 5,46) maintenu par friction

solives de 2 x 8 po (38 x 184 mm) à entraxes de 16 po (400 mm)

lattis métallique (ou autre matériau convenable)

Note : Les dimensions des solives ne sont indiquées qu'à titre d'exemple.

Valeur de résistance thermique effective : R 24.3 (RSI 4,28)

soin en évitant de le tasser en paquets ou de trop le comprimer.

Lorsque l'isolant ne comble pas l'espace entre les solives sur toute leur hauteur, les extrémités des solives doivent faire l'objet d'une attention particulière. La zone des solives de rive et de bordure correspond effectivement à un mur et doit donc être isolée en conséquence. Le pare-air très étanche mis en œuvre sur tout le pourtour et en dessous de l'isolant empêchera le plus possible l'air froid de pénétrer entre les solives et de compromettre l'efficacité de l'isolant.

L'isolation du plancher au-dessus d'un espace non chauffé contribue à minimiser les pertes de chaleur à travers le plancher, sans toutefois réussir à éliminer la sensation de froid. Combler les espaces de mousse isolante à pulvériser ou à souffler constitue une solution de rechange au chauffage à rayonnement par le sol. L'emploi de moquette ou de tapis contribuera également à accroître le confort du plancher au-dessus d'un espace non chauffé.

ISOLATION DES MURS

La résistance thermique effective maximale qu'on peut obtenir d'une ossature murale à poteaux de 2 x 4 po (38 x 89 mm) en remplissant les vides de matelas isolants et en faisant usage de matériaux de finition intérieure, de revêtement intermédiaire et de bardage courants, est d'environ R 12 (RSI 2,1). Le choix judicieux du revêtement intermédiaire et du bardage permet de faire passer cette valeur à R 13 (RSI 2,3). Cette valeur, quoique convenable pour les bâtiments occupés de façon saisonnière, n'est

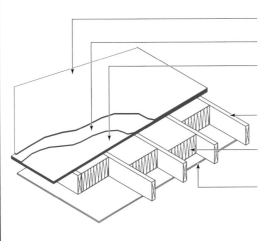

Plancher au-dessus d'un vide sanitaire non chauffé, pourvu d'isolant en vrac

moquette

sous-couche moquette

support de revêtement de sol en contreplaqué bouveté de 3/4 po (18,5 mm)

121

solives de 2 x 8 po (38 x 184 mm) à entraxes de 16 po (400 mm)

isolant de fibre de verre en vrac R 31 (RSI 5,46)

revêtement intermédiaire en panneau de fibres isolant de 7/16 po (11 mm)

Note : Les dimensions des solives ne sont indiquées qu'à titre d'exemple.

Valeur de résistance thermique effective : R 27 (RSI 4,91) pas conforme aux exigences du code en vigueur. Aller au-delà de cette valeur exige l'adoption de mesures particulières. On pourra avoir recours à des poteaux plus profonds, mesurant par exemple 2 x 6 po (38 x 140 mm), pour insérer des matelas isolants plus épais (figure 122). L'utilisation de produits isolants affichant une résistance thermique supérieure constitue un moyen simple d'accroître l'efficacité du mur (figure 123). Une autre technique consiste à utiliser des poteaux de 2 x 4 po (38 x 89 mm), à en remplir les vides de matelas isolants et à poser un isolant rigide sur la face extérieure, à la place ou en plus du revêtement intermédiaire (figure 124). Cette dernière méthode a pour avantage d'assurer une proportion appréciable de la résistance thermique du mur de façon continue sur toute l'os

sature murale et par conséquent de minimiser les pertes de chaleur à travers les éléments d'ossature.

Certains types d'isolants semi-rigides sont dotés, sur une de leurs faces, d'un revêtement de polyoléfine filée-liée perméable à la vapeur d'eau, mais imperméable à l'air. Il constitue donc un excellent pare-air lorsque les joints des panneaux sont pontés. La polyoléfine filée-liée ou le poly-éthylène perforé, qui se vend en rouleaux de 4 pi (1,2 m) et 9 pi (2,7 m), se pose sur la face extérieur des murs et constitue à ce titre un pare-air efficace.

D'autres types d'isolants, comme les matières plastiques rigides, offrent une faible perméabilité à la vapeur d'eau, mais une imperméabilité à l'eau et à l'air. Ils constituent un bon pare-air à condition d'être posés à joints serrés et calfeutrés.

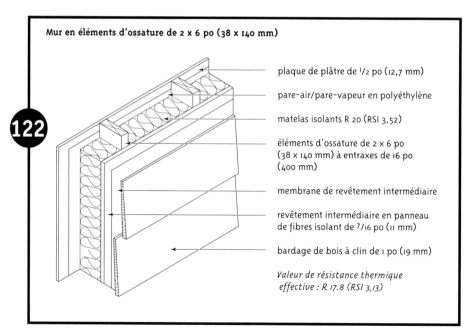

Mur en éléments d'ossature de 2 x 6 po (38 x 140 mm)

122

plaque de plâtre de 1/2 po (12,7 mm)

pare-air/pare-vapeur en polyéthylène

matelas isolants R 20 (RSI 3,52)

éléments d'ossature de 2 x 6 po (38 x 140 mm) à entraxes de 16 po (400 mm)

membrane de revêtement intermédiaire

revêtement intermédiaire en panneau de fibres isolant de 7/16 po (11 mm)

bardage de bois à clin de 1 po (19 mm)

Valeur de résistance thermique effective : R 17.8 (RSI 3,13)

Mur en éléments d'ossature de 2 x 6 po (38 x 140 mm) assorti d'une haute efficacité thermique

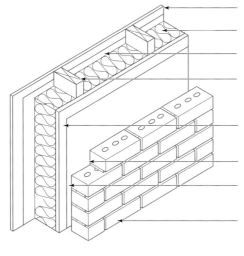

plaque de plâtre de 1/2 po (12,7 mm)

matelas isolants R 22 (RSI 3,87)

pare-vapeur

123

éléments d'ossature de 2 x 6 po (38 x 140 mm) à entraxes de 16 po (400 mm)

revêtement intermédiaire en plaque de plâtre de 1/2 po (12,7 mm)

lame d'air de 1 po (25 mm)

membrane de revêtement intermédiaire (pare-air)

brique d'argile de 4 po (100 mm)

Valeur de résistance thermique effective : R 19.1 (RSI 3,37)

Mur en éléments d'ossature de 2 x 4 po (38 x 89 mm) isolé de l'extérieur

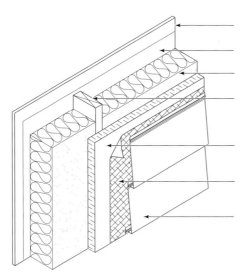

plaque de plâtre de 1/2 po (12,7 mm)

pare-vapeur

matelas isolants R 12 (RSI 2,11)

124

éléments d'ossature de 2 x 4 po (38 x 89 mm) à entraxes de 16 po (400 mm)

polystyrène expansé de 1 1/2 po (38 mm) cloué aux poteaux

membrane de revêtement intermédiaire (pare-air)

bardage métallique horizontal avec support en panneau de fibres dur cloué à travers le polystyrène jusqu'aux poteaux

Valeur de résistance thermique effective : R 16.7 (RSI 2,94)

L'usage d'une membrane de revêtement intermédiaire placée par-dessus le revêtement isolant est exigé dans le but d'évacuer l'eau de pluie, à moins que les joints du revêtement intermédiaire soient scellés ou conçus pour évacuer l'eau.

L'emploi d'isolant en vrac dans les murs n'est pas autorisé puisque sa mise en œuvre exige que le vide soit encloisonné et qu'il est difficile de combler totalement les cavités. En outre, l'isolant en vrac finit par se tasser sous l'effet des vibrations et par laisser un espace non isolé en partie supérieure du mur. Par contre, certains systèmes faisant appel à l'in-jection d'isolant en vrac et d'un liant, tel le latex, offrent une texture semi-rigide.

À moins de ne pouvoir faire autrement, il faut éviter de placer les accessoires électriques et mécaniques, comme les boîtes, tuyaux et conduits, dans les murs extérieurs. Par contre, si la situation l'exige, il faut ajuster soigneusement l'isolant autour des éléments en question, ainsi qu'entre ces éléments et la surface extérieure du mur sans comprimer l'isolant.

L'isolant destiné à combler de petits vides aux intersections, aux angles et autour des ouvertures doit être taillé un peu plus grand que l'espace à remplir et posé avec soin sans trop le tasser ou le comprimer.

Le mur séparant l'habitation du garage doit avoir la même résistance thermique que les murs extérieurs, que le garage soit chauffé ou non, étant donné que le garage est souvent laissé ouvert pendant de longues périodes.

ISOLATION DU PLAFOND D'UN TOIT À FERMES OU À CHEVRONS

Les matelas épais que le marché destine à l'isolation des plafonds sont fabriqués en largeurs égales aux entraxes habituels des éléments de charpente du toit. La partie inférieure de l'isolant se trouve légèrement comprimée entre les éléments de char-pente, tandis que la partie supérieure conserve sa pleine largeur et recouvre le dessus des éléments, contribuant ainsi à réduire les pertes de chaleur à travers l'ossature.

L'isolant en vrac peut également servir à recouvrir les éléments de char-pente. Contrairement aux matelas de dimensions normalisées, son avan-tage réside dans le fait que l'on peut n'utiliser que la quantité d'isolant désirée. Il faut cependant prendre bien soin de placer l'isolant à la densité indiquée, sans quoi il pourra se tasser. Il faut aussi éviter que l'isolant en vrac se répande sur les orifices de ventilation du débord de toit et veiller à ce qu'il ne soit pas déplacé par le vent qui s'y engouffre. Des déflecteurs comme ceux qui sont illustrés à la figure 125 empêchent l'isolant d'obstruer la circulation d'air.

L'isolant en matelas ou en panneau rigide doit être posé à joints serrés contre les éléments structuraux et disposé de façon à laisser l'air circuler librement par les orifices de ventilation.

ISOLATION DU TOIT/PLAFOND À SOLIVES

Lorsque le revêtement de finition du plafond se fixe directement au chant inférieur des éléments de charpente, les éléments d'ossature du toit prennent le nom de solives et non de chevrons. On retrouve ce genre de construction dans les toits plats, et les plafonds «cathédrale» ou en pente. Lorsque l'isolation du toit se fait entre le plafond et le support de couverture, des problèmes de condensation peuvent survenir parce que l'espace compris entre l'isolant et le support de couverture se trouve divisé en plusieurs petits compartiments très difficiles à ventiler. Ainsi, l'humidité qui réussit à s'infiltrer par les imperfections du pare-air/pare-vapeur ne se dissipe pas, s'accumule et se

Méthodes permettant d'éviter de bloquer la ventilation au débord de toit : *(A)* détail proposé pour une ferme classique; *(B)* détail proposé pour une ferme à talon relevé.

125

Isolation d'un toit/plafond à solives entre le plafond et le support de couverture

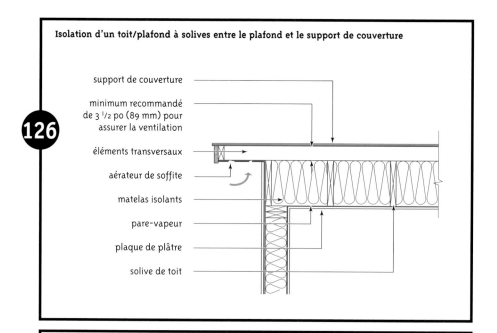

- support de couverture
- minimum recommandé de 3 ¹/₂ po (89 mm) pour assurer la ventilation
- éléments transversaux
- aérateur de soffite
- matelas isolants
- pare-vapeur
- plaque de plâtre
- solive de toit

126

Autre façon d'isoler un toit/plafond à solives entre le plafond et le support de couverture. Cette méthode vaut lorsque la pente est d'au moins 1 : 6, que les solives sont orientées dans le même sens que la pente et que l'espace est continu du débord de toit jusqu'au faîte et ventilé dans les deux directions.

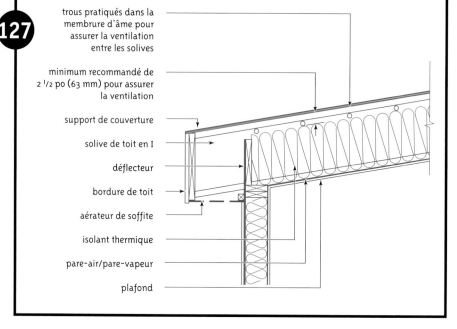

- trous pratiqués dans la membrure d'âme pour assurer la ventilation entre les solives
- minimum recommandé de 2 ¹/₂ po (63 mm) pour assurer la ventilation
- support de couverture
- solive de toit en I
- déflecteur
- bordure de toit
- aérateur de soffite
- isolant thermique
- pare-air/pare-vapeur
- plafond

127

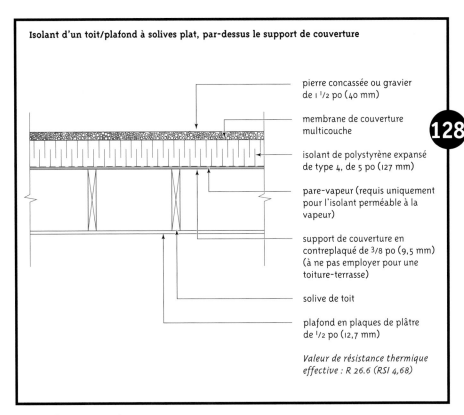

Isolant d'un toit/plafond à solives plat, par-dessus le support de couverture

pierre concassée ou gravier de 1 1/2 po (40 mm)

membrane de couverture multicouche

isolant de polystyrène expansé de type 4, de 5 po (127 mm)

pare-vapeur (requis uniquement pour l'isolant perméable à la vapeur)

support de couverture en contreplaqué de 3/8 po (9,5 mm) (à ne pas employer pour une toiture-terrasse)

solive de toit

plafond en plaques de plâtre de 1/2 po (12,7 mm)

Valeur de résistance thermique effective : R 26.6 (RSI 4,68)

128

condense. Les figures 126 et 127 proposent des moyens de prévenir cette situation.

Une autre façon de prévenir la formation de condensation dans le toit/plafond à solives consiste à poser l'isolant par-dessus le support de couverture, selon les techniques courantes suivies dans la construction de toits plats (figure 128).

OUVRAGES DE RÉFÉRENCE

Code national de l'énergie pour les habitations - Canada 1995
Conseil national de recherches du Canada
Guide du constructeur de l'ACCH
Association canadienne des constructeurs d'habitations

POUR UNE MAISON SAINE...

Choix de l'isolant thermique

Le marché offre de nombreux isolants thermiques et le nombre ne cesse d'augmenter vu que les fabricants cherchent à améliorer la performance et à faciliter la mise en œuvre de leurs produits. Voici les facteurs importants à considérer lors du choix de l'isolant thermique.

➡ **Santé des occupants.** Ne jamais utiliser des produits isolants susceptibles de porter préjudice à la santé des occupants. La situation risque de se produire lorsque l'isolant est laissé à découvert ou que des particules s'infiltrent dans le réseau de conduits.

➡ **Efficacité énergétique.** L'efficacité énergétique de l'isolant thermique peut varier considérablement par unité d'épaisseur. Par exemple, la valeur de résistance thermique de l'isolant en matelas de fibre de verre placé entre les éléments d'ossature de 2 x 6 po (38 x 140 mm) peut varier de R 19 (RSI 3,3) à R 22 (RSI 3,9). Chercher à obtenir l'efficacité thermique la plus élevée possible.

➡ **Utilisation efficace des ressources.** Dans la mesure du possible, faire usage de matériaux isolants fabriqués de dérivés industriels ou de déchets recyclés. La plupart des produits de fibre de verre ou de fibre minérale de même que les produits cellulosiques répondent à ces critères. Le choix tout indiqué de matériaux isolants marque une étape importante vers une utilisation efficace accrue des ressources en construction d'habitations.

➡ **Responsabilité en matière d'environnement.** Éviter d'utiliser les matériaux isolants faisant appel à des procédés ou à des substances chimiques nuisibles à l'environnement. Par exemple, certaines mousses isolantes comportant des agents gonflants dégradent la couche d'ozone.

Il y a aussi les produits qui produisent des effluents toxiques au cours de leur fabrication. Effectuer une recherche attentive des matériaux isolants pour s'assurer que son pouvoir d'achat incite à la responsabilité en matière d'environnement.

➡ **Abordabilité.** La stabilité et la longévité des matériaux isolants font en sorte que leur résistance thermique déclarée se poursuit tout au cours de la durée utile de la maison. Soupeser les matériaux innovants au regard de leur performance éprouvée, puisque les coûts de chauffage de l'habitation risquent d'influer grandement sur son abordabilité, en particulier pour les ménages à revenu fixe.

L'isolant thermique est un élément d'économie d'énergie passif à choisir avec un soin attentif.

PARE-VAPEUR ET PARE-AIR

Bien des activités courantes qui se déroulent à l'intérieur de la maison, comme la cuisson, la lessive, le lavage de la vaisselle, les bains et les douches, produisent une quantité considérable de vapeur d'eau qui, étant absorbée par l'air ambiant, en élève le degré d'humidité. Si, par temps froid, cette vapeur d'eau parvient jusque dans la structure extérieure de la maison, la température basse qui y règne aura tôt fait de la transformer en eau ou en givre. Comme le mouillage de l'ossature, de l'isolant et du bardage est de toute évidence à éviter, certaines précautions doivent être prises pour contenir la vapeur d'eau à l'intérieur du logement. C'est précisément le rôle qu'est appelé à remplir le «pare-vapeur».

Deux phénomènes expliquent la présence de la vapeur d'eau dans la structure : la pression de vapeur et le mouvement d'air.

En hiver, l'air à l'intérieur de l'habitation contient plus de vapeur d'eau que l'air à l'extérieur. La différence de pression de vapeur tend donc à accélérer la diffusion de la vapeur d'eau à travers les matériaux constitutifs de la structure. La plupart des matériaux de construction sont, à un certain point, perméables au passage de la vapeur d'eau, mais ceux qui sont classifiés comme pare-vapeur (tel le polyéthylène) affichent une très faible perméabilité et offrent donc une très forte opposition à la diffusion.

Le mouvement d'air est le second mécanisme d'infiltration de la vapeur d'eau dans la structure. Il existe souvent une différence de pression d'air entre l'extérieur et l'intérieur de la maison, imputable à l'effet de tirage, au fonctionnement de ventilateurs et à l'action du vent. Lorsque la pression intérieure est supérieure à celle de l'extérieur, l'air a tendance à s'échapper vers l'extérieur par les trous et fissures de l'enveloppe, entraînant dans son mouvement la vapeur d'eau qu'il contient. Il est reconnu que le mouvement d'air contribue davantage au transfert de la vapeur d'eau que la diffusion. La caractéristique la plus importante du pare-vapeur réside dans sa continuité puisque d'elle dépend toute son efficacité. De nombreux matériaux, comme les plaques de plâtre, résistent bien au passage de l'air, mais non à la diffusion de la vapeur d'eau.

Le polyéthylène s'emploie couramment comme pare-vapeur et pare-air. Cette combinaison est certes pratique, mais il n'en demeure pas moins qu'il est très difficile d'assurer la continuité du pare-air. Il est difficile de sceller efficacement certains points de l'enveloppe de la maison, notamment les solives de rive ou de bordure, les ouvertures, les raccordements aux services publics, la colonne de ventilation, la cheminée, les canalisations électriques et les détails de charpente inhabituels.

Après avoir bien saisi l'importance d'éliminer tout parcours direct de l'intérieur vers l'extérieur par les cavités murales, on peut prendre les mesures additionnelles qui s'imposent pour rendre le pare-air/pare-vapeur efficace. Le pare-air doit pouvoir résister aux pressions du vent parfois très fortes. Par contre, la pression de vapeur, qui ne l'est pas autant, se neutralise plus facilement.

MISE EN PLACE

Le pare-air peut se mettre en place n'importe où dans l'enveloppe, mais le pare-vapeur va du côté chaud de l'ossature. Le matériau appelé à tenir lieu à la fois de pare-air et de pare-vapeur se pose du côté chaud de l'ossature. Une légère dérogation à cette règle n'est permise que dans le cas de murs très épais. En l'occurrence, le tiers de la résistance thermique ou de

la valeur R (RSI) totale du mur peut être assurée du côté intérieur du pare-air/pare-vapeur.

Il est préférable d'utiliser le polyéthylène à cette fin. Il se vend en grandes feuilles, de la hauteur des pièces, qui peuvent se poser avec un minimum de joints, d'où réduction du nombre d'ouvertures où l'air peut passer. Tous les joints doivent chevaucher sur deux éléments d'ossature consécutifs. Le Code national du bâtiment précise que le polyéthylène utilisé comme pare-air ou comme pare-vapeur lorsqu'une résistance élevée au mouvement de vapeur d'eau est requise, comme dans la construction de murs comportant un pare-

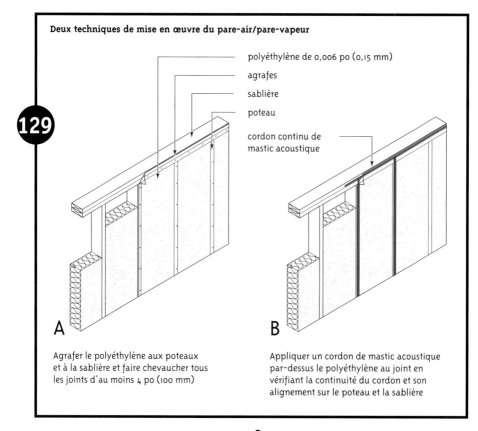

Deux techniques de mise en œuvre du pare-air/pare-vapeur

polyéthylène de 0,006 po (0,15 mm)
agrafes
sablière
poteau
cordon continu de mastic acoustique

129

A Agrafer le polyéthylène aux poteaux et à la sablière et faire chevaucher tous les joints d'au moins 4 po (100 mm)

B Appliquer un cordon de mastic acoustique par-dessus le polyéthylène au joint en vérifiant la continuité du cordon et son alignement sur le poteau et la sablière ment extérieur ou un revêtement intermédiaire ayant une faible perméabilité à la vapeur d'eau, doit avoir une épaisseur minimale de 0,006 po (0,15 mm) et être conforme aux normes correspondantes (figure 129).

Il importe au plus haut point de ne pas entreposer le polyéthylène exposé au soleil, car les rayons ultra-violets risquent d'en compromettre considérablement l'intégrité; c'est pourquoi il convient de le ranger dans un contenant opaque à l'abri de l'ensoleillement direct et des températures élevées.

Le pare-air/pare-vapeur du plafond doit recouvrir celui des murs et les deux doivent se prolonger sans interruption à l'intersection des cloisons. Puisque les cloisons sont habituellement montées avant la mise en œuvre de l'isolant thermique et du pare-vapeur/pare-air, on en assure la continuité en posant sur le dessus et aux extrémités des cloisons des bandes de pare-vapeur/pare-air d'au moins 18 po (450 mm) qu'on rabat par la suite sur le pare-air/pare-vapeur

principal. Il s'avère souvent nécessaire de marcher sur le dessus des cloisons pendant la construction du toit. On placera alors les bandes de pare-vapeur/pare-air entre les deux sablières (figure 130) en vue de les protéger et d'assurer une meilleure prise pour les pieds. Dans le cas de cloisons non porteuses, la sablière du dessus peut n'être qu'une planche de 1 po (19 mm) puisqu'elle ne vise qu'à protéger le pare-vapeur.

Le pare-vapeur/pare-air doit s'étendre jusqu'aux bâtis de fenêtres et de portes et leur être agrafé; il doit en outre être fixé à l'aide de ruban adhésif aux câbles et aux tuyaux qui le traversent. Il doit enfin être continu derrière les boîtes électriques des murs extérieurs. La continuité est assurée en enveloppant les boîtes d'une pièce de polyéthylène de 0,006 po (0,15 mm) et en la fixant temporairement par ruban adhésif ou encore en la calfeutrant aux câbles qui pénètrent dans la boîte. Cette pièce de polyéthylène pourra chevaucher le pare-vapeur/pare-air environnant lors de sa mise

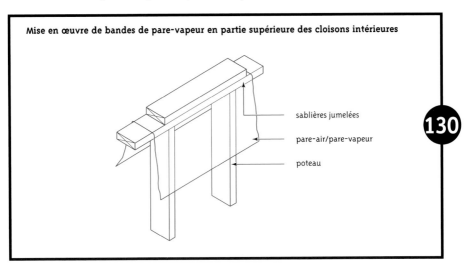

Mise en œuvre de bandes de pare-vapeur en partie supérieure des cloisons intérieures

sablières jumelées

pare-air/pare-vapeur

poteau

130

en œuvre ultérieure. Le chevauche-ment doit correspondre tout au moins à 4 po (100 mm), s'effectuer sur les éléments d'ossature ou être calfeutré. En revanche, il existe dans le commerce des coffrets en poly-éthylène conçus précisément à cet effet. La solution idéale consiste toute-fois à éviter autant que possible de placer des prises de courant dans les murs extérieurs.

Il importe également de protéger par un pare-vapeur l'isolant ther-mique disposé entre les solives de plancher, contre la solive de rive. Il est généralement très difficile de réaliser un pare-air efficace à cet endroit car les matériaux doivent être taillés et ajustés entre les solives (figure 131). Il faut donc exécuter le travail avec

encore plus de soin au plancher de l'étage supérieur là où les fuites d'air risquent le plus de se manifester en raison de l'effet de tirage. Lorsque le mur extérieur comporte un revête-ment intermédiaire isolant, celui-ci peut se prolonger pour couvrir les solives de rive et de bordure. Il est, par contre, généralement préférable d'avoir recours à un pare-air, comme une membrane de polyoléfine filée-liée ou de polyéthylène perforé, à cet endroit. (*Note : S'abstenir d'envelop-per de polyéthylène l'extérieur de la solive de rive ou de bordure.*) En cas d'ajout d'isolant à l'intérieur, il faudra pourvoir d'un pare-vapeur la face intérieure de l'isolant pour que l'air chargé de vapeur d'eau ne parvienne pas jusqu'aux solives de rive et de

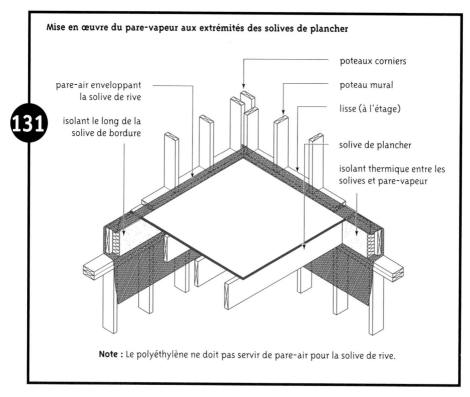

Mise en œuvre du pare-vapeur aux extrémités des solives de plancher

poteaux corniers

pare-air enveloppant la solive de rive

poteau mural

lisse (à l'étage)

isolant le long de la solive de bordure

solive de plancher

isolant thermique entre les solives et pare-vapeur

Note : Le polyéthylène ne doit pas servir de pare-air pour la solive de rive.

bordure pour s'y condenser.

Il faut de plus appliquer un cordon de calfeutrage au pourtour de l'isolant par souci d'étanchéité à l'air. Cette opération s'exécute bien sur une surface rigide ou semi-rigide; l'isolant rigide se prête donc bien à cette fin, mais certains autres isolants semi-rigides ou souples avec support de papier d'aluminium renforcé font aussi l'affaire. Le soin méticuleux apporté à assurer la continuité du revêtement intermédiaire et de la membrane de revêtement se traduira par une meilleure étanchéité à l'air.

Constituant fréquemment un point faible du pare-vapeur/pare-air, la trappe d'accès au comble doit être pourvue d'un coupe-froid efficace.

OUVRAGES DE RÉFÉRENCE

The Details of Air Barrier Systems for Houses

Régime de garantie des logements neufs de l'Ontario

Guide du constructeur de l'ACCH

Association canadienne des constructeurs d'habitations

POUR UNE MAISON SAINE...

Étanchéité à l'air et intégrité de l'enveloppe du bâtiment

Le bâtiment étanche à l'air n'existe pas vraiment, mais la poursuite du meilleur degré d'étanchéité possible importe pour préserver l'intégrité de son enveloppe. La durabilité est un aspect fondamental des principes mêmes de la maison saine que représentent l'utilisation efficace des ressources et la responsabilité en matière d'environnement.

La recherche a établi que la présence d'humidité dans l'enveloppe du bâtiment s'explique par la diffusion de vapeur d'eau et les fuites d'air. Pendant la saison de chauffe, la diffusion de la vapeur d'eau se veut un processus lent qui implique une concentration élevée de molécules d'eau, depuis l'air ambiant du bâtiment qui se diffuse à travers les matériaux de construction vers une concentration plus faible de molécules d'eau à l'extérieur. C'est pourquoi la présence d'un pare-vapeur s'impose pour bien faire obstacle à la diffusion de vapeur d'eau.

Les fuites d'air depuis l'intérieur du bâtiment jusqu'à l'extérieur (exfiltration) transportent la vapeur d'eau qu'elles contiennent. Les fuites d'air peuvent transporter plus de 30 fois autant d'humidité que la diffusion de vapeur, déposant l'eau à l'intérieur de l'ensemble de construction dans des zones concentrées autour des points de fuite d'air. Cette situation doit absolument être évitée, étant donné que la plupart des matériaux de construction sont

suite à la page 232

suite de la page 231

fortement susceptibles de subir les méfaits de l'humidité. Seul un pare-air continu parvient à stopper la migration d'humidité aéroportée.

Points essentiels

➜ Viser le degré d'étanchéité à l'air le plus haut possible. En plus de protéger l'enveloppe du bâtiment, l'étanchéité à l'air favorise l'efficacité énergétique, permet de mieux régir la ventilation naturelle et mécanique, en plus d'accentuer l'isolement acoustique.

➜ Bien situé et scellé, le polyéthylène constitue un excellent pare-air/pare-vapeur. Se rappeler de toujours le disposer du côté chaud de l'isolant thermique.

➜ Il est recommandé de compter sur un pare-air extérieur, surtout si l'isolant thermique des murs est perméable à l'air. Faire en sorte que le pare-air ne constitue pas également un pare-vapeur.

➜ L'étanchéité à l'air se veut un processus cumulatif. L'exécution soignée des travaux de construction de toute l'enveloppe du bâtiment est essentielle à une performance hors pair. La mise en œuvre judicieuse du pare-air ne remédie pas aux techniques de construction laissant à désirer.

PROTECTION CONTRE L'INCENDIE ET ISOLEMENT ACOUSTIQUE

Les murs mitoyens de bâtiments destinés à un usage collectif, tels que duplex et maisons jumelées, doivent avoir un degré de résistance au feu et d'isolement acoustique.

Les techniques de construction énoncées procurent aux murs et aux planchers le degré d'isolement acoustique qui répond à des exigences acceptables.

L'emploi de parements et de murs intérieurs conformes au degré de résistance au feu requis garantit la résistance à la propagation des flammes. Différents matériaux de finition offerts sur le marché sont assortis d'un indice de propagation de la flamme déterminé par des laboratoires d'essai reconnus.

AVERTISSEURS DE FUMÉE

Le Code national du bâtiment et la plupart des codes locaux prescrivent l'installation d'avertisseurs de fumée dans les logements, c'est-à-dire généralement un détecteur de fumée combiné à un avertisseur branché sur un circuit électrique. Il existe deux types fondamentaux d'avertisseurs de fumée : le type à ionisation qui détecte les produits de combustion et le type à cellule photo-électrique.

Emplacement et installation

Les avertisseurs de fumée doivent être situés à l'intérieur ou près de chaque chambre et à chaque étage, y compris au sous-sol. Ils doivent être fixés au plafond ou sur un mur, à entre 8 po (200 mm) et 12 po (300 mm) du plafond.

Le code du bâtiment exige habituellement de raccorder les avertisseurs de fumée en permanence à un circuit électrique. Il ne doit pas y avoir d'interrupteurs entre les avertisseurs de fumée et le tableau de distribution de la maison. Le circuit ne doit pas non plus être raccordé à une prise de courant murale.

Les avertisseurs à piles peuvent s'utiliser dans les endroits non alimentés en électricité. Ces appareils sont conçus pour fonctionner pendant au moins un an; lorsque la vie utile de la pile tire à sa fin, l'appareil émet un court signal avertisseur de façon intermittente, pendant sept jours.

Il ne sera fait usage que des avertisseurs de fumée certifiés conformes aux exigences du code du bâtiment. Les avertisseurs de fumée étiquetés par un organisme d'essai reconnu, comme *Underwriters' Laboratories of Canada*, sont conformes à des normes acceptables.

OUVRAGE DE RÉFÉRENCE

Code national du bâtiment - Canada 1995
Conseil national de recherches du Canada

233

VENTILATION

La ventilation des maisons, et à ce propos de tout bâtiment occupé, est nécessaire pour maintenir une qualité de l'air acceptable et réguler le degré d'humidité à l'intérieur. La qualité de l'air intérieur, importante pour des raisons de santé et de bien-être, peut être préservée par la ventilation des contaminants et des odeurs. Ne pas se préoccuper du degré d'humidité à l'intérieur de la maison risque de se répercuter sur la santé des occupants si les conditions propices à la prolifération de moisissure ne sont pas éliminées. De plus, la régulation du taux d'humidité intérieur est également essentielle à l'intégrité de l'enveloppe du bâtiment. L'humidité qui migre depuis l'intérieur de la maison jusqu'à l'extérieur peut s'accumuler dans l'enveloppe du bâtiment en occasionnant de sérieux dommages à l'ossature de bois. La ventilation permet également de rafraîchir l'intérieur en présence de taux d'humidité élevés.

La ventilation des bâtiments s'effectue par circulation naturelle, généralement en ouvrant les fenêtres, et par circulation mécanique, par le recours à un système de ventilation quelconque qui évacue l'air vicié et admet de l'air frais extérieur dans la maison. Les sections suivantes font état de ces deux modes et de leurs exigences fondamentales énoncées dans le Code national du bâtiment.

VENTILATION NATURELLE

La ventilation naturelle assurée par l'ouverture des fenêtres s'effectue en dehors de la saison de chauffe, lorsque l'air admis dans la maison se trouve à une température confortable. Pendant la saison de chauffe, le Code national du bâtiment présume que les occupants seront dissuadés d'ouvrir les fenêtres en raison des courants d'air froid et de la perte d'énergie qui s'ensuivraient et requiert l'installation d'un système de ventilation mécanique commandé. Dans certains cas, les fenêtres ouvertes par temps très froid sont une source de déperdition calorifique, mais pourraient ne pas bien se fermer en raison de la formation de glace, de sorte qu'en pareilles situations, seul un système de ventilation mécanique convenable assurera la ventilation requise comme il se doit.

La surface libre minimale des orifices de ventilation spécifiée dans le Code national du bâtiment vaut pour les pièces qui ne sont pas ventilées mécaniquement. C'est donc dire qu'aucune fenêtre ouvrante n'est requise dans la pièce desservie par une bouche d'admission ou d'évacuation d'air du système de ventilation mécanique. Dans la pratique cependant, les occupants s'attendent normalement à retrouver une fenêtre ouvrante dans la plupart des pièces, et, dans certains cas, les fenêtres ouvrantes doivent être prévues comme moyen d'évacuation en situation d'incendie.

En planifiant attentivement le type, l'emplacement et l'orientation des fenêtres ouvrantes, il est possible d'assurer une ventilation et un refroidissement par circulation naturelle hautement efficaces. En été, les fenêtres donnant du côté des vents dominants agissent tel un déflecteur en dirigeant la brise dans toute la maison. Prévoir des ouvertures au bas et au haut favorise la ventilation naturelle par temps mort.

VENTILATION MÉCANIQUE

Le Code national du bâtiment requiert l'installation d'un système de ventilation mécanique d'une capacité prescrite, pouvant fonctionner de façon continue, dans toute maison destinée à être occupée à longueur d'année. Cette exigence ne signifie pas nécessairement que les occupants de la maison doivent faire fonctionner le système à sa puissance maximale de façon continuelle. Chez les ménages se livrant à beaucoup d'activités produisant de l'humidité, comme la cuisson, les bains, le lavage du plancher, la ventilation mécanique continue à faible débit pourrait être nécessaire pour régir l'humidité intérieure. En d'autres occasions, faire fonctionner continuellement le système à sa pleine capacité permettra d'enrayer les contaminants découlant de l'application de peinture ou de la tenue d'activités sociales. Chez les ménages sédentaires ou n'occupant pas la maison pendant de longues périodes, le fonctionnement

intermittent du système de ventilation mécanique suffira peut-être à préserver la qualité de l'air intérieur. Dans un tel contexte, le système de ventilation mécanique doit être considéré comme un appareil visant à préserver la santé et le bien-être des êtres humains de même que l'intégrité de l'enveloppe du bâtiment. Ces systèmes doivent idéalement autoriser en tout confort la gamme complète des activités normales des ménages sans surventiler ni sousventiler la maison.

Options en matière de systèmes de ventilation mécanique

Il existe essentiellement deux options de systèmes de ventilation mécanique pour l'habitation. La première option s'entend des prescriptions du Code national du bâtiment, alors que la seconde suppose la conception et l'installation expertes d'un système de ventilation conforme aux exigences de la norme *CAN/CSA F326, Ventilation mécanique des habitations*. L'exposé qui suit porte sur les prescriptions du Code national du bâtiment. Le lecteur obtiendra de plus amples renseignements en se reportant aux ouvrages de référence indiqués à la fin du présent chapitre.

Les systèmes de ventilation autonomes, c'est-à-dire non jumelés à une installation de chauffage à air pulsé, se composent de ventilateurs, de conduits, de grilles et de commandes qui évacuent l'air de certaines pièces de la maison et alimentent en air les pièces dont l'air n'est pas extrait. Ces systèmes présentent l'avantage d'être conçus uniquement pour les besoins de la ventilation, indépendamment du chauffage et du refroidissement. L'air frais admis doit cependant être tempéré pour assurer une température confortable de l'alimentation en air. Les systèmes de ventilation autonomes s'installent généralement dans les maisons chauffées autrement que par un générateur à air pulsé.

Les systèmes de ventilation jumelés à une installation de chauffage à air pulsé ressemblent aux systèmes de ventilation autonomes, mais partagent le même réseau de conduits que l'installation de chauffage pour alimenter en air frais les pièces chauffées. Les commandes des systèmes de ventilation et de chauffage doivent être reliées pour que le ventilateur du générateur d'air chaud puisse procéder au mixage et à la circulation de l'air extérieur acheminé vers le réseau de distribution. L'installation de systèmes de ventilation jumelés coûte généralement moins cher puisque le générateur de chaleur possède déjà son réseau de conduits. Les coûts de fonctionnement sont tributaires de l'efficacité du ventilateur du générateur.

Ventilateur récupérateur de chaleur

Le ventilateur récupérateur de chaleur (VRC) est un système de ventilation permettant de recouvrer de l'air extrait la chaleur dans le but de préchauffer l'air frais admis de l'extérieur. De nombreuses études concluent qu'à long terme le VRC constitue une solution de rechange efficiente, les économies d'énergie étant plus que compensées par les dépenses d'immobilisations d'origine élevées. Le VRC offre également l'avantage de tempérer l'air admis, éliminant d'office le besoin de chauffage auxiliaire.

La technologie canadienne des ventilateurs récupérateurs de chaleur ne cesse de gagner en abordabilité, en efficacité et en perfectionnement. À présent, il se fabrique deux types de ventilateurs récupérateurs de chaleur au Canada : l'échangeur de chaleur à plaques et l'échangeur à roue thermique.

Le ventilateur avec échangeur de chaleur à plaques fonctionne suivant un débit d'air parallèle ou à contre-courant (figure 132A) traversant des plaques plastiques ou métalliques. L'air extérieur et l'air intérieur che-

RAPPEL

Tenir compte du passage des conduits lors de l'étape de la charpente

Lors de la planification de l'installation du système de ventilation, il importe de prévoir le passage ou le logement des conduits. Autrement, ils devront sans doute être dissimulés par une retombée de plafond pratiquée dans des aires aménagées de la maison. Pour obtenir de précieux conseils, veuillez vous reporter à l'encadré **À prévoir** du chapitre **Charpente du plancher.**

minent en alternance par des plaques voisines. Au cours de l'échange de chaleur entre les plaques consécutives, l'humidité provenant de l'air intérieur se condense et est évacuée en direction de la colonne de plomberie. C'est la raison pour laquelle la maison équipée d'un échangeur de chaleur à plaques doit souvent être humidifée pour y assurer un degré d'humidité relative intérieur convenable.

Le ventilateur avec échangeur à roue thermique fait appel à une roue thermique fabriquée d'un matériau déshydratant (figure 132B). L'air intérieur traversant la roue thermique

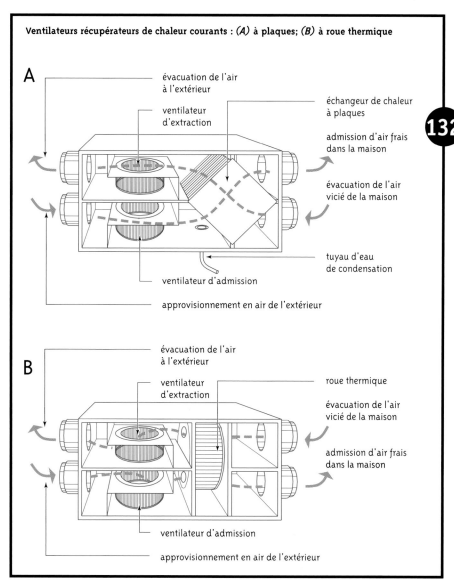

Ventilateurs récupérateurs de chaleur courants : (A) à plaques; (B) à roue thermique

A

évacuation de l'air à l'extérieur

ventilateur d'extraction

échangeur de chaleur à plaques

admission d'air frais dans la maison

évacuation de l'air vicié de la maison

tuyau d'eau de condensation

ventilateur d'admission

approvisionnement en air de l'extérieur

132

B

évacuation de l'air à l'extérieur

ventilateur d'extraction

roue thermique

évacuation de l'air vicié de la maison

admission d'air frais dans la maison

ventilateur d'admission

approvisionnement en air de l'extérieur

dépose sa teneur en humidité dans le matériau de déshydratation et comme la roue thermique tourne dans le débit d'air intérieur, l'humidité et la chaleur sont libérées dans le circuit d'approvisionnement en air. L'humidification de la maison n'est généralement pas requise avec ce type de VRC, pas plus qu'il n'est nécessaire de prévoir un tuyau d'évacuation de l'eau de condensation.

Les deux types de VRC s'installent aussi bien comme systèmes de ventilation autonomes qu'à titre de systèmes de ventilation jumelés à une installation de chauffage à air pulsé. Le VRC bien installé fournit un débit équilibré d'alimentation et d'évacuation, n'entraînant ni surpression ni dépression dans la maison. Cette caractéristique en fait un appareil se prêtant idéalement bien aux maisons équipées d'appareils à combustion tels que foyers ou poêles à bois. De plus, certains types de VRC fonctionnent suivant un mode de recirculation d'air de façon à distribuer dans toute la maison la chaleur produite par un appareil de chauffage au bois.

Fonctionnement et entretien du système de ventilation mécanique

Le fonctionnement et l'entretien sont sans contredit deux des aspects les plus importants du système de ventilation mécanique. Pour fonctionner avec efficacité, le système de ventilation mécanique doit non seulement être conçu et installé selon les règles de l'art, mais être commandé judicieusement par les occupants.

L'entretien du système de ventilation mécanique porte généralement sur le nettoyage des grillages, des filtres ainsi que l'entretien de l'appareil selon les instructions du fabricant. Il va sans dire que l'accessibilité de l'appareil joue un rôle important.

Il est de mise de consulter un entrepreneur en chauffage avant d'arrêter les derniers détails du plan de la maison de façon à pouvoir bien intégrer le système de ventilation mécanique et coordonner les travaux en conséquence.

OUVRAGE DE RÉFÉRENCE

Comment se conformer aux exigences de ventilation des bâtiments résidentiels du Code national du bâtiment de 1995
Société canadienne d'hypothèques et de logement

POUR UNE MAISON SAINE...

Ventilation, régulation de l'humidité et qualité de l'air intérieur

Il importe de bien comprendre le rapport existant entre la ventilation, la régulation de l'humidité et la qualité de l'air intérieur au moment de concevoir et de construire une maison.

Ventilation

➡ La ventilation s'impose tout autant dans les maisons peu étanches que dans les constructions étanches, puisque le vent, l'écart entre les température intérieure et extérieure, de même que l'emplacement et la répartition des fuites ne peuvent pas toujours se contrôler pleinement.

➡ La ventilation peut s'effectuer par circulation naturelle ou mécanique, mais il faut bien admettre que la ventilation naturelle ne peut faire l'objet d'un contrôle efficace à tout moment. La ventilation mécanique qui évacue l'air de la cuisine, des salles de bains et de toute autre pièce où de l'humidité est produite, et alimente en air extérieur les autres pièces habitables, contrôle des plus efficacement le degré d'humidité intérieur.

Régulation de l'humidité

➡ La régulation de l'humidité est essentielle dans toute maison, mais spécialement dans celles qui se situent en milieu froid, comme au Canada. Si l'humidité enregistre un niveau trop élevé dans la maison et que le pare-air/pare-vapeur ne joue pas bien son rôle, il se peut que l'humidité migre dans les ensembles de construction, y entraînant la formation de condensation et l'accumulation d'humidité risquant d'endommager la structure et les composants de la maison. La condensation sur les fenêtres peut également conduire à la détérioration de leur revêtement et de leur pièce d'appui.

➡ Un niveau d'humidité élevé dans la maison risque également d'occasionner la prolifération de moisissures dont bon nombre, a-t-on découvert, portent atteinte à la santé humaine, en plus de tacher les revêtements de finition en permanence.

Qualité de l'air intérieur

➡ La qualité de l'air intérieur se régit le mieux en éliminant les contaminants à la source, c'est-à-dire en fixant son choix sur des matériaux de construction tout indiqués et en portant une attention particulière aux produits employés et au style de vie des occupants.

➡ Faire fonctionner judicieusement la ventilation mécanique dans le but d'éliminer le surplus d'humidité et les odeurs suffit normalement pour maintenir à l'intérieur de la maison une qualité de l'air acceptable lorsque les contaminants ont été éliminés à la source ou raisonnablement réduits.

239

REVÊTEMENTS INTÉRIEURS DE FINITION DES MURS ET DES PLAFONDS

Les revêtements intérieurs de finition désignent tous les matériaux recouvrant l'ossature intérieure des murs et des plafonds, allant des plus courants, soit les plaques de plâtre, aux moins usuels comme les panneaux de contreplaqué, les panneaux de fibres durs avec ou sans placage similibois, ou le bois massif.

PLAQUES DE PLÂTRE

Les plaques de plâtre constituent le revêtement de finition le plus largement employé en raison de la rapidité de leur mise en œuvre, de leur coût peu élevé et de l'uniformité des résultats obtenus. En outre, les plaques se fabriquent en divers types suivant leur destination : plaques ignifuges, à revêtement de papier métallique, hydrofuges ou préfinies. On trouve également dans le commerce divers types d'attaches, de colles, d'accessoires de finition, de systèmes de pose et de fourrures. À cause de leur faible épaisseur, les plaques doivent être posées sur des poteaux ou solives bien alignés. Il importe donc, à cette fin, d'utiliser du bon bois de construction, de bien le poser (par exemple, la cambrure des solives tournée vers le haut) et d'ajouter des contreventements et les fourrures qui s'imposent.

Les plaques de plâtre se composent d'une couche de plâtre prise dans une enveloppe de papier. Elles mesurent 4 pi (1,22 m) de largeur sur différentes longueurs à partir de 8 pi (2,44 m). Leurs rives longitudinales sont amincies pour recevoir le composé et le ruban de jointoiement. Des plaques de plâtre de 3/8 po (9,5 mm) d'épaisseur peuvent certes s'utiliser sur des appuis muraux disposés à entraxes de 16 po (400 mm), mais celles de 1/2 po (12,7 mm) s'emploient plus couramment vu leur résistance accrue. Lorsque les appuis se trouvent à entraxes de 24 po (600 mm), leur épaisseur minimale doit correspondre à 1/2 po (12,7 mm).

Les plaques de plâtre se posent habituellement en une seule épaisseur, directement contre l'ossature. Au plafond, leur côté long est généralement perpendiculaire aux solives. On fixe également des fourrures en bois de 1 x 4 po (19 x 89 mm) à la face inférieure des solives et, ici, le côté long des plaques a un parcours parallèle aux solives. Sur les murs, la mise en œuvre se fait généralement à l'horizontale puisque cette technique permet de réduire le clouage et la longueur des joints. Ainsi les joints horizontaux réalisés à 4 pi (1,2 m) du plancher sont moins visibles, sans compter qu'ils sont plus faciles à ponter que les joints verticaux, étant continus et à une hauteur commode. Les extrémités des plaques, qui ne sont pas amincies, doivent se terminer à un angle et toujours sur un appui. Cette façon de procéder permet de fixer les plaques solidement et de réduire les risques de soulèvement des têtes de clous.

Les plaques de plâtre se posent et se fixent avec aussi peu d'attaches supplémentaires que possible. On peut les fixer aux éléments d'ossature par clouage simple, clouage double, collage et clouage, ou vissage. La technique de collage et clouage suppose l'application d'un cordon continu d'adhésif sur la face des

éléments d'ossature en bois.

Les plaques se fixent au moyen de clous annelés à tige de 3/32 po (2,3 mm) et tête de 7/32 po (5,5 mm) de diamètre. Ils doivent être suffisamment longs pour s'enfoncer d'au moins 3/4 po (20 mm) dans l'appui. Le plafond qui doit comporter un degré de résistance au feu supérieur à la moyenne doit comporter des plaques de plâtre spéciales fixées avec des attaches enfoncées plus profondément. L'emploi d'un marteau spécial permet d'enfoncer la tête des clous légèrement sous la surface de la

Finition des plaques de plâtre : (A) clou enfoncé avec un marteau à tête bombée; (B) pontage d'un joint; (C) pliage du ruban aux angles rentrants

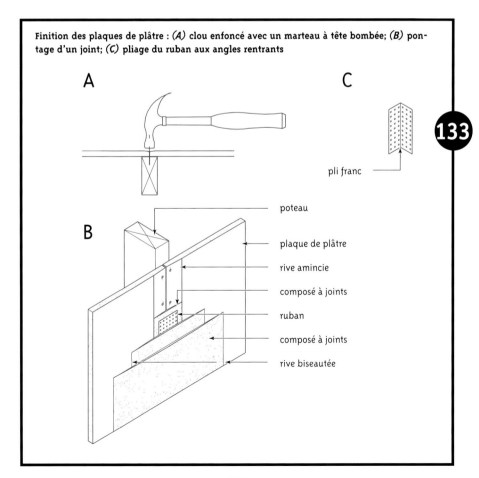

plaque pour ainsi créer une dépression superficielle (figure 133A). Aux rives amincies, les clous peuvent être enfoncés à égalité avec la surface puisqu'ils seront plus tard couverts de ruban et de composé à joints.

Les plaques de plâtre peuvent se fixer par clouage double, c'est-à-dire en enfonçant les clous par paires à environ 2 po (50 mm) l'un de l'autre et à intervalles de 12 po (300 mm) le long des appuis (figure 134B), ou par clouage simple, mais à entraxes de 4 3/4 à 7 po (120 à 180 mm) le long des appuis au plafond et de 6 à 8 po (150 à 200 mm) sur les murs (figure 134A). Plus communément employée, la méthode de clouage double a le mérite de diminuer le risque de soulèvement des têtes de clous.

Un tournevis mécanique spécial permet également de fixer les plaques de plâtre. L'espacement des vis correspond à un entraxe de 12 po (300 mm) aux rives et aux appuis intermédiaires. La distance peut passer à 16 po (400 mm) lorsque les appuis se trouvent à entraxes d'au plus 16 po (400 mm). Les vis doivent être assez longues pour s'enfoncer d'au moins 5/8 po (15 mm) dans les appuis.

Lorsque deux épaisseurs de plaques s'imposent, pour ajouter à l'isolement acoustique ou au degré de résistance au feu, les plaques peuvent être clouées ou vissées de la façon habituelle, sauf que la pénétration des attaches de la couche supérieure doit être la même que celle de la couche d'en dessous.

Avant le pontage des joints, tout le papier lâche doit être retiré, puis les joints nettoyés. On remplit ensuite les joints de plus de 1/8 po (3 mm) de

largeur de composé, puis on le laisse sécher. Les angles saillants sont protégés par des baguettes d'angle résistant à la corrosion ou des moulures de bois, alors qu'aux angles rentrants, le ruban est plié selon les indications de la figure 133C.

Le composé à joints est prémélangé ou offert sous forme de poudre à laquelle on ajoute de l'eau pour lui donner la consistance d'un mastic mou. On peut appliquer le composé à l'aide d'outils à main, bien qu'on utilise maintenant des applicateurs mécaniques pour ponter et lisser les joints.

La première couche de composé à joints s'applique en bande de 5 po (125 mm) de largeur, sur toute la longueur du joint. On presse ensuite le ruban dans le composé frais à la truelle ou au couteau à mastic large. Il faut prendre soin d'enlever l'excédent de composé, de lisser le ruban et d'amincir à rien les bords de la bande de composé (figure 133B).

Lorsque la première couche a durci, on applique une deuxième couche de composé en bande de 8 po (200 mm) de largeur le long des rives amincies et de 10 po (250 mm) de largeur le long des autres rives. Ici encore, on amincit à rien les bords des bandes de composé.

La troisième couche est appliquée et amincie à rien sur une largeur de 10 à 12 po (200 à 250 mm) dans le cas des rives amincies et de 16 po (400 mm) dans le cas des autres rives. On doit porter une attention toute particulière à cette dernière couche pour que la surface du joint soit lisse et n'apparaisse pas comme un renflement du mur. Une fois que la troisième couche a durci, il faut en poncer les bords amincis à rien, en prenant soin de ne pas endommager le parement de papier des plaques de plâtre.

Les têtes de clous et les marques au centre des plaques doivent être couvertes de deux couches de composé à joints. Le pontage et la

Mise en œuvre de plaques de plâtre : *(A)* pose verticale de plaques de plâtre selon la méthode de clouage simple; *(B)* pose horizontale de plaques de plâtre selon la méthode de clouage double. Lorsque l'extrémité des plaques de plâtre du plafond repose sur celle des plaques murales, on peut s'abstenir de clouer les plaques murales le long de leur rive supérieure, pourvu que les clous les plus élevés sur le mur ne se trouvent pas à plus de 8 po (200 mm) du plafond. La fixation des plaques du plafond doit débuter à environ 8 po (200 mm) de la face du mur pour tenir compte du mouvement différentiel.

134

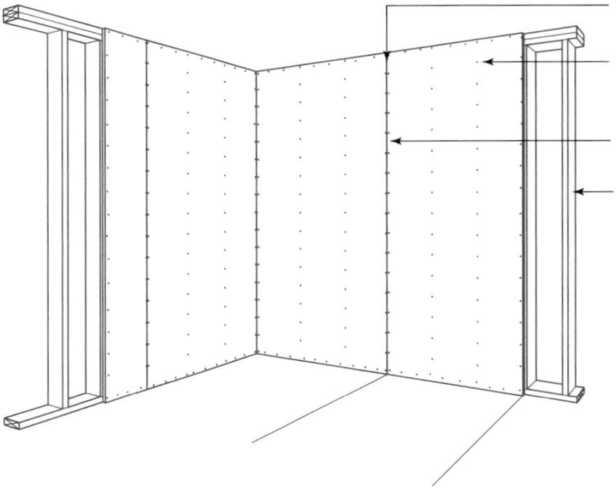

A

contact modéré

entraxe de 6 po à 8 po
(150 - 200 mm)

rive amincie

poteau

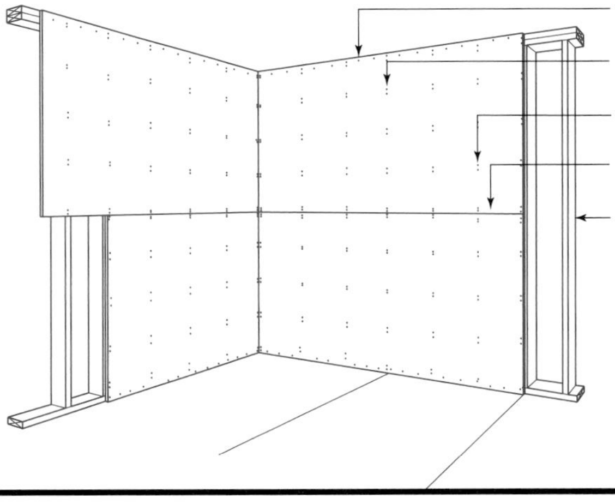

B

intervalle de 2 po (50 mm)

intervalle de 12 po (300 mm)

clouer ou visser au poteau

rive amincie

poteau

finition des plaques de plâtre doivent se faire à une température minimale de 50°F (10°C).

AUTRES REVÊTEMENTS DE FINITION

Les autres produits de finition des murs et des plafonds sont le contreplaqué, les panneaux de fibres dur avec ou sans revêtement similibois, et le bois de construction.

Le contreplaqué se pose ordinairement à la verticale, en panneaux ou en bandes. Il doit avoir une épaisseur minimale de 3/16 po (4,7 mm) sur des appuis à entraxes de 16 po (400 mm) et de 5/16 po (8 mm) sur des appuis à entraxes de 24 po (600 mm). Lorsque les murs comportent des fourrures à mi-hauteur, on peut utiliser du contreplaqué de 3/16 po (4,7 mm) sur des appuis à entraxes de 24 po (600 mm) ou moins. Les panneaux ou les bandes se clouent à toutes les rives avec des clous à finir de 1 1/2 po (38 mm), à entraxes de 6 po (150 mm) le long des rives et de 12 po (300 mm) aux appuis intermédiaires. Les panneaux sont offerts sans fini ou avec fini appliqué en usine. Pour accenter l'effet des panneaux, on peut poser le contreplaqué en bandes espacées de 3/4 po (20 mm) sur un fond de clouage fixé à l'ossature.

Les panneaux de fibres durs se posent habituellement à la verticale. Les panneaux minces de 1/8 po (3,2 mm) doivent être posés sur un fond de clouage continu. Les panneaux peuvent se clouer directement aux poteaux, à condition d'utiliser des panneaux de 1/4 po (6 mm) d'épaisseur sur des appuis à entraxes maximaux de 16 po (400 mm) et de 3/8 po (9 mm) sur des appuis à entraxes maximaux de 24 po (600 mm). Les rives des panneaux de fibres durs doivent toutes être appuyées et clouées de la même façon que le contreplaqué. Les panneaux sont offerts dans le commerce finis ou non finis.

Il existe aussi des carreaux de fibres durs qui se posent généralement au plafond. Leurs dimensions peuvent varier de 12 x 12 po (300 x 300 mm) à 16 x 32 po (400 x 800 mm). Ces carreaux à rainure et languette se fixent par clouage ou agrafage dissimulé. Les clous ou agrafes doivent avoir 1/2 po (12,7 mm) d'épaisseur lorsqu'ils sont posés à entraxes d'au plus 16 po (400 mm).

Il arrive qu'on utilise du bois de construction comme revêtement décoratif des murs et plafonds, sous forme de planches bouvetées de 4 à 8 po (100 à 200 mm) de largeur et de 5/8 à 3/4 po (15 à 20 mm) d'épaisseur. Les bois tendres désignent le cèdre (thuya), le pin ou la pruche, et les bois durs, l'érable, le bouleau ou merisier. Certaines de ces essences sont également offertes en panneaux de contreplaqué.

OUVRAGE DE RÉFÉRENCE

Pour une construction à mur sec sans problème
Société canadienne d'hypothèques et de logement

POUR UNE MAISON SAINE...

Choix du revêtement de finition des murs et plafonds

Vu le choix innombrable de revêtements de finition des murs et plafonds, il est primordial d'envisager les répercussions du choix des matériaux et revêtements de finition sur la santé des occupants et sur l'environnement, de même que l'entretien à long terme et l'adaptabilité du bâtiment. En effet, les murs et plafonds difficiles à nettoyer et à entretenir, qui résistent mal aux affronts du temps, constituent un fardeau permanent pour les occupants. Les revêtements de finition qui ne peuvent pas être modifiés par l'application de peinture, de papier peint ou par l'ajout de panneaux pourraient dicter leur
remplacement bien avant la fin de leur durée utile. Certains critères à envisager lors du choix du revêtement de finition des murs et plafonds sont résumés ci-après.

Choix tout indiqués

➡ Utiliser dans la mesure du possible des matériaux offerts dans la localité stimule l'économie et réduit les répercussions sur l'environnement qu'entraîne le transport sur de longues distances.

➡ Éviter de recourir à des produits synthétiques fabriqués à partir de matériaux non renouvelables ou à des matériaux non réutilisables ou recyclables, puisqu'ils finiront par se retrouver à la décharge.

➡ Choisir des matériaux en fonction de leur durabilité et de leur facilité d'entretien. L'expérience démontre que les panneaux en bois massif et les carreaux céramiques sont assortis d'une longue durée de vie. Les plaques et l'enduit de plâtre sont faciles à entretenir, à réparer et à refinir. Éviter d'employer du papier peint non recyclable.

➡ Certains revêtements intérieurs de finition des murs et plafonds se fixent par adhésifs. D'autres peuvent requérir un enduit particulier. S'assurer que ces adhésifs et enduits ne sont pas toxiques ni qu'ils rejettent des émissions longtemps. Les émanations et vapeurs provenant de ces matériaux sont connus pour causer de l'inconfort, et parfois, des troubles de santé.

Le revêtement intérieur de finition idéal des murs et plafonds n'existe pas, mais les décharges du pays   fourmillent de revêtements contre-indiqués. Il faut bien admettre que l'intérieur de la maison s'use à la longue, a besoin de nettoyage et même d'être rafraîchi à l'occasion. Cette démarche ne doit cependant pas exercer de contraintes sur l'environnement ou les occupants, mais plutôt traduire la volonté de perpétuer la notion de maison saine.

REVÊTEMENTS DE SOL

Le revêtement de sol désigne tout matériau constituant la surface d'usure du plancher. Parmi les nombreux genres offerts dans le commerce, chacun offre des avantages précis dans des conditions d'utilisation particulières. Quoi qu'il en soit, un revêtement de sol doit posséder deux qualités essentielles : durabilité et facilité d'entretien.

Les essences de bois durs comme le bouleau, l'érable, le hêtre ou le chêne servent à fabriquer les lames de parquet de diverses longueurs et épaisseurs. Certaines essences existent également en carreaux mosaïques. Il arrive quelquefois qu'on fasse usage de lames de parquet en bois tendre à fil vertical, en pin ou en pruche. Le parquet en bois se rencontre couramment dans la salle de séjour, la salle à manger, les chambres, les passages et les pièces polyvalentes comme la salle familiale et le cabinet de travail.

Parmi les autres matériaux se prêtant à cet usage, citons les revêtements de sol souples (en carreaux ou en feuilles) et les carreaux céramiques. Étant à l'épreuve de l'eau, ces matériaux se mettent en œuvre dans les salles de bains, la cuisine, les halls publics et les aires de rangement général. Bien sûr, la moquette peut faire fonction de revêtement de sol là où la résistance à l'eau n'est pas exigée.

LAMES DE PARQUET EN BOIS

Les lames de parquet sont fabriquées en diverses largeurs et épaisseurs, et vendues selon plusieurs catégories. Chaque paquet comprend des lames de longueurs tout-venant. Le tableau 38 établit leur épaisseur requise selon le support.

Pour l'assemblage, les lames ont un profil à rainure et languette en rive et en bout. Elles sont généralement évidées à l'endos et ont le dessus légèrement plus large que la face inférieure de sorte qu'une fois assemblées, leurs rives supérieures se touchent, laissant celles d'en dessous légèrement écartées. Les languettes doivent être ajustées à joint serré, sinon le plancher risque de craquer sous les pas.

La mise en place du revêtement de sol ne doit pas s'effectuer avant d'avoir terminé le plâtrage ou fini de poser le parement des murs et du plafond, mais toutes les fenêtres et portes extérieures doivent déjà être posées. Prendre cette précaution évite de mouiller inutilement le revêtement de sol ou encore de l'endommager au cours d'autres travaux de construction.

Un parquet en lames a meilleure apparence lorsqu'il est posé dans le sens de la longueur d'une pièce de forme rectangulaire. En prévison d'un tel parquet, les planches constituant le support de revêtement de sol se posent habituellement en diagonale de manière à permettre de poser les lames parallèlement ou perpendiculairement aux solives. S'il faut placer les lames parallèlement aux planches du support, une couche de pose, conforme aux indications de la section

Couche de pose d'un revêtement de sol souple, doit constituer l'assise de niveau des lames étroites.

On ne doit pas ranger les lames de bois dur dans la maison tant qu'on n'a pas bétonné la dalle du sous-sol et terminé le pontage des plaques de plâtre, car elles risqueraient d'absorber de l'humidité libérée pendant ces travaux, ce qui entraînerait le gonflement du bois. En pareil cas, les lames subiraient, après leur mise en place, un retrait et les joints s'ouvriraient. C'est pourquoi les lames doivent être rangées à l'endroit le plus chaud et le plus sec de la maison avant leur pose.

Divers types de clous, y compris les clous annelés ou torsadés, s'emploient pour fixer les lames de parquet. Le tableau 39 indique la longueur minimale des clous de même que leur espacement. Il existe également divers types d'agrafes se fixant à l'aide d'outils à main ou pneumatiques.

Pour assujettir le parquet en position, bon nombre d'ouvriers optent pour une cloueuse actionnée par un maillet, qui enfonce le clou au bon endroit, à l'angle voulu et le chasse à la profondeur adéquate. D'autres préfèrent se servir d'un marteau de menuisier.

La figure 135B illustre la façon de fixer la première lame en enfonçant le clou dans la rive rainurée de la planche. Les clous doivent s'enfoncer dans le support ou les solives, assez près de la rive pour que les plinthes ou quarts-de-rond les dissimulent. On doit également fixer la première lame par la languette.

Les autres lames se fixent (avec un marteau de menuisier) en enfonçant dans chacune d'elles des clous à 45° à l'endroit où se termine la languette (figure 135C). Il ne faut pas chasser les clous avec le marteau puisqu'il risquerait de frapper le bois et de l'endommager facilement (figure 135D). Il est préférable d'avoir recours à un chasse-clou pour achever de les enfoncer (figure 135D). Dans le but d'éviter que la languette ne fende, il s'avère parfois nécessaire de percer les trous à l'avance. Pour tous les rangs, sauf le premier, on doit choisir les lames au préalable d'après leur longueur, de manière à bien décaler les joints d'about par rapport à ceux du rang précédent (figure 135A). Un bout de lame inutilisable pour le parquet peut servir à ajuster chaque lame à joint serré contre celles du rang précédent, sans risquer d'endommager le bois avec le marteau.

PARQUET MOSAÏQUE

Les fabricants de revêtements de sol ont créé une vaste gamme de carreaux de parquet à motifs particuliers appelés «carreaux mosaïques». Un genre de carreau, se composant de plusieurs lames de parquet, existe en diverses épaisseurs, deux chants étant languetés et les deux opposés rainurés. Au moment de la pose, on alterne la direction des lames pour former un damier. Chaque fabricant énonce des directives précises de mise en œuvre qu'il convient de suivre à la lettre.

COUCHE DE POSE D'UN REVÊTEMENT DE SOL SOUPLE

Lorsque le support de revêtement de sol ne peut tenir lieu de couche de pose, au sens du chapitre **Charpente du plancher**, on doit recourir à une couche de pose distincte avant de mettre en œuvre le revêtement de sol souple ou à une thibaude dans le cas de la moquette.

Le contreplaqué de ¹/₄ po (6 mm)

Mise en œuvre de lames de parquet : (A) pose générale; **(B)** mise en place de la première lame; **(C)** méthode de clouage; **(D)** méthode proposée de chasser les clous

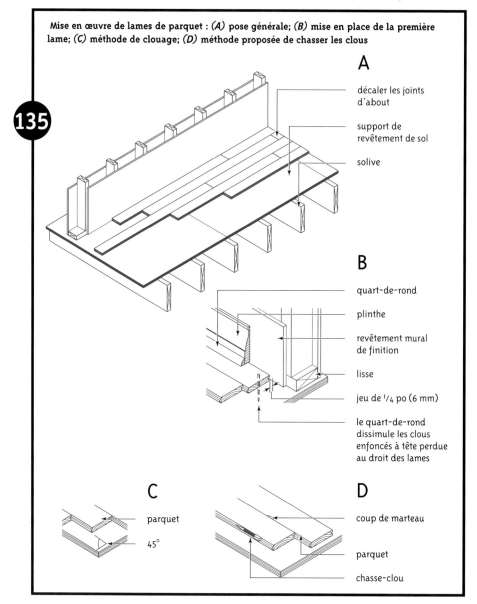

A

décaler les joints d'about

support de revêtement de sol

solive

B

quart-de-rond

plinthe

revêtement mural de finition

lisse

jeu de ¹/₄ po (6 mm)

le quart-de-rond dissimule les clous enfoncés à tête perdue au droit des lames

C

parquet

45°

D

coup de marteau

parquet

chasse-clou

d'épaisseur s'utilise couramment à cette fin. Les panneaux de particules de même épaisseur s'emploient également, mais on devra au préalable vérifier dans les instructions du fabricant qu'il les autorise pour fins d'utilisation avec son revêtement de sol. Les panneaux se fixent au support avec des clous annelés disposés à intervalles de 6 po (150 mm) le long des rives et, ailleurs, dans les deux sens, à entraxes de 8 po (200 mm). Les clous doivent avoir au moins 3/4 po (19 mm) de longueur s'il s'agit de panneaux de 1/4 po (6 mm) et de 7/8 po (22 mm) pour les panneaux de 5/16 po (7,9 mm). À remarquer qu'on peut également faire usage d'agrafes ou de vis (voir le tableau 38).

Les joints d'assemblage ainsi que toutes les imperfections à la surface des panneaux doivent être remplis d'un bouche-portes qui ne se contracte pas et qui adhère à la couche de pose. On devra l'amener à un fini doux par ponçage, après lui avoir laissé le temps de durcir.

Mise en œuvre d'un revêtement de sol souple

La mise en œuvre du revêtement de sol souple survient généralement après l'exécution des travaux de tous les autres corps de métier. Les types utilisés le plus couramment sont fabriqués de vinyle ou de caoutchouc, sous forme de carreaux ou de feuilles.

Le revêtement de sol souple se colle à la couche de pose avec un adhésif spécial. Il est toutefois préférable d'utiliser un adhésif imperméable, surtout dans la cuisine, la salle de bains, la buanderie et à l'entrée. La pose des carreaux ou feuilles

de revêtement de sol doit s'effectuer en stricte conformité avec les instructions du fabricant. Tout de suite après l'avoir posé, on doit le passer au rouleau dans les deux directions, en nettoyer la surface, puis, si nécessaire, l'enduire d'un type d'encaustique recommandé pour le produit utilisé.

Le revêtement de sol souple destiné à une dalle de béton doit être d'un type que le fabricant recommande pour un tel usage et collé à l'aide d'un adhésif imperméable.

Revêtement de sol plastique sans joints, à base de résine

Le revêtement de sol peut être d'un type applicable à l'état liquide avec des copeaux plastiques ou d'autres particules décoratives constituant la surface d'usure souple sans joints. Il doit faire l'objet d'un contrôle de la qualité quant à ses composants, aux conditions d'application et à son épaisseur, en fonction de la conformité au devis et au mode de pose du fabricant.

MOQUETTE

La moquette se retrouve normalement dans la salle de séjour, les chambres, la salle familiale et à l'occasion dans la salle à manger. Il vaut mieux cependant s'abstenir d'en poser dans la cuisine, la buanderie ou les autres pièces susceptibles d'être tachées ou endommagées par l'eau. Si l'on désire en poser dans ces endroits, la moquette devra être composée de fibres synthétiques. Pour des raisons d'hygiène, il n'est pas recommandé de mettre en œuvre de la moquette dans les salles de toilette.

La moquette doit se poser sur un support en panneaux ou une thibaude. À l'exception de la moquette à revers coussiné, la thibaude doit être constituée de feutre ou de matière polymérique.

CARREAUX CÉRAMIQUES

Les carreaux céramiques existent en diverses couleurs, vernissées ou non. Étant donné qu'ils présentent une surface dure imperméable, ils constituent souvent le revêtement de sol de la salle de bains, du vestibule et de l'âtre du foyer.

Les carreaux céramiques peuvent se poser sur un support en béton; en pareille situation, il suffit de les presser dans un lit de mortier étendu directement sur le support ou encore de les coller avec un adhésif spécial à une couche de pose en panneaux de contreplaqué ou de fibres durs.

Lorsqu'on utilise un lit de mortier, le support de revêtement de sol doit être recouvert de papier bitumé visant à empêcher le support de se gonfler sous l'effet de l'humidité. Le lit de mortier doit avoir au moins 1 1/4 po (30 mm) et être armé d'un treillis métallique. Le mortier peut comporter une partie de ciment portland, 1/4 de partie de chaux et de 3 à 5 parties de sable grossier. On pose ensuite les

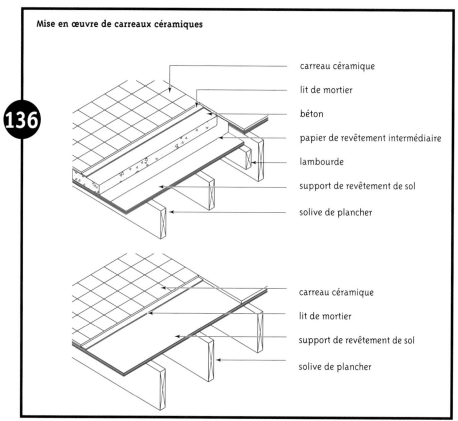

Mise en œuvre de carreaux céramiques

136

- carreau céramique
- lit de mortier
- béton
- papier de revêtement intermédiaire
- lambourde
- support de revêtement de sol
- solive de plancher

- carreau céramique
- lit de mortier
- support de revêtement de sol
- solive de plancher

carreaux en les pressant dans le mortier frais. Pour bien faire adhérer le matériau de jointoiement au lit, les joints entre les carreaux doivent être remplis le même jour. Afin que le lit de mortier ait l'épaisseur suffisante, il est souvent souhaitable d'abaisser le support de revêtement de sol entre les solives pour que le revêtement de sol de la pièce en question soit au même niveau que celui des pièces contiguës (figure 136). Lorsque les solives doivent être taillées en partie supérieure, il faut calculer leur portée en conséquence.

Lorsqu'un adhésif sert à coller les carreaux à la couche de pose ou au plancher de béton, la base doit être lisse et exempte de toute irrégularité. On enduit d'adhésif les carreaux et la base, puis on les presse fermement en place. Après que l'adhésif a bien durci, on remplit les joints entre les carreaux d'un matériau recommandé par le fabricant.

Les carreaux céramiques du sol d'une douche peuvent se poser sur une membrane de plastique raccordée à l'avaloir de sol. Cette précaution empêchera l'eau d'endommager le plafond en dessous au cas où les carreaux ou la chape de béton fendilleraient.

POUR UNE MAISON SAINE...

Choix des revêtements de sol

Le choix des revêtements de sol, des adhésifs et des matériaux de finition d'une maison saine exerce bien des répercussions sur la santé des occupants et l'utilisation efficace des ressources. L'usage de substances toxiques, de matériaux ou de produits non renouvelables, non réutilisables ou non recyclables, est à éviter, tout comme celui des produits issus d'écosystèmes fragiles ou de méthodes peu respectueuses de l'environnement. Il reste encore après avoir appliqué les principes de la maison saine un grand nombre d'options en matière de revêtements de sol.

Choix tout indiqués

➡ La pierre et les carreaux céramiques constituent des revêtements de sol classiques, qui se révèlent durables, faciles à nettoyer et à entretenir, et non toxiques à condition d'être mis en œuvre au moyen d'adhésifs et de coulis tout indiqués.

➡ Le parquet de lames en bois dur, dont la performance n'est plus à faire et provenant d'arbres soumis à des procédés écologiques, représente un choix tout indiqué. Le revêtement de finition doit être écologique pour ne pas nuire à la qualité de l'air intérieur. Le bois lamellé (en bois composite) et les carreaux de liège sont d'autres matériaux se substituant aux lames de parquet en bois dur.

suite à la page 252

suite de la page 251

➡ Le linoléum naturel ou traditionnel est un revêtement de sol très durable, constitué d'ingrédients tout à fait renouvelables. Existant dans une vaste variété de couleurs, il regagne la faveur populaire par rapport au revêtement de sol synthétique en feuille ou en rouleau.

➡ L'usage de la moquette synthétique est à éviter puisqu'elle est fabriquée de matériaux non renouvelables et qu'elle ne peut pas être recyclée. La moquette et les carpettes en laine, les tapis d'escalier et passages en sisal et coir, de même que les carpettes en coton constituent des choix écologiques.

Adhésifs et matériaux de finition

De nombreux adhésifs et matériaux de finition à base de solvant contiennent des substances toxiques, tels les composés organiques volatils (COV). Leur utilisation peut être évitée par la sélection de produits plus écologiques.

➡ Utiliser autant que possible des adhésifs et matériaux de finition à base d'eau, puisqu'ils renferment moins de toxines que les produits équivalents à base de solvant.

➡ Rechercher les produits affichant l'Éco-Logo[MD], symbole indiquant une teneur réduite en contaminants toxiques.

BOISERIES, PORTES ET BÂTIS INTÉRIEURS

Les boiseries, portes et bâtis intérieurs se posent d'habitude après le parquet en bois dur, mais avant qu'on procède à son ponçage et à la mise en œuvre du revêtement de sol souple. Le moment se prête aussi généralement à l'installation des armoires de cuisine et aux autres travaux de menuiserie. En guise de traitement décoratif pour les portes et boiseries intérieures, on peut les peindre ou leur donner un fini naturel avec de la teinture, un bouche-pores et du vernis ou d'autres matériaux de son choix. La finition choisie pour les boiseries des diverses pièces peut déterminer le genre ou l'essence de bois à utiliser.

Les boiseries doivent être lisses, propres, saines et se prêter à un revêtement de finition. Le chêne, le pin, le sapin, le tilleul et le peuplier comptent parmi les essences les plus employées à cet égard. La teneur en eau des boiseries ne doit jamais excéder 12 p. 100 au moment de leur pose.

Le bâti d'une porte consiste en deux montants latéraux reliés par une traverse supérieure, et d'une moulure distincte formant l'arrêt de porte. Les montants courants sont fabriqués de bois de 3/4 po (19 mm), en largeurs convenant à l'épaisseur du mur fini. Il arrive souvent que les montants soient rainurés à l'usine et que les arrêts de porte de même que la traverse supérieure soient taillés à la dimension voulue (figure 137). Le bâti peut également être feuilluré de façon à former l'arrêt de porte, sauf que dans ce cas, l'épaisseur du bâti passe habituellement à 1 1/4 po (32 mm). Si le bâti s'assemble à pied d'œuvre, il faut veiller à en clouer solidement les angles.

Le couvre-joint désigne la boiserie ou la moulure autour d'une porte.

Assemblage type d'un montant et de la traverse supérieure d'un bâti de porte intérieure

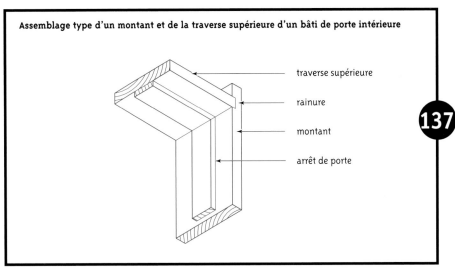

traverse supérieure

rainure

montant

arrêt de porte

137

Il en existe de nombreux modèles courants de largeurs et épaisseurs variées. À noter que les couvre-joints moulurés exigent généralement des joints à onglet.

Les portes intérieures se rangent en deux grandes catégories : les portes planes et les portes à panneaux. Leur épaisseur courante correspond à 1 3/8 po (35 mm), mais elles sont offertes en largeurs et hauteurs variées.

Les portes planes comportent deux parois de contreplaqué ou d'un autre genre de panneau, collées de part et d'autre à une ossature légère. Pour un fini naturel ou verni, on choisit le contreplaqué en fonction de la qualité et de la teinte de ses plis extérieurs. Par contre, le contreplaqué à peindre peut être choisi parmi les catégories inférieures, plus économiques.

Les portes à panneaux sont constituées de montants et de traverses massifs auxquels sont fixés des panneaux de remplissage de composition diverse. Les portes en panneaux en relief existent dans différents styles.

Des portes spéciales pourvues de divers modes de fermeture sont également offertes dans le commerce. Les portes coulissantes et pliantes sont très en vogue pour les placards ou les garde-robes.

Les portes doivent être posées de manière à s'ouvrir vers l'intérieur et donner, autant que possible, sur un

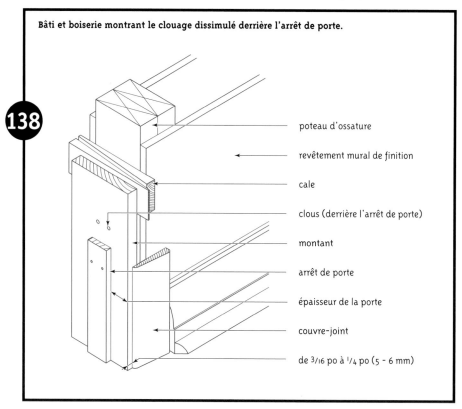

Bâti et boiserie montrant le clouage dissimulé derrière l'arrêt de porte.

138

poteau d'ossature

revêtement mural de finition

cale

clous (derrière l'arrêt de porte)

montant

arrêt de porte

épaisseur de la porte

couvre-joint

de 3/16 po à 1/4 po (5 - 6 mm)

mur plein, sans être gênées dans leur mouvement par d'autres portes battantes.

Les portes intérieures mesurent ordinairement 30 po (760 mm) de largeur sur 6 pi 8 po (1,98 m) de hauteur. En règle générale, une porte de ces dimensions permet de déplacer le mobilier avec facilité. Le Code national du bâtiment prescrit les dimensions minimales des portes intérieures.

Le bâti d'une porte intérieure s'ajuste en insérant des cales ou bardeaux de bois entre les montants et les poteaux d'ossature (figure 138). Le bâti se pose d'aplomb et d'équerre, les cales serrées, puis les montants se clouent solidement aux poteaux à travers les cales. Après coup, on scie les cales à l'égalité du mur. On doit enfoncer les clous par paires, selon la figure 138.

Le couvre-joint se fixe tant aux poteaux d'ossature qu'aux montants, avec des clous à finir espacés d'environ 16 po (400 mm), dont la tête est ensuite chassée et le trou ainsi formé rempli de mastic de bois. À noter que le couvre-joint se place de 3/16 po à 1/4 po (5 à 6 mm) du chant intérieur du montant.

Les arrêts de porte mesurent habituellement 3/8 x 1 1/4 po (10 x 32 mm) et s'assujettissent aux montants avec des clous à finir, après la pose de la porte.

D'ordinaire, le couvre-joint s'assemble à onglet en partie supérieure. Il faut le tailler et l'ajuster avec soin pour former un joint serré. On colle parfois les joints à onglet, car un joint collé a moins tendance à s'ouvrir lors d'un léger retrait.

La figure 139 indique le jeu à prévoir entre la porte et le bâti, ainsi que l'emplacement de la poignée et des charnières. Il peut certes y avoir un écart peu marqué quant au jeu à ménager, mais les dimensions indiquées sont largement utilisées. Dans la figure, les charnières sont disposées à 7 po (175 mm) du haut et à 11 po (275 mm) du bas. Ces distances peuvent varier quelque peu, surtout s'il s'agit de portes à panneaux. En cas d'emploi de trois charnières, on place celle du centre à mi-chemin entre les charnières supérieure et inférieure. Pour sa part, la poignée se place à une hauteur normale de 34 à 38 po (860 à 960 mm) du sol; il va sans dire qu'on installe la serrure et le verrou en conséquence. La poignée en forme de bec-de-cane facilite la manœuvre des portes pour les personnes handicapées.

Le jeu autour de la porte doit être de 1/16 à 3/32 po (2 à 3 mm) du côté serrure et de 1/32 (1 mm) du côté charnière. Il est courant de laisser 1/16 po (2 mm) en partie supérieure et 3/4 po (19 mm) au bas, mais si la porte s'ouvre sur une épaisse moquette, il se peut qu'il faille laisser plus d'espace pour favoriser la circulation d'air.

Certains fabricants offrent des portes et bâtis déjà ajustés et entaillés pour recevoir les charnières. Il existe aussi dans le commerce des bâtis en tôle avec arrêt et couvre-joint profilés, entaillés en fonction des charnières et munis d'une gâche.

POSE DE LA QUINCAILLERIE DE PORTE

Les charnières doivent avoir des dimensions qui conviennent à la porte qu'elles soutiennent. Une porte intérieure de 1 3/8 po (35 mm) d'épaisseur demande deux charnières de 3 x 3 po (76 x 76 mm). On ajuste d'abord la porte dans la baie pour vérifier le jeu, puis on l'enlève pour poser les charnières. On entaille le chant de la porte en prévision des deux lames de charnière. La rive de chaque lame doit être décalée d'au moins 1/8 po (3 mm) de la face de la porte. Au moment de visser les lames en place, il faut s'assurer qu'elles affleurent la surface et sont d'équerre.

Il s'agit maintenant de placer la porte dans l'ouverture en la calant au bas de façon à laisser le jeu requis. Le montant est marqué à l'emplacement des charnières, et entaillé pour loger les lames que l'on fixe après coup en position. On peut dès lors suspendre la porte et insérer les broches dans les charnons.

Il y a de nombreux types de serrure dont le mode d'installation et le prix varient. Les serrures sont accompagnées d'instructions qui

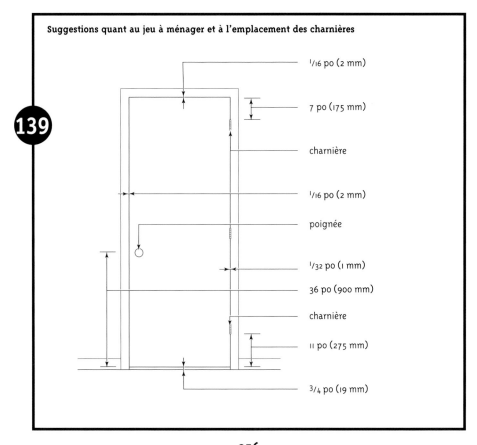

Suggestions quant au jeu à ménager et à l'emplacement des charnières

1/16 po (2 mm)

7 po (175 mm)

charnière

1/16 po (2 mm)

poignée

1/32 po (1 mm)

36 po (900 mm)

charnière

11 po (275 mm)

3/4 po (19 mm)

139

doivent être suivies. Les loquets à bouton fixe peuvent s'utiliser par souci d'intimité, comme dans la chambre.

On reporte sur le montant l'emplacement du pêne, ce qui permet de déterminer celui de la gâche, puis on entaille l'endroit indiqué pour recevoir la gâche et former l'empênage (figure 140). On fixe la gâche en place pour qu'elle affleure la face du montant ou s'en trouve légèrement en retrait. La face de la porte fermée doit arriver au même niveau que la rive du montant.

C'est maintenant le moment de clouer à demeure les arrêts de porte qui auraient pu être fixés temporaire-ment lors de la pose des ferrures. On commence par clouer l'arrêt du côté serrure (figure 140B), qui doit être ajusté contre la face de la porte une fois fermée. Il convient de tenir compte du battement et du revêtement de peinture. On cloue ensuite l'arrêt du côté des charnières en laissant un jeu de $1/32$ po (1 mm) par rapport à la face de la porte pour éviter tout frottement lors de son ouverture. Enfin, on cloue l'arrêt à la traverse supérieure. Pour assujettir les éléments en question, il convient d'utiliser des clous à finir, d'en chasser la tête et de remplir les trous ainsi

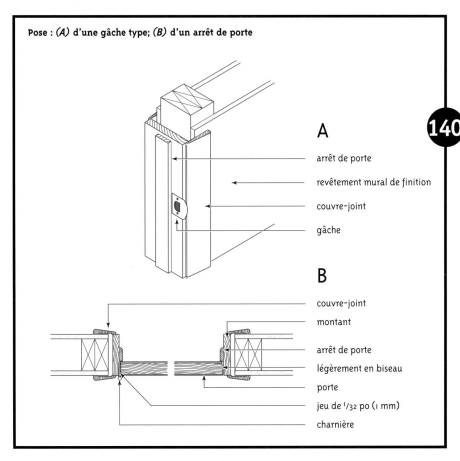

Pose : *(A)* d'une gâche type; *(B)* d'un arrêt de porte

A   **140**

arrêt de porte

revêtement mural de finition

couvre-joint

gâche

B

couvre-joint

montant

arrêt de porte

légèrement en biseau

porte

jeu de $1/32$ po (1 mm)

charnière

formés. L'application de peinture sur la porte et la boiserie aura tôt fait de combler partiellement le jeu.

POSE DES MOULURES DE FENÊTRE

Le couvre-joint autour des fenêtres présente habituellement le même motif que celui qui a été choisi pour les portes. Pour le retenir en place, on utilise des clous à finir, des quatre côtés de la fenêtre, sauf s'il y a rebord.

Dans ce cas, le couvre-joint se termine au-dessus du rebord et on y ajoute en dessous une moulure d'allège.

PLINTHES

Les plinthes dissimulent les intersections des murs et du plancher. Pouvant varier en dimensions et en formes, les plinthes doivent être épaisses au bas pour couvrir le raccord du parquet et suffisamment hautes pour cacher les repères d'enduit si l'on a, bien sûr, fait usage d'enduit. Les moulures deux pièces consistent en une plinthe

Plinthe : (A) deux pièces; (B) une pièce

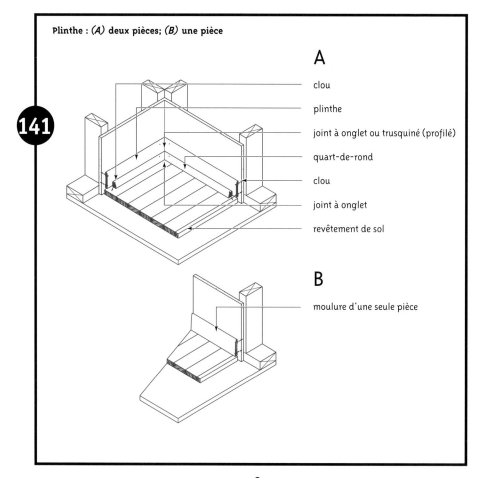

A

clou

plinthe

joint à onglet ou trusquiné (profilé)

quart-de-rond

clou

joint à onglet

revêtement de sol

B

moulure d'une seule pièce

141

doublée au bas d'un quart-de-rond (figure 141A). Les moulures d'une pièce présentent une rive inférieure plus épaisse pour dissimuler le raccord du parquet (figure 141B).

Lorsqu'une moulure deux pièces est utilisée, la plinthe se cloue à la lisse et aux poteaux, suffisamment haut pour que sa rive inférieure ne touche pas au revêtement de sol. Le quart-de-rond s'assujettit plus tard au support de revêtement de sol avec de longs clous minces qui, enfoncés en biais, le retiennent fermement contre la plinthe et le revêtement de sol. Une plinthe d'une pièce s'ajuste à joint serré contre le revêtement de sol et se cloue à la lisse ou aux poteaux du mur. La plinthe d'une pièce, ou le quart-de-rond si l'on utilise deux pièces, se pose après le revêtement de sol souple ou après le ponçage du parquet en bois dur.

Les plinthes aux angles rentrants peuvent présenter un joint à onglet, ou un assemblage d'équerre profilé. Dans le dernier cas, on place une première pièce contre l'angle, et on découpe l'extrémité de la seconde selon le profil de la première pièce. À noter que les angles saillants s'assemblent à onglet. On ne doit employer que des clous à finir, puis en chasser la tête et obturer les trous formés.

MENUISERIE

Les armoires de cuisine, les rayons, la tablette de cheminée et les autres ouvrages de menuiserie se posent au même moment que les boiseries intérieures, mais leur mise en place précède ordinairement le ponçage du parquet en bois dur ou la pose du

revêtement de sol souple.

La fabrication des armoires ou d'éléments semblables peut se faire sur place ou en atelier. À l'exemple des boiseries intérieures, qui s'inscrivent aussi sous la rubrique menuiserie, les armoires, les rayons et autres éléments se fabriquent à partir de diverses essences de bois.

Des armoires en acier ou d'autre composition, fabriquées en usine, existent également dans des dimensions variées.

ARMOIRES DE CUISINE

La cuisine mérite une attention particulière vu que l'on y passe une grande partie du temps. Un bon agencement des armoires, de l'évier, du réfrigérateur et de la cuisinière simplifie la tâche tout en faisant économiser des pas.

Les armoires de parquet mesurent environ 36 po (900 mm) de hauteur et offrent une surface de travail de 24 po (600 mm) de largeur. Elles peuvent comporter divers agencements de tiroirs et de portes. Certaines comprennent même un placard d'angle pourvu de rayons pivotants. La table de travail et son dosseret (rajouté au-dessus, le long du mur) sont recouverts de stratifié ou d'un autre matériau étanche. Les surfaces de travail sont également fabriquées avec un certain nombre de revêtements comme les stratifiés et incluent généralement le dosseret.

Dans le but de laisser de l'espace pour les travaux domestiques, les armoires-appliques se posent à environ 16 po (400 mm) au-dessus du plan de travail. On doit porter la distance à 24 po (600 mm) pour celles qui sont disposées au-dessus de la cuisinière. Les tablettes, pouvant être réglables, mesurent d'ordinaire de 11 à 12 po (275 à 300 mm) de profondeur. On peut aussi pratiquer une retombée de plafond au-dessus des armoires-appliques, selon la figure 142.

LINGERIES, GARDE-ROBES ET PENDERIES

Les garde-robes et les penderies comprennent ordinairement des tablettes, une barre à cintres ou un rail métallique et parfois une porte

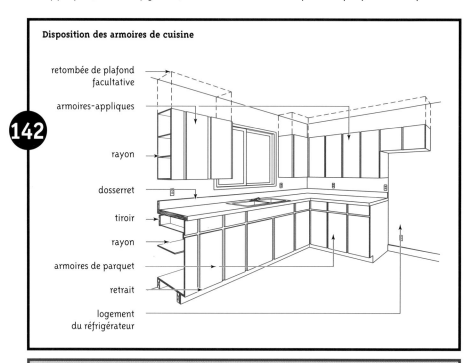

Disposition des armoires de cuisine

retombée de plafond facultative

armoires-appliques

142

rayon

dosserret

tiroir

rayon

armoires de parquet

retrait

logement du réfrigérateur

RAPPEL

Commander les armoires d'avance

Les armoires de cuisine, la coiffeuse de salle de bains et tout autre article d'ameublement encastré ne s'obtiennent généralement pas sur court préavis. Lors de l'établissement des plans de la maison, consulter les fournisseurs pour déterminer le délai requis pour que les armoires puissent être livrées au quasi-achèvement de la maison. Prévoir un délai supplémentaire au cours des périodes de construction achalandées puisque les fournisseurs peuvent prendre du retard dans leur calendrier d'exécution.

intérieure de dimensions courantes (figure 143A). Il arrive souvent qu'on ait recours à des portes coulissantes jumelées ou multiples, qui se suspendent à un rail et se déplacent sur des galets fixés aux portes (figure 143C). On utilise également des portes pliantes constituées d'étroits vantaux de bois ou de métal, ou des portes accordéon composées d'une ossature métallique recouverte de vinyle.

Les armoires fixées à demeure peuvent également s'employer dans les chambres. Ce genre d'ameublement coûte certes plus cher qu'un placard standard, mais l'inclusion de commodes et de tiroirs réduit une bonne partie du mobilier de la chambre (figure 143B). De nombreux fournisseurs offrent des arrangements modulaires de tablettes et de rangement pour les garde-robes ou placards.

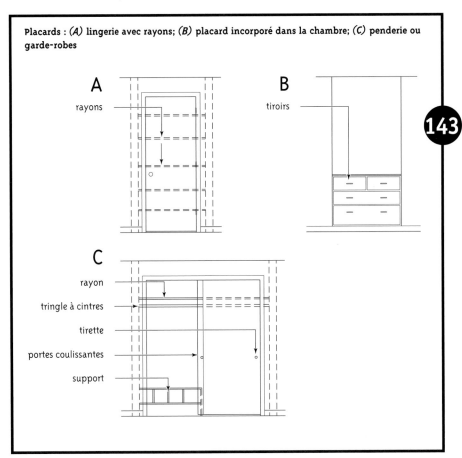

Placards : *(A)* lingerie avec rayons; *(B)* placard incorporé dans la chambre; *(C)* penderie ou garde-robes

A

rayons

B

tiroirs

143

C

rayon

tringle à cintres

tirette

portes coulissantes

support

POUR UNE MAISON SAINE...

Choix des boiseries intérieures et des armoires

Lors du choix des boiseries intérieures et des armoires, il importe de considérer la source des matériaux, la façon dont ils sont obtenus et leur mode de traitement, leur durabilité et leur possibilité d'être réutilisés. Bien des essences de bois durs servant dans la fabrication des portes et boiseries intérieures sont extirpées d'écosystèmes fragiles selon des techniques trahissant le respect de l'environnement. En ce qui a trait aux armoires de cuisine, de nombreux produits font appel aux panneaux de particules agglomérées avec des résines urée-formol qui dégagent du formaldéhyde, gaz irritant pour les voies respiratoires. Les revêtements de finition de nombreuses armoires sont constitués de placages synthétiques provenant de matériaux ni renouvelables ni recyclables. Une fois égratignés ou après avoir perdu de leur éclat, ces armoires finissent bien souvent dans les décharges. Les choix contre-indiqués se traduisent par du gaspillage.

Options viables

➜ Les portes et boiseries intérieures se fabriquent dans des essences cultivées localement, comme le peuplier, ou en panneau de fibres de densité moyenne. Ces produits ne font pas appel à des essences de bois exotiques ou en voie d'extinction et sont faciles à finir et à entretenir.

➜ Choisir des armoires de cuisine modulaires, fabriquées de bois massif ou de panneaux de particules agglomérés avec des résines peu toxiques. Les modules normalisés d'armoires et tiroirs de cuisine permettent de remplacer ou de refaire facilement le devant des portes et des tiroirs. En revanche, ces armoires peuvent être vendues pour fins de réutilisation dans un nombre grandissant de centre de matériaux de construction d'occasion, où leurs dimensions standards en font des produits très recherchés par les propriétaires disposant d'un budget serré.

➜ Choisir des portes intérieures, des boiseries et des garde-robes ou placards d'occasion de préférence à des produits neufs. Dans bien des cas, les produits bien exécutés s'obtiennent à une fraction du prix des produits neufs.

➜ Réduire la quantité d'armoires fixées à demeure et de garde-robes ou placards en optant pour de l'ameublement pouvant répondre aux mêmes besoins de rangement. Les fabricants de meubles ont repris la production d'articles traditionnels comme les éviers, les tables de service, les garde-robes et les buffets. Songer à investir dans des meubles dont sauront se servir les générations futures.

Se reporter au chapitre intitulé *Peinture* pour en savoir davantage sur les revêtements tout indiqués des portes et boiseries intérieures ainsi que des armoires.

PEINTURE

La peinture constitue certes le revêtement intérieur de finition le plus répandu dans la construction de maison à ossature de bois. Dans certaines régions du Canada, il fait largement office de revêtement extérieur de finition. Ce revêtement, assez peu coûteux, s'applique bien sans exiger de forte dose d'habileté et de formation. Il occasionne le minimum de dérangement sur une courte période et demeure, en raison de la vaste gamme de produits offerts dans le commerce, la formule de rafraîchissement la plus populaire au cours de la durée d'une maison. Le présent chapitre livre de l'information essentielle au choix et à l'application tout indiqués de la peinture.

TYPES DE PEINTURES

La peinture, qui s'étend à un large éventail de revêtements de finition, s'applique au pinceau ou au rouleau, mais dans certains cas à l'aide d'éponges et de chiffons. Il existe de nombreux types de revêtements de peinture, mais nous faisons état ci-après des plus courants.

Peinture – La peinture est un revêtement opaque à base de solvant (peinture à l'huile) ou d'eau (peinture au latex). La peinture est offerte dans toutes les couleurs, mais uniquement en plusieurs revêtements superficiels types (réflexions). Les plus usuels sont les revêtements mat, fini coquille d'oeuf, fini satiné, fini semi-brillant et fini brillant. En général, plus la peinture est brillante, plus elle est lavable et durable. Certaines peintures spécialisées, telles celles qui résistent à la poussière, à la moisissure, pare-vapeur et pour mélamine existent également sur le marché.

Teinture – La teinture ressemble à la peinture, sauf que son emploi vise à conférer la couleur souhaitée au bois avant l'application d'une dernière couche. La teinture est soit opaque (solide) ou transparente (pénétrante) et est fabriquée à base de solvant ou d'eau.

Apprêt et bouche-pores – Les apprêts et bouche-pores sont des produits de peinture spécialement formulés en vue d'obturer le fil du bois, ou la surface des revêtements intérieurs de finition comme les plaques de plâtre ou l'enduit au plâtre. Les apprêts et les bouche-pores préparent les surfaces en vue de la couche de peinture, de teinture ou de vernis.

Vernis – Les vernis constituent une vaste catégorie de revêtements de finition transparents destinés essentiellement à protéger le bois.

Produit de préservation – Le bois revêtu d'un produit de préservation s'utilise couramment pour les terrasses et les clôtures. Le bois est généralement traité sous pression au moyen d'un produit de préservation à base d'eau à l'usine. Le produit donne généralement au bois une couleur verdâtre. Lorsque le bois est taillé, ses extrémités doivent être enduites d'un produit de préservation.

Quel que soit le type de revêtement de peinture utilisé, il importe toujours au plus haut point de s'assurer qu'il convient à sa fonction escomptée et qu'il est compatible avec le support qu'il couvre. Il faut se rappeler de toujours suivre les directives du fabricant lors de l'application de toute peinture ou teinture.

PEINTURE ET TEINTURE POUR USAGE EXTÉRIEUR

L'objet premier de la peinture extérieure consiste à préserver les surfaces des intempéries et à en rehausser l'apparence.

Il existe un large éventail de peintures, teintures et enduits à employer pour l'extérieur et l'intérieur. On doit fixer son choix sur des produits de qualité et les appliquer selon le mode d'emploi recommandé par le fabricant. Vu que le prix des matériaux ne représente presque toujours qu'une fraction du coût global de la peinture, c'est une économie de chandelles que d'utiliser des matériaux de qualité médiocre. Une peinture de qualité, bien appliquée, durera au moins cinq ans.

Les surfaces à peindre doivent être sèches, propres et exemptes de substances susceptibles de nuire à l'adhésion de la peinture. Après l'application de la couche d'impression, les trous laissés par les clous, les fissures et autres défauts apparents doivent être remplis de mastic ou d'un autre produit approprié. Les travaux de peinture ne doivent pas s'exécuter par une température inférieure à 50°F (10°C).

Appliqués sur des surfaces exposées aux rayons solaires, les enduits transparents qui laissent sur le bois une pellicule protectrice se dégradent et durent peu, à moins de contenir un inhibiteur d'ultraviolets. L'ensoleillement direct désagrège la pellicule qui se soulève par plaques, laissant ainsi le bois à nu. La préparation du bois en vue d'une application d'enduit subséquente devient une tâche difficile puisque la pellicule restante a une consistance dure et cassante. Les teintures de couleur, transparentes ou semi-transparentes, imprègnent le bois, ne laissant aucune pellicule apparente, et protègent toutes les faces de la maison plus longtemps que la plupart des revêtements transparents. Aussi, il est toujours plus facile d'appliquer une autre couche, étant donné que la préparation de la surface demande peu de travail.

PEINTURE POUR USAGE INTÉRIEUR

La peinture vise à agrémenter l'aspect des surfaces intérieures et à les protéger contre tout méfait de l'humidité, condition dominante dans la cuisine, la salle de bains et le coin buanderie. Ajoutons que les surfaces peintes sont également plus faciles à nettoyer.

En règle générale, les murs et plafonds comportant un revêtement en plaques de plâtre sont peints, mais les portes, les boiseries et la menuiserie intérieure peuvent être peintes, teintes ou vernies. La clé du succès des deux types de revêtements de finition réside dans la planification, la préparation et l'application.

Les travaux de peinture intérieure ne sauraient être effectués avant l'achèvement de presque tous les autres travaux. À moins de pouvoir dépoussiérer les lieux avant et de pouvoir contrôler l'apport de poussière, il est peu probable que l'on obtienne des résultats satisfaisants.

Les surfaces doivent être lisses, propres, sèches et exemptes de toute pellicule graisseuse ou huileuse. Les plaques de plâtre doivent, le cas échéant, être époussetées à la vadrouille ou à l'aspirateur avant l'application de la couche d'impression. Toute imperfection décelable soit au niveau du pontage des joints doit être corrigée, puis nettoyée et revêtue d'une couche d'impression avant l'application de la première couche de peinture. La peinture ne saurait être appliquée par une température inférieure à 50°F (10°C). Il faut se rappeler de toujours s'en tenir au délai requis avant d'appliquer une autre couche. Un petit conseil : ne jamais surdiluer la peinture car elle risque de perdre de sa résistance à l'usure et de sa lavabilité. Le juste mélange fournira la consistance requise pour une application appropriée.

Pour teindre ou vernir les portes de bois, les boiseries et la menuiserie intérieure de même que le plancher, il est recommandé de procéder à un essai sur un échantillon du matériau au préalable. Certaines essences de bois peuvent nécessiter un bouche-pores avant l'application de teinture

dans le but d'éviter une pénétration inégale de la teinture. Les parquets à lames font généralement l'objet d'une couche de bouche-pores avant l'application de quelque revêtement de finition que ce soit. Une fois les travaux d'application de bouche-pores et de teinture terminés, un léger ponçage est habituellement recommandé avant d'appliquer un type de vernis quelconque. Les parquets préfinis, qui gagnent en popularité, s'obtiennent facilement dans le commerce.

Le vernis ne doit pas être appliqué en couche épaisse, sinon il risque de couler et de faire des coulisses. Deux minces couches intercalées d'un délai de séchage suffisant donnent souvent les meilleurs résultants en milieu résidentiel. Les marches d'escalier et la main courante pourraient cependant requérir une troisième couche.

Au moment d'exécuter les travaux de peinture intérieure, il importe d'assurer, outre la température intérieure requise, la ventilation et l'éclairage suffisants, de ranger les peintures et nettoyants à base de solvants à l'extérieur de la maison, dans la mesure du possible, et de se départir des chiffons, peintures, teintures et diluants comme il se doit, normalement en les apportant à un dépôt de déchets toxiques.

Dans tous les cas, la conformité aux directives du fabricant garantira l'aspect voulu et la performance des revêtements de finition.

POUR UNE MAISON SAINE...

Choix des revêtements de peinture

Il existe, de nos jours, une vaste gamme de produits de peinture et, heureusement, les critères de sélection sont beaucoup moins nombreux. Les voici sous forme de résumé :

Souci de l'environnement

➡ L'emploi de peintures faisant appel à des substances chimiques toxiques risque de compromettre la qualité de l'air de la maison. Cet état de fait s'explique par la grande surface du revêtement exposé qui peut continuer à dégager des contaminants pendant longtemps.

➡ La pollution de l'air local survient lors de la fabrication de peintures contenant des composés organiques volatils (COV).

➡ Le nettoyage et l'élimination des revêments de peinture contenant des COV ou nécessitant l'usage de solvants contenant des COV risquent d'entraîner la pollution de l'air local. Le coût de l'élimination adéquate des peintures, diluants et nettoyants à base de solvant est très élevé.

Choix écologiques

➡ Préférer aux revêtements de finition à base de solvant les produits à base d'eau.

➡ Rechercher les revêtements affichant l'Éco-Logo[MD] et faire usage de peintures contenant une teneur minime en substances toxiques.

➡ Choisir les revêtements intérieurs de finition ne requérant pas de peinture, tels que panneaux en bois naturel, stucco décoratif, carreaux céramiques, pierre et maçonnerie.

➡ Choisir des peintures faciles d'entretien et durables de façon à retarder au maximum l'application d'une nouvelle couche de peinture.

➡ Entreposer les contenants de peinture à l'extérieur de la maison et éliminer peintures et solvants comme il se doit. Ne jamais les déverser dans les égouts ou sur le sol.

Il existe dans le commerce des peintures pour murs, plafonds, planchers et boiseries ayant peu d'effets préjudiciables à la santé et à l'environnement; leur emploi doit être considéré à titre de produits tout indiqués dans le contexte de la maison saine.

GOUTTIÈRES ET DESCENTES PLUVIALES

Les gouttières et les descentes pluviales sont tellement répandues au Canada que beaucoup de gens pensent qu'elles sont obligatoires. La plupart des codes du bâtiment ne les prescrivent toutefois pas. Leur utilisation contribue à réduire la quantité d'eau souterraine à proximité des fondations et assure, par le fait même, une protection accrue contre les infiltrations d'eau par les fondations. Elles peuvent cependant contribuer à la formation de digues de glace (voir la figure 71 du chapitre **Support et matériaux de couverture**).

Les gouttières métalliques profilées sont fabriquées en longueurs continues d'une seule pièce ou en différentes longueurs. Les raccords tels que coins intérieurs et extérieurs, coudes et raccords de branchement à la descente pluviale, sont offerts suivant les dimensions et l'angle convenant aux besoins de l'installation. Les gouttières et les descentes pluviales se fabriquent également en plastique.

La mise en place des gouttières survient après le bardage. On les fixe sur la bordure de toit, aussi près que possible de la saillie des bardeaux et avec une pente légère en direction de la descente pluviale, à l'aide de clous protégés contre la corrosion de 6 po (150 mm) enfoncés à entraxes d'environ 30 po (750 mm). Les clous traversent un tube d'écartement métallique placé entre les faces internes de la gouttière et pénètrent dans la bordure et le chevron de rive. Une autre méthode consiste à monter la gouttière sur des consoles métalliques ajustées à l'intérieur de la gouttière. Les joints entre les sections sont soudés, sinon scellés.

Les descentes pluviales peuvent être de forme rectangulaire ou ronde; celles de métal sont habituellement fabriquées en tôle ondulée pour en accroître la rigidité. Les descentes en tôle ondulée sont également moins susceptibles d'éclater sous l'engorgement de glace. Les cols de cygne constitués de coudes et de courtes sections de tuyau permettent de poser la descentre contre le mur.

Les descentes pluviales sont fixées au mur à l'aide de deux crochets ou brides tous les 10 pi (3 m).

Lorsque les descentes pluviales ne sont pas raccordées à l'égout pluvial, on se sert d'un coude muni d'une rallonge ou d'un déflecteur pluvial pour écarter l'eau du mur de fondation et éviter l'érosion. La configuration du terrain doit normalement favoriser l'évacuation de l'eau loin de la maison et hors du terrain.

RAPPEL

Drainage des fondations et écoulement des eaux de ruissellement

Au moment d'envisager de recourir à des gouttières et descentes pluviales, mais avant de les mettre en place, vérifier l'effet que risquent d'exercer sur le drainage des fondations et l'écoulement des eaux de ruissellement l'eau de pluie et la neige qui fond du toit de la maison. Les aspects touchant le drainage des fondations sont traités dans la section *Drainage des fondations* du chapitre *Semelles, fondations et dalle.* Les facteurs à considérer en matière d'écoulement des eaux de surface figurent dans l'encadré Pour une maison saine intitulé *Orientation en fonction du soleil, du vent et de l'eau* du chapitre *Emplacement et excavation.*

GARAGE ET ABRI D'AUTOMOBILE

Les garages se rangent en trois catégories selon qu'ils sont attenants, individuels ou incorporés. Le choix d'un type particulier dépend parfois de la nature et des dimensions du terrain. Si le terrain est suffisamment grand, le garage attenant possède de nombreux avantages. Il est moins froid en hiver et, lorsqu'il est pourvu d'une porte communiquant avec la maison, il permet aux gens de se rendre à la voiture ou d'en revenir à l'abri des intempéries.

Les maisons à deux étages comportent parfois un garage incorporé surmonté d'une aire habitable. Il est également possible d'incorporer un garage au sous-sol lorsqu'il n'est pas trop difficile de descendre à ce niveau à partir de la rue; mais à cause des accumulations habituelles de neige et de glace dans certaines régions, l'entrée de garage doit alors être en pente douce et une rigole grillagée et un avaloir doivent être installés devant la porte du garage pour évacuer l'eau de ruissellement.

C'est commettre une erreur que d'aménager un garage trop petit pour être pratique. Comme la taille des voitures varie énormément, le garage doit être assez long et large pour pouvoir y garer n'importe quel modèle de voiture et offrir encore suffisamment d'espace pour circuler autour. Il faut donc prévoir au moins 20 pi (6,1 m) entre les faces intérieures des murs avant et arrière. Si on décide d'aménager un établi ou du rangement au fond du garage, il faudra en majorer d'autant la longueur. Il faut prévoir une largeur libre d'au moins 10 pi (3,05 m), bien qu'il soit préférable d'avoir 11 pi 6 po (3,5 m) ou plus pour que les portières puissent facilement s'ouvrir des deux côtés. Le garage à deux places doit avoir 18 pi 3 po (5,55 m) de largeur. Comme il arrive souvent, de plus, qu'on se serve du garage pour remiser outils de jardinage, bicyclettes, moustiquaires, contre-fenêtres et autres articles, il faut aussi prévoir suffisamment d'espace supplémentaire à cette fin.

Les semelles et les fondations de garage sont traitées dans le chapitre *Semelles, fondations et dalle*.

L'ossature et le bardage des murs et du toit du garage sont identiques à ceux de la maison. Le revêtement intérieur de finition est surtout une affaire de goût. Les murs et le plafond du garage attenant doivent contrer l'infiltration des gaz d'échappement dans la maison, mais il n'est pas nécessaire de prévoir des mesures particulières de protection contre l'incendie s'il s'agit d'un garage attenant ne desservant qu'une maison individuelle et que les dispositions de séparation spatiale ne l'exigent pas. Lorsque le garage doit être chauffé, il faut prévoir la mise en œuvre d'isolant thermique et d'un pare-vapeur et les recouvrir d'un revêtement de finition pour éviter qu'ils ne soient endommagés. La porte communiquant avec la maison doit être pourvue d'un coupe-froid et d'un ferme-porte afin d'empêcher les vapeurs de carburant et les gaz d'échappement de s'introduire dans la maison.

Il existe de nombreux types de portes de garage, chacun présentant certains avantages propres. La porte basculante (figure 144A) et la porte sectionnelle (figure 144B) sont les modèles les plus courants. La porte basculante monopièce fonctionne selon le principe du pivot, étant pourvue d'un rail fixé au plafond et de galets de roulement situés au centre et au haut de la porte. La porte est également équipée de ressorts d'équilibrage montés de part et d'autre afin d'en faciliter la manœuvre.

Types de portes de garage : (A) porte à panneau basculant; (B) porte à panneaux articulés

144

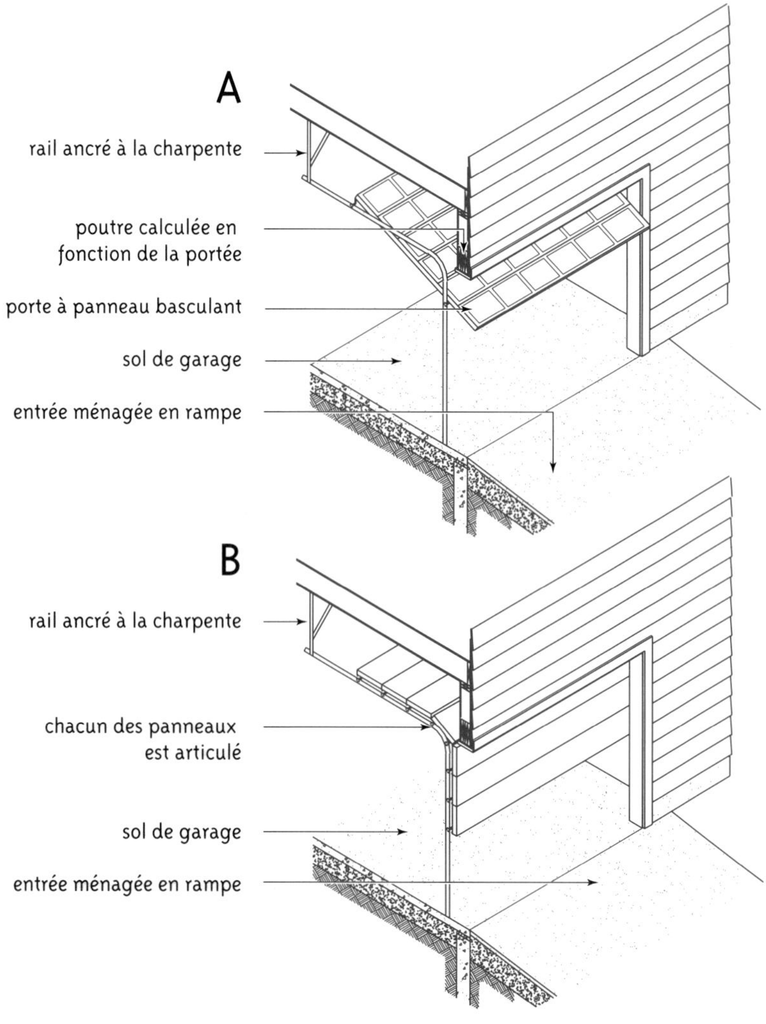

A

rail ancré à la charpente

poutre calculée en fonction de la portée

porte à panneau basculant

sol de garage

entrée ménagée en rampe

B

rail ancré à la charpente

chacun des panneaux est articulé

sol de garage

entrée ménagée en rampe

La porte sectionnelle est pourvue, à chacun de ses panneaux, de galets se déplaçant dans un rail fixé de part et d'autre de la porte sur le mur et au plafond. Elle comporte également des ressorts d'équilibrage en facilitant la manoeuvre. Ces portes sont parfois équipées d'un dispositif de fermeture automatique.

L'abri d'automobile est habituellement attenant à la maison et ouvert sur ses trois autres côtés, du moins partiellement. Le toit est généralement porté par des poteaux reposant sur des dés en béton, mesurant au moins 8 x 8 po (190 x 190 mm) de section. On utilise fréquemment des dés ronds formés dans des cylindres de carton vendus séparément à cette fin. La base des dés doit être suffisamment large pour bien répartir les charges au sol et être enfouie à une profondeur assez grande pour prévenir tout soulèvement sous l'effet du gel. Lorsque les poteaux sont en bois, les dés doivent se prolonger hors du sol d'au moins 6 po (150 mm) pour que les poteaux soient bien protégés contre l'humidité du sol. Les poteaux doivent être solidement ancrés aux dés et à l'ossature du toit afin de bien résister aux forces de soulèvement du vent.

ÉCOULEMENT DES EAUX DE RUISSELLEMENT, VOIE D'ACCÈS PRIVÉE POUR AUTOMOBILE ET ALLÉES

Pour réaliser un bon aménagement paysager, il faut évaluer les besoins en ce qui a trait à l'écoulement des eaux de ruissellement, à la voie d'accès privée et aux allées. La voie d'accès privée et les allées doivent être construites en matériaux qui s'harmonisent avec la maison et la cour.

ÉCOULEMENT DES EAUX DE SURFACE

Il faut établir un plan qui permette d'égoutter tout le terrain en dirigeant les eaux de ruissellement loin de la maison. La voie d'accès privée et les allées doivent être suffisamment basses pour ne pas nuire à l'écoulement des eaux. Lorsque la maison tire son eau potable d'un puits, l'écoulement doit se faire à l'opposé du puits afin de prévenir la contamination de la source d'eau potable.

Le niveau définitif du sol doit être ménagé en pente depuis le mur de fondation de la maison et des mesures doivent être prises en vue d'écouler les eaux de ruissellement hors de la propriété. Une rigole de drainage (tranchée en pente douce) sert à cette fin lorsque l'écoulement des eaux autour de la maison rencontre une pente en sens inverse. Par exemple, si le terrain est en pente de l'avant vers l'arrière de la maison, la rigole de drainage doit être pratiquée à l'arrière de la maison pour que les eaux de ruissellement coulent le long de la tranchée, autour de la maison, et vers la rue ou le fossé en bordure de la voie.

VOIE D'ACCÈS PRIVÉE POUR AUTOMOBILE

Par mesure de sécurité, la voie d'accès privée pour automobile ne doit pas accuser une trop forte pente vers la rue, mais sa pente doit quand même être suffisante pour empêcher l'eau de s'y accumuler. Que la pente soit en travers ou le long de la voie d'accès, elle ne doit pas être inférieure à 1 : 60.

Les matériaux les plus couramment utilisés pour les voies d'accès privées sont le béton, l'asphalte, les pavés à emboîtement et la pierre concassée. Il est préférable d'aménager une voie pleine largeur, mais une voie formée de deux bandes d'au moins 24 po (600 mm) de largeur espacées d'environ 5 pi (1,5 m) entre axes est acceptable. Bien que moins coûteuse que la voie pleine largeur, la voie d'accès privée formée de deux bandes ne convient pas aux courbes ni aux aires de manœuvres automobiles.

Il est plus facile de circuler en automobile sur une voie d'accès pleine largeur; de plus, si on l'élargit, elle peut aussi servir de trottoir privé. Une voie d'accès privée doit mesurer au moins 8 pi (2,4 m) de largeur et au moins 10 pi (3 m) lorsqu'elle sert en même temps d'allée.

Avant de revêtir la voie d'accès privée, il faut bien aplanir et compacter la base. Les matières de faible consistance, de même que les pierres et les cailloux détachés doivent être enlevés sur une profondeur d'environ 4 po (100 mm) et les trous ainsi formés doivent être remplis de matières solides bien compactées. Le sol récemment remblayé doit être bien compacté parce que tout affaissement du sol provoquerait des fissures dans la surface de roulement. Si celle-ci doit être en asphalte, la fondation de la voie d'accès doit être constituée d'une couche bien compactée de pierre concassée ou de gravier de 4 po (100 mm) d'épaisseur au moins. La couche d'asphalte a généralement 1 1/2 po (40 mm) d'épaisseur. On peut aussi utiliser une dalle de béton de 5 po (125 mm) d'épaisseur sans fondation, ou une dalle de 3 po (75 mm) d'épaisseur si elle est posée sur une couche de gravier de 5 po (125 mm).

La mise en place, le lissage et la cure du béton doivent se faire tel qu'expliqué dans la section *Dalle de plancher du sous-sol* du chapitre *Semelles, fondations et dalle*. Un lissage excessif à la planchette aura pour résultat de faire remonter une trop grande quantité de laitance à la surface et de la rendre moins résistante. Les joints de retrait de la voie d'accès privée doivent être placés à intervalles 10 à 12 pi (3 à 3,5 m). Les dalles ainsi formées doivent être aussi carrées que possible. On doit faire

usage de joints d'isolement, constitués de garnitures de joint préformées ou de papier de revêtement, pour séparer la voie d'accès privée de la bordure de la rue, de la dalle de plancher du garage et du mur de fondation. Les joints de retrait doivent être exécutés selon les indications de *Dalle de plancher de sous-sol*. La garniture préformée des joints d'isolement doit s'étendre sur toute l'épaisseur du revêtement de la voie d'accès privée et avoir de 1/4 à 1/2 po (6 à 12 mm) d'épaisseur.

ALLÉES

Les allées sont couramment en béton coulé sur place ou en dalles préfabriquées. On utilise également d'autres types de matériaux, comme l'asphalte, la brique d'argile ou de béton, le gravier fin et la pierre concassée.

Les allées doivent être construites sur une fondation bien compactée et être légèrement inclinées de façon à évacuer les eaux de surface. On n'utilise habituellement pas de fondation sous les allées en béton comme on le fait pour celles en asphalte. Les allées en béton doivent mesurer au moins 4 po (100 mm) d'épaisseur et celles en asphalte, environ 1 1/2 po (40 mm). On doit réaliser des joints de retrait dans les allées pour la même raison qu'on le fait dans les voies d'accès privées. L'espacement de ces joints correspond habituellement à environ une fois et demie la largeur de l'allée. Les dalles préfabriquées sont généralement déposées sur un lit de sable servant de base de nivellement.

POUR UNE MAISON SAINE...

Élimination écologique des eaux pluviales

Il arrive que l'implantation de la maison sur un emplacement donné ait des répercussions négatives sur le ruissellement des eaux. La situation peut surgir dans le cas d'une maison aménagée en secteur rural aux prises avec un écosystème fragile, mais plus fréquemment dans les zones où il se construit un grand nombre de maisons, de sorte que les opérations de nivellement touchent l'ensemble du terrain. Certains aspects importants sont résumés ci-après :

→ Orienter le bâtiment de manière à ne pas obstruer le ruissellement naturel des eaux; devant l'impossibilité de le faire, niveler le terrain de façon à maintenir le profil de ruissellement.

→ Éviter autant que possible de déverser l'écoulement des eaux du toit dans le réseau d'égout municipal ou le tuyau de drainage des fondations car ces deux mesures accroissent les risques d'inondation du sous-sol.

→ Raccorder les descentes pluviales des gouttières à un baril ou citerne et utiliser l'eau ainsi recueillie pour arroser la pelouse ou laver l'automobile.

→ Planifier l'aménagement paysager qui captera et retiendra les eaux de ruissellement au cas où une grande surface de toit est drainée en un seul endroit. La conservation d'eau aux endroits où elle s'infiltrera lentement dans le sol constitue une autre option efficace.

Les répercussions de la construction d'une maison peuvent être atténuées par une planification et une conception attentives. Consulter les autorités environnementales pour en savoir davantage sur la gestion responsable des eaux pluviales.

MESURES DE PROTECTION CONTRE LA POURRITURE ET LES TERMITES

Le bois utilisé dans des conditions lui permettant d'être toujours sec, ou soumis à de courtes périodes de mouillage intermittent suivies d'un assèchement rapide, ne pourrit pas. Par contre, tout le bois et les produits du bois utilisés en construction sont sujets à pourrir s'ils demeurent mouillés longtemps. La plupart des éléments de bois d'une maison ne sont pas soumis à de telles conditions, pourvu que les mesures appropriées sont prises. La protection est assurée par les méthodes de conception et de construction, par l'utilisation de matériaux convenables et, dans certains cas, par le traitement des matériaux.

Le chantier de construction doit être bien drainé et le bois non traité ne doit pas être laissé en contact avec le sol. Les murs de fondation doivent se prolonger d'au moins 6 po (150 mm) au-dessus du sol. Le bardage en bois ou en matériaux dérivés ne doit pas être posé à moins de 8 po (200 mm) au-dessus du sol. Dans un vide sanitaire, le sol doit se trouver à 12 po (300 mm) au moins sous les solives et les poutres, et cette distance doit être portée à 18 po (450 mm) là où les termites constituent un problème.

Les éléments de construction tels que marches, porches, appuis de fenêtres et seuils de portes doivent être inclinés de manière à ne pas retenir l'eau. On doit installer des solins au-dessus des portes et des fenêtres et autres saillies susceptibles de présenter des risques d'infiltration d'eau. (Voir le chapitre consacré aux *Solins*). Le toit comportant un débord très saillant assure une plus grande protection au bardage et à d'autres éléments de la maison. De façon analogue, si l'entrée de la maison est couverte, la porte se trouve protégée.

Les marches, le garde-corps et le plancher d'un porche extérieur en bois qui sont exposés à la pluie et à la neige risquent fort de pourrir. S'ils ne sont pas traités, ces éléments ne doivent pas être laissés en contact direct avec le sol. Il importe de protéger les veines d'extrémité qui absorbent l'eau aisément. Si le bois traité doit être coupé en chantier, on doit tremper les extrémités taillées dans un produit de préservation jusqu'à ce qu'elles en soient saturées. Les extrémités et les joints du bardage peuvent être traités en cours d'assemblage ou obturés ultérieurement pour parer à l'infiltration d'eau. Il importe d'utiliser un produit de calfeutrage de qualité autour des bâtis de fenêtres et de portes, à la jonction du bardage en bois et du placage de maçonnerie, en dessous des seuils de portes qui ne sont pas totalement protégés de la pluie et à d'autres endroits semblables, afin d'empêcher l'eau de s'infiltrer dans la structure.

Le vide sanitaire laissé sans revêtement du sol est susceptible de devenir très humide et d'exposer les éléments de charpente à des conditions favorisant la pourriture. Le revêtement qui empêche l'humidité du sol d'atteindre le vide sanitaire doit être posé de la manière décrite dans la section *Ventilation et revêtement du sol du vide sanitaire* du chapitre **Semelles, fondations et dalle**. Le vide sanitaire non chauffé doit en outre être ventilé en été.

Le bois est susceptible d'être rongé par les termites, les fourmis charpentières et les lyctides. Dans les régions où les animaux nuisibles prolifèrent, on doit prendre les précautions qui s'imposent pour protéger l'ossature contre leurs attaques. C'est lors de l'élaboration des plans et de la construction de la maison qu'il convient de prévoir la protection correspondante. Il faut s'en tenir aux dispositions du code du bâtiment provincial ou municipal qui traitent des mesures de protection à prendre en ce sens.

ENTRETIEN

Une maison bien construite, avec les matériaux appropriés et conformément aux indications fournies dans le présent ouvrage, nécessitera beaucoup moins d'entretien que celle dont la construction et les matériaux n'y sont pas conformes. Une construction bien exécutée et l'utilisation de matériaux de qualité permettront certes de réduire les frais d'entretien, mais non de les éliminer complètement; on peut même s'attendre à devoir exécuter certains travaux d'entretien dès la première année d'occupation.

Dans une maison neuve par exemple, il arrive fréquemment que de petites fissures apparaissent sur les murs intérieurs et que certaines portes collent. Ces défauts surviennent habituellement pendant ou après la première saison de chauffe, lorsque le bois de l'ossature subit un léger retrait par suite d'une modification de sa teneur en eau ou après que les éléments porteurs ont pris leur position définitive sous la charge.

Il arrive souvent aussi que les matériaux de remblayage autour des fondations se tassent et permettent ainsi aux eaux de ruissellement de s'accumuler le long du mur du sous-sol ou des fondations. Pour remédier à la situation, il suffit de remplir ces dépressions au fur et à mesure qu'elles se manifestent.

Le propriétaire avisé établit un programme d'entretien étalé au fil des ans. Tout comme les frais d'entretien peuvent être sensiblement réduits par une attention particulière apportée aux méthodes et aux matériaux utilisés pour la construction, l'établissement d'un programme d'entretien périodique permet de réduire davantage les frais d'entretien tout en augmentant la valeur marchande de la propriété et la durée utile de la maison à ossature de bois.

OUVRAGES DE RÉFÉRENCE

L'aménagement des espaces intérieurs
Société canadienne d'hypothèques et de logement
Architecture de paysage et entretien des aménagements paysagers
Société canadienne d'hypothèques et de logement
Address...

Annexe — Tableaux

Note : Les tableaux des portées reproduits ici ne font état que des essences, portées et qualités du bois de construction les plus courantes. Pour obtenir des renseignements sur les autres, consulter le Code national du bâtiment du Canada (Conseil national recherches) ou *Le livre des portées* (Conseil canadien du bois).

Tableau 1
Épaisseur miminale des murs de fondation

Type de mur de fondation	Épaisseur minimale du mur po (mm)	Hauteur maximale du niveau du sol fini, au-dessus du plancher du sous-sol ou du niveau du sol à l'intérieur du bâtiment, pi po (m)	
		Mur de fondation non appuyé latéralement en partie supérieure[1, 2, 3, 4]	Mur de fondation appuyé latéralement en partie supérieure[1, 2, 3, 4]
Béton plein, résistance minimale de 2 200 lb/po² (15 MPa)	6 (150)	2–7 (0,80)	4–11 (1,50)
	8 (200)	3–11 (1,20)	7–0 (2,15)
	10 (250)	4–7 (1,40)	7–6 (2,30)
	12 (300)	4–11 (1,50)	7–6 (2,30)
Béton plein, résistance minimale de 2 900 lb/po² (20 MPa)	6 (150)	2–7 (0,80)	5–10 (1,80)
	8 (200)	3–11 (1,20)	7–6 (2,30)
	10 (250)	4–7 (1,40)	7–6 (2,30)
	12 (300)	4–11 (1,50)	7–6 (2,30)
Maçonnerie d'éléments	5½ (140)	1–11 (0,60)	2–7 (0,80)
	9 7/16 (240)	3–11 (1,20)	5–10 (1,80)
	11 7/16 (290)	4–7 (1,40)	7–2 (2,20)

Remarques

1. On estime que l'appui latéral des murs de fondation est assuré en partie supérieure lorsque les solives de plancher y sont encastrées ou que le plancher y est assujetti par des boulons d'ancrage; dans ce dernier cas, les solives peuvent être parallèles ou perpendiculaires aux murs de fondation.
2. Lorsqu'un mur de fondation comporte une ouverture d'une largeur supérieure à 3 pi 11 po (1,2 m) ou des ouvertures sur plus de 25 % de sa longueur, la partie du mur au-dessous des ouvertures doit être considérée comme non appuyée latéralement, sauf si le mur dans lequel l'ouverture est pratiquée est armé pour lui permettre de résister aux poussées des terres.
3. Lorsque la largeur du mur plein entre les fenêtres est inférieure à la largeur moyenne des fenêtres, celles-ci sont considérées comme une seule ouverture d'une largeur égale à la largeur totale des fenêtres.
4. Lorsqu'un mur de fondation supporte un mur en maçonnerie massive, on estime que le mur de fondation est appuyé latéralement par le plancher du rez-de-chaussée.

Tableau 2
Dosage du béton (en volume)

Résistance du béton	Ciment (partie)	Sable (parties)	Gros granulats
2 175 lb/po² (15 MPa)	1	2	4 parties de granulats ayant jusqu'à 2 po (50 mm) de diamètre
	1	—	6 parties de granulats tout-venant
2 900 lb/po² (20 MPa)	1	1 3/4	3 parties de granulats de diamètre allant jusqu'à 1½ po (40 mm)
	1	—	4 3/4 parties de granulats tout-venant

Tableau 3
Profondeur minimale des fondations

Type de sol	Fondations délimitant un sous-sol ou un vide sanitaire chauffé		Fondations ne délimitant aucun espace chauffé	
	Bon drainage du sol, au moins jusqu'à la limite de pénétration du gel	Mauvais drainage du sol	Bon drainage du sol, au moins jusqu'à la limite de pénétration du gel	Mauvais drainage du sol
Argile ou sol non défini	4 pi (1,2 m)	4 pi (1,2 m)	4 pi (1,2 m), mais jamais moins que la limite de pénétration du gel	4 pi (1,2 m), mais jamais moins que la limite de pénétration du gel
Limon	Aucune limite	Aucune limite	En dessous de la limite de pénétration du gel	En dessous de la limite de pénétration du gel
Sols à forte granulométrie	Aucune limite	Aucune limite	Aucune limite	En dessous de la limite de pénétration du gel
Roc	Aucune limite	Aucune limite	Aucune limite	Aucune limite

Tableau 4
Dimensions minimales des semelles filantes
(Longueur des solives supportées égale ou inférieure à 16 pi [4,9 m] ou moins)
(Surcharge de calcul maximale pour les planchers : 50 lb/pi² [2,4 kN/m²])

Nombre de planchers supportés	Largeur minimale des semelles filantes, en po (mm)		Surface minimale des semelles isolées sous poteaux[1], en pi² (m²)
	Pour des murs extérieurs	Pour des murs intérieurs	
1	10 (250)[2]	8 (200)[3]	4,3 (0,4)
2	14 (350)[2]	14 (350)[3]	8 (0,75)
3	18 (450)[2]	20 (500)[3]	11 (1,0)

Remarques

1. Les dimensions sont calculées pour des poteaux dont l'entraxe est de 9 pi 10 po (3 m). Pour tout autre espacement, la surface des semelles doit être déterminée en fonction de la distance en question.
2. La largeur des semelles doit être augmentée de 2½ po (65 mm) pour chaque étage de construction à ossature de bois supportant un placage de maçonnerie. À l'exception des murs de fondation, la largeur des semelles doit être augmentée de 5⅛ po (130 mm) pour chaque étage de construction en maçonnerie.
3. La largeur des semelles doit être augmentée de 4 po (100 mm) pour chaque étage de construction en maçonnerie.

Tableau 5
Proportions des mélanges de mortier (en volume)

Usage permis du mortier	Ciment portland	Ciment à maçonner (type H)	Chaux	Granulats
Partout[1]	$1/2$ à 1	1	—	
	1	—	$1/4$ à $1/2$	
Partout[1], sauf pour un mur de fondation ou un pilier	—	1	—	Pas moins de $2\frac{1}{4}$ mais pas plus de 3 fois la somme des volumes du ciment et de la chaux
	1	—	$1/2$ à $1\frac{1}{4}$	
Partout, sauf pour un mur porteur en éléments creux	1	—	$1\frac{1}{4}$ à $2\frac{1}{2}$	
Toute cloison non porteuse et tout mur porteur en éléments pleins, sauf pour un mur de fondation	1	—	$2\frac{1}{4}$ à 4	
	—	—	1	

Remarque
1. Ces mélanges ne doivent pas être utilisés avec des briques silico-calcaires ou des briques en béton.

Tableau 6
Débits courants — Qualités et usages

Dimensions, po (mm)	Qualité	Qualités couramment regroupées[1]	Usages principaux	Catégorie de qualité
Épaisseur : 2 à 4 po (38 à 89 mm); Largeur : 2 à 4 po (38 à 89 mm)	Select Structural N° 1 et n° 2	N° 2 et meilleur (n° 2 et Btr.)	S'utilise couramment dans la plupart des constructions. Offre une forte résistance, une grande rigidité et une belle apparence. S'utilise de préférence pour les fermes, les chevrons et les solives de toit.	Charpente légère de choix
	N° 3[3]	—	S'utilise en construction lorsque l'apparence et une grande résistance importent peu (ex. : poteaux de mur non porteurs).	
	Construction[3] Standard[3]	Standard et meilleur (Std. et Btr.)	S'utilise plus couramment dans la construction générale de charpente. Possède une résistance moindre et permet des portées plus courtes que le N° 2 et Btr. des charpentes légères de choix, mais est plus forte et permet des portées plus longues que le N° 3.	Charpente légère
	Utility[2]	—	Très économique lorsque la résistance n'est pas importante (ex. : poteaux, lisses et sablières de cloisons, calages, entretoises et contreventements).	

Tableau 6 (suite)
Débits courants — Qualités et usages

Dimensions, po (mm)	Qualité	Qualités couramment regroupées[1]	Usages principaux	Catégorie de qualité
	Economy[2]	—	Sert aux travaux de construction temporaires ou bon marché lorsque la résistance et l'apparence importent peu	
Épaisseur : 2 à 4 po (38 à 89 mm); Largeur : 5 po (114 mm) et plus	Select Structural No 1 et no 2	No 2 et meilleur (no 2 et Btr.)	S'utilise couramment dans la plupart des constructions requérant haute résistance et rigidité (ex. : solives de plancher, solives de toit et chevrons.	Solives et madriers de choix
	No 3[3]	—	S'utilise en construction générale où la résistance importe peu.	
	Economy[2]	—	Sert aux travaux de construction temporaires ou bon marché lorsque la résistance et l'apparence importent peu.	
Épaisseur : 2 à 4 po (38 à 89 mm); 2 po (38 mm) et plus	Stud[3]	—	Très employé; qualité spéciale-ment destinée à tous les usages de poteaux (murs porteurs compris).	Poteaux
	Economy stud[2]	—	Sert aux travaux de construction temporaires ou bon marché lorsque la résistance et l'apparence impotent peu.	

Remarques
1. Pour faciliter le tri du bois à la scierie, les meilleures qualités sont regroupées et mises en marché ensemble. Chaque pièce de bois porte néanmoins une estampille de qualité.
2. À l'exception des qualités Utility et Economy, toutes les qualités ont été cotées à la machine; la résistance et les portées admissibles ont donc été établies pour chacune.
3. Les qualités Construction, Standard, Stud et N° 3 ne doivent pas servir à des fins structurales à moins de faire partie d'un ensemble composé de trois éléments parallèles ou plus, se trouvant à entraxes de 24 po (600 mm) ou moins, disposés ou joints de façon à supporter les charges.

Tableau 7
Reproduction de marques de qualité utilisées par des associations de producteurs canadiens de bois de construction et des organismes habilités à marquer le bois de construction au Canada[1]

Reproduction de marques de qualité	Association ou organisme
A.F.P.A. 00 **S — P — F** **S-DRY STAND**	Alberta Forest Products Association 11738, avenue Kingsway, bureau 200 Edmonton (Alberta) T5G 0X5
C L A S - P - F **100** No. 1 **S-GRN.**	Canadian Lumbermen's Association 27, avenue Goulburn Ottawa (Ontario) K1N 8C7
LMA 1 1 **S-GRN** 1 **D FIR-N**	Cariboo Lumber Manufacturers' Association 197, 2[e] avenue Nord, bureau 205 Williams Lake (Colombie-Britannique) V2G 1Z5
CFPA® 00 S-P-F S-DRY **CONST**	Central Forest Products Association Inc. C. P. 1169 Hudson Bay (Saskatchewan) S0E 0Y0
NFPA® **W.CEDAR** **S-GRN.-(N)** **100 No 3**	Northern Forest Products Association 1488, 4e avenue, bureau 400 Prince George (Colombie-Britannique) V2L 4Y2

Tableau 7 (suite)
Reproduction de marques de qualité utilisées par des associations de producteurs canadiens de bois de construction et des organismes habilités à marquer le bois de construction au Canada[1]

Reproduction de marques de qualité	Association ou organisme
 O O S–P–F	Interior Lumber Manufacturers' Association 1855, chemin Kirschner, bureau 360 Kelowna (Colombie-Britannique) V1Y 4N7
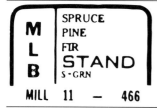 MILL 11 — 466	Maritime Lumber Bureau C. P. 459 Amherst (Nouvelle-Écosse) B4H 4A1
O.L.M.A. ⓛ 01-1 **CONST.** S-DRY SPRUCE - PINE - FIR	Ontario Lumber Manufacturers' Association 55, avenue University, bureau 1105 C. P. 8 Toronto (Ontario) M5J 2H7
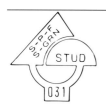	Association des manufacturiers de bois de sciage du Québec 5055, boulevard Hamel ouest, bureau 200 Québec (Québec) G2E 2G6
	MacDonald Inspection 211, rue School House Coquitlam (Colombie-Britannique) V3K 4X9

Tableau 7 (suite)
Reproduction de marques de qualité utilisées par des associations de producteurs canadiens de bois de construction et des organismes habilités à marquer le bois de construction au Canada[1]

Reproduction de marques de qualité	Association ou organisme
 CONST S·P·F S-GRN	N.W.T. Grade Stamping Agency C. P. 346 Sardis (Colombie-Britannique) V2R 1A7
 NLGA RULE No 1 S·GRN HEM-FIR-N	Pacific Lumber Inspection Bureau C. P. 19118 Bureau de poste de la 4e avenue Vancouver (Colombie-Britannique) V6K 4R8

Remarque
1. Cette liste n'est pas complète. Il existe en effet d'autres organismes habilités à marquer le bois de construction. Pour obtenir la liste complète, communiquer avec la Commission nationale de classification des sciages (National Lumber Grades Authority) au (604) 451-7323.

Tableau 8
Reproduction de marques de qualité du bois de construction classé par contrainte mécanique

Reproduction de marques de qualité	Association ou organisme
(Company Name) A.F.P.A.®31 S-P-F MACHINE RATED S-DRY 2100f 1.8E	Alberta Forest Products Association 11738, avenue Kingsway, bureau 200 Edmonton (Alberta) T5G 0X5
 ILMA® S—P—F S·DRY 15 MACHINE RATED 2400f 2.0E	Interior Lumber Manufacturers' Association 855, chemin Kirschner, bureau 360 Kelowna (Colombie-Britannique) V1Y 4N7

Tableau 9
Nom commercial des essences de bois de construction

Nom commercial des essences de bois de construction	Abréviations	Essences	Caractéristiques du bois
Spruce – Pine – Fir	S – P – F	Épinette (sauf l'épinette de Sitka), pin gris, pin de Murray, sapin baumier et sapin concolore	Bois affichant des caractéristiques semblables. Faciles à travailler et à peindre. Tiennent bien les clous. Couleur variant généralement du blanc au jaune pâle.
Douglas Fir – Larch	D. Fir – L	Sapin de Douglas, mélèze de l'Ouest	Niveau élevé de dureté et bonne résistance à la pourriture. Tiennent bien les clous. Se collent et se peignent bien. Couleur variant du brun rougeâtre au blanc jaunâtre.
Hem – Fir	Hem – Fir	Pruche de l'Ouest, sapin gracieux	Faciles à travailler. Prennent bien la peinture et tiennent bien les clous. Se collent bien. Couleur variant du brun-jaune pâle au blanc.
Northern Species	North	Thuya géant	Bois résistant exceptionnellement bien à la pourriture. De résistance modérée. De belle apparence, il se travaille facilement et se finit très bien. Duramen brun rougeâtre et aubier pâle.
	North	Pin rouge, pin à bois lourd	Bois assez lourd et facile à travailler, accepte bien un fini et résiste bien à l'arrachement des clous et des vis. De durabilité modérée, il sèche en fendillant ou en bombant un peu. L'aubier est épais, pâle, de couleur jaune; le duramen varie du brun pâle au brun rougeâtre.
		Pin argenté, pin blanc	Le plus tendre des pins du Canada, il se travaille et se finit exceptionnellement bien. Il n'est pas aussi fort que la plupart des essences de pin, mais n'a pas tendance à gercer ni à craquer. Résiste bien à l'arrachement de clous. Subit peu de retrait, moins que toutes les autres essences, sauf les cèdres. Se peint, se teint et se vernit bien. L'aubier est presque blanc et le duramen varie du blanc crème au brun paille pâle.
		Tremble, grand tremble, peuplier baumier	Bois légers de résistance modérée, se travaillant bien, se finissant bien et résistant bien à l'arrachement des clous. Généralement de teinte pâle, variant du presque blanc au blanc grisâtre.

Très

Moins

Tableau 10
Dimensions des débits courants et des planches

	Dimensions nominales (en pouces)	Dimensions réelles (en pouces) Sec	Dimensions réelles (en pouces) Vert	Équivalents métriques (en mm) Sec	Équivalents métriques (en mm) Vert	Dimensions converties (en mm)
Débits courants	2 x 2	1½ x 1½	1 9/16 x 1 9/16	38 x 38	40 x 40	38 x 38
	3	2½	2 9/16	64	65	64
	4	3½	3 9/16	89	90	89
	6	5½	5 ⅝	140	143	140
	8	7¼	7½	184	190	184
	10	9¼	9½	235	241	235
	12	11¼	11½	286	292	286
	3 x 3, etc.	2½ x 2½	2 9/16 x 2 9/16	64 x 64	65 x 65	64 x 64
	4 x 4, etc.	3½ x 3½	3 9/16 x 3 9/16	89 x 89	90 x 90	89 x 89
Planches	1 x 2	¾ x 1½	13/16 x 1 9/16	19 x 38	21 x 40	19 x 38
	3	2½	2 9/16	64	65	64
	4	3½	3 9/16	89	90	89
	5	4½	4⅝	114	117	114
	6	5½	5⅝	140	143	140
	8	7¼	7½	184	190	184
	10	9¼	9½	235	241	235
	12	11¼	11½	286	292	286
	1¼ x 2, etc.	1 x 1½	1 1/32 x 19/16	25 x 38	26 x 40	25 x 38
	1½ x2, etc.	1¼ x 1½	1 9/32 x 1 9/16	32 x 38	33 x 40	32 x 38

Tableau 11
Portées maximales des poutres composées supportant 1 plancher[1]

			Portée maximale, en pi po (m)[2, 3] — Dimensions des poutres composées, en po (mm)								
		Longueur de solive supportée, en pi	2 x 8 (38 x 184)			2 x 10 (38 x 235)			2 x 12 (38 x 286)		
			Nombre d'éléments								
Nom commercial	Qualité	(m)[4, 5]	3	4	5	3	4	5	3	4	5
Douglas Fir	Nº 1	8	9–9	11–3	12–7	11–11	13–9	15–4	13–10	15–11	17–10
– Larch	et	(2,4)	(2,99)	(3,45)	(3,86)	(3,66)	(4,22)	(4,72)	(4,24)	(4,90)	(5,48)
(inclut	nº 2	10	8–8	10–1	11–3	10–8	12–3	13–9	12–4	14–3	15–11
sapin de		(3,0)	(2,67)	(3,09)	(3,45)	(3,27)	(3,78)	(4,22)	(3,79)	(4,38)	(4,90)
Douglas et		12	7–11	9–2	10–3	9–9	11–3	12–7	11–3	13–0	14–7
mélèze		(3,6)	(2,44)	(2,82)	(3,15)	(2,98)	(3,45)	(3,85)	(3,46)	(4,00)	(4,47)
occidental)		14	7–4	8–6	9–6	9–0	10–5	11–7	10–5	12–1	13–6
		(4,2)	(2,26)	(2,61)	(2,92)	(2,76)	(3,19)	(3,57)	(3,21)	(3,70)	(4,14)
		16	6–11	7–11	8–11	8–5	9–9	10–10	9–9	11–3	12–7
		(4,8)	(2,11)	(2,44)	(2,73)	(2,59)	(2,98)	(3,34)	(3,00)	(3,46)	(3,87)
		18	6–6	7–6	8–5	7–11	9–2	10–3	9–2	10–8	11–11
		(5,4)	(1,99)	(2,30)	(2,57)	(2,44)	(2,81)	(3,15)	(2,83)	(3,27)	(3,65)
		20	6–2	7–1	7–11	7–6	8–8	9–9	8–9	10–1	11–3
		(6,0)	(1,89)	(2,18)	(2,44)	(2,31)	(2,67)	(2,98)	(2,68)	(3,10)	(3,46)

Tableau II (suite)
Portées maximales des poutres composées supportant 1 plancher[1]

			Portée maximale, en pi po (m)[2, 3]								
			Dimensions des poutres composées, en po (mm)								
		Longueur de solive supportée,	2 x 8 (38 x 184)			2 x 10 (38 x 235)			2 x 12 (38 x 286)		
Nom commercial	Qualité	en pi (m)[4, 5]	3	4	5	3	4	5	3	4	5
					Nombre d'éléments						
Hem – Fir	Nº 1	8	10–2	11–9	13–2	12–6	14–5	16–1	14–6	16–9	18–8
(inclut	et	(2,4)	(3,14)	(3,62)	(4,05)	(3,83)	(4,43)	(4,95)	(4,45)	(5,14)	(5,74)
pruche de	nº 2	10	9–2	10–6	11–9	11–2	12–11	14–5	12–11	14–11	16–9
l'Ouest et		(3,0)	(2,80)	(3,24)	(3,62)	(3,43)	(3,96)	(4,43)	(3,98)	(4,60)	(5,14)
sapin		12	8–4	9–7	10–9	10–2	11–9	13–2	11–10	13–8	15–3
gracieux)		(3,6)	(2,56)	(2,96)	(3,31)	(3,13)	(3,61)	(4,04)	(3,63)	(4,19)	(4,69)
		14	7–9	8–11	10–0	9–5	10–11	12–2	10–11	12–8	14–2
		(4,2)	(2,37)	(2,74)	(3,06)	(2,90)	(3,35)	(3,74)	(3,36)	(3,88)	(4,34)
		16	7–3	8–4	9–4	8–10	10–2	11–5	10–3	11–10	13–3
		(4,8)	(2,22)	(2,56)	(2,86)	(2,71)	(3,13)	(3,50)	(3,15)	(3,63)	(4,06)
		18	6–10	7–10	8–9	8–4	9–7	10–9	9–8	11–2	12–6
		(5,4)	(2,09)	(2,41)	(2,70)	(2,56)	(2,95)	(3,30)	(2,97)	(3,42)	(3,83)
		20	6–5	7–5	8–4	7–11	9–1	10–2	9–2	10–7	11–10
		(6,0)	(1,98)	(2,29)	(2,56)	(2,42)	(2,80)	(3,13)	(2,81)	(3,25)	(3,63)
Spruce –	Nº 1	8	10–7	12–2	13–8	12–11	14–11	16–8	15–0	17–4	19–4
Pine – Fir	et	(2,4)	(3,25)	(3,75)	(4,19)	(3,97)	(4,59)	(5,13)	(4,61)	(5,32)	(5,95)
(inclut	nº 2	10	9–5	10–11	12–2	11–7	13–4	14–11	13–5	15–6	17–4
épinette		(3,0)	(2,90)	(3,35)	(3,75)	(3,55)	(4,10)	(4,59)	(4,12)	(4,76)	(5,32)
[toutes les		12	8–8	10–0	11–2	10–7	12–2	13–7	12–3	14–2	15–10
essences		(3,6)	(2,65)	(3,06)	(3,42)	(3,24)	(3,74)	(4,19)	(3,76)	(4,34)	(4,86)
sauf l'épinette		14	8–0	9–3	10–4	9–9	11–3	12–7	11–4	13–1	14–8
de Sitka],		(4,2)	(2,45)	(2,83)	(3,17)	(3,00)	(3,47)	(3,88)	(3,48)	(4,02)	(4,50)
pin gris,		16	7–6	8–8	9–8	9–2	10–7	11–10	10–7	12–3	13–8
pin de Murray,		(4,8)	(2,30)	(2,65)	(2,96)	(2,81)	(3,24)	(3,63)	(3,26)	(3,76)	(4,21)
sapin baumier		18	7–1	8–2	9–1	8–7	9–11	11–1	10–0	11–7	12–11
et sapin		(5,4)	(2,17)	(2,50)	(2,80)	(2,65)	(3,06)	(3,42)	(3,07)	(3,55)	(3,97)
concolore)		20	6–8	7–9	8–8	8–2	9–5	10–7	9–6	10–11	12–3
		(6,0)	(2,05)	(2,37)	(2,65)	(2,51)	(2,90)	(3,24)	(2,91)	(3,37)	(3,76)
Northern	Nº 1	8	8–6	9–10	10–11	10–4	12–0	13–5	12–0	13–11	15–6
Species	et	(2,4)	(2,61)	(3,01)	(3,36)	(3,19)	(3,68)	(4,11)	(3,70)	(4,27)	(4,77)
(inclut	nº 2	10	7–7	8–9	9–10	9–3	10–9	12–0	10–9	12–5	13–11
toutes les		(3,0)	(2,33)	(2,69)	(3,01)	(2,85)	(3,29)	(3,68)	(3,31)	(3,82)	(4,27)
essences		12	6–11	8–0	8–11	8–6	9–9	10–11	9–10	11–4	12–8
mentionnées		(3,6)	(2,13)	(2,46)	(2,75)	(2,60)	(3,00)	(3,36)	(3,02)	(3,49)	(3,90)
dans les		14	6–5	7–5	8–3	7–10	9–1	10–1	9–1	10–6	11–9
normes de		(4,2)	(1,97)	(2,27)	(2,54)	(2,41)	(2,78)	(3,11)	(2,80)	(3,23)	(3,61)
classification		16	6–0	6–11	7–9	7–4	8–6	9–6	8–6	9–10	11–0
de la NLGA)		(4,8)	(1,84)	(2,13)	(2,38)	(2,25)	(2,60)	(2,91)	(2,61)	(3,02)	(3,38)
		18	5–8	6–6	7–4	6–11	8–0	8–11	8–0	9–3	10–4
		(5,4)	(1,74)	(2,01)	(2,24)	(2,12)	(2,45)	(2,74)	(2,47)	(2,85)	(3,18)
		20	5–4	6–2	6–11	6–7	7–7	8–6	7–7	8–9	9–10
		(6,0)	(1,65)	(1,90)	(2,13)	(2,02)	(2,33)	(2,60)	(2,34)	(2,70)	(3,02)

Remarques
1. Les portées ne visent que les planchers qui desservent des aires résidentielles.
2. Les portées sont les distances nettes entre les appuis. Pour obtenir la portée totale, additionner les deux longueurs d'appui.
3. Prévoir au moins 3½ po (89 mm) d'appui.
4. La longueur supportée correspond à la moitié de la somme des portées des solives de part et d'autre de la poutre.
5. Pour les autres longueurs supportées, la portée peut être déterminée par interpolation directe.

Tableau 12
Portées maximales des poutres composées supportant 2 planchers[1]

			Portée maximale, en pi po (m)[2, 3]								
			Dimensions des poutres composées, en po (mm)								
		Longueur de solive supportée,	2 x 8 (38 x 184)			2 x 10 (38 x 235)			2 x 12 (38 x 286)		
Nom commercial	Qualité	en pi (m)[4, 5]	3	4	5	Nombre d'éléments 3	4	5	3	4	5
Douglas Fir – Larch (inclut sapin de Douglas et mélèze occidental)	N⁰ 1 et n⁰ 2	8 (2,4)	7–5 (2,27)	8–6 (2,62)	9–6 (2,93)	9–0 (2,77)	10–5 (3,20)	11–8 (3,58)	10–6 (3,22)	12–1 (3,72)	13–6 (4,16)
		10 (3,0)	6–7 (2,03)	7–8 (2,34)	8–6 (2,62)	8–1 (2,48)	9–4 (2,86)	10–5 (3,20)	9–4 (2,88)	10–10 (3,32)	12–1 (3,72)
		12 (3,6)	6–0 (1,85)	7–0 (2,14)	7–9 (2,39)	7–4 (2,26)	8–6 (2,62)	9–6 (2,92)	8–7 (2,63)	9–11 (3,03)	11–1 (3,39)
		14 (4,2)	5–7 (1,71)	6–5 (1,98)	7–2 (2,21)	6–10 (2,10)	7–11 (2,42)	8–10 (2,71)	7–11 (2,43)	9–2 (2,81)	10–3 (3,14)
		16 (4,8)	5–3 (1,60)	6–0 (1,85)	6–9 (2,07)	6–5 (1,96)	7–4 (2,26)	8–3 (2,53)	7–5 (2,28)	8–7 (2,63)	9–7 (2,94)
		18 (5,4)	4–11 (1,51)	5–8 (1,75)	6–4 (1,95)	6–0 (1,85)	6–11 (2,14)	7–9 (2,39)	7–0 (2,15)	8–1 (2,48)	9–0 (2,77)
		20 (6,0)	4–8 (1,43)	5–5 (1,66)	6–0 (1,85)	5–9 (1,75)	6–7 (2,03)	7–4 (2,26)	6–8 (2,04)	7–8 (2,35)	8–7 (2,63)
Hem – Fir (inclut pruche de l'Ouest et sapin gracieux)	N⁰ 1 et n⁰ 2	8 (2,4)	7–9 (2,38)	8–11 (2,75)	10–0 (3,07)	9–6 (2,91)	10–11 (3,36)	12–3 (3,76)	11–0 (3,38)	12–8 (3,90)	14–2 (4,36)
		10 (3,0)	6–11 (2,13)	8–0 (2,46)	8–11 (2,75)	8–6 (2,60)	9–9 (3,00)	10–11 (3,36)	9–10 (3,02)	11–4 (3,49)	12–8 (3,90)
		12 (3,6)	6–4 (1,94)	7–4 (2,24)	8–2 (2,51)	7–9 (2,38)	8–11 (2,74)	10–0 (3,07)	8–11 (2,75)	10–4 (3,18)	11–7 (3,56)
		14 (4,2)	5–10 (1,80)	6–9 (2,08)	7–7 (2,32)	7–0 (2,15)	8–3 (2,54)	9–3 (2,84)	7–11 (2,44)	9–7 (2,95)	10–9 (3,29)
		16 (4,8)	5–3 (1,63)	6–4 (1,94)	7–1 (2,17)	6–4 (1,94)	7–9 (2,38)	8–8 (2,66)	7–2 (2,20)	8–11 (2,75)	10–0 (3,08)
		18 (5,4)	4–10 (1,49)	6–0 (1,83)	6–8 (2,05)	5–9 (1,78)	7–2 (2,22)	8–2 (2,50)	6–7 (2,02)	8–1 (2,50)	9–5 (2,91)
		20 (6,0)	4–6 (1,37)	5–7 (1,71)	6–4 (1,94)	5–4 (1,65)	6–7 (2,04)	7–9 (2,38)	6–1 (1,88)	7–6 2,31)	8–11 (2,75)
Spruce – Pine – Fir (inclut épinette [toutes les essences sauf l'épinette de Sitka], pin gris, pin de Murray, sapin baumier et sapin concolore)	N⁰ 1 et n⁰ 2	8 (2,4)	8–0 (2,46)	9–3 (2,85)	10–4 (3,18)	9–10 (3,01)	11–4 (3,48)	12–8 (3,89)	11–5 (3,50)	13–2 (4,04)	14–8 (4,51)
		10 (3,0)	7–2 (2,20)	8–3 (2,55)	9–3 (2,85)	8–9 (2,70)	10–2 (3,11)	11–4 (3,48)	10–2 (3,13)	11–9 (3,61)	13–2 (4,04)
		12 (3,6)	6–7 (2,01)	7–7 (2,32)	8–5 (2,60)	8–0 (2,46)	9–3 (2,84)	10–4 (3,18)	9–4 (2,85)	10–9 (3,30)	12–0 (3,69)
		14 (4,2)	6–1 (1,86)	7–0 (2,15)	7–10 (2,40)	7–5 (2,28)	8–7 (2,63)	9–7 (2,94)	8–7 (2,64)	9–11 (3,05)	11–1 (3,41)
		16 (4,8)	5–8 (1,74)	6–7 (2,01)	7–4 (2,25)	6–10 (2,11)	8–0 (2,46)	8–11 (2,75)	7–9 (2,38)	9–4 (2,85)	10–5 (3,19)
		18 (5,4)	5–3 (1,61)	6–2 (1,90)	6–11 (2,12)	6–3 (1,93)	7–7 (2,32)	8–5 (2,59)	7–1 (2,18)	8–9 (2,69)	9–10 (3,01)
		20 (6,0)	4–10 (1,49)	5–10 (1,80)	6–7 (2,01)	5–9 (1,78)	7–2 (2,20)	8–0 (2,46)	6–7 (2,02)	8–1 (2,50)	9–4 (2,85)

Tableau 12 (suite)
Portées maximales des poutres composées supportant 2 planchers[1]

			2 x 8 (38 x 184)			2 x 10 (38 x 235)			2 x 12 (38 x 286)		
Nom commercial	Qualité	Longueur de solive supportée, en pi (m)[4,5]	3	4	5	3	4	5	3	4	5
Northern	Nº 1	8	6–5	7–5	8–4	7–10	9–1	10–2	9–2	10–7	11–9
Species	et	(2,4)	(1,98)	(2,28)	(2,55)	(2,42)	(2,79)	(3,12)	(2,81)	(3,24)	(3,62)
(inclut	nº 2	10	5–9	6–8	7–5	7–0	8–2	9–1	8–2	9–5	10–7
toutes les		(3,0)	(1,77)	(2,04)	(2,28)	(2,16)	(2,50)	(2,79)	(2,51)	(2,90)	(3,24)
essences		12	5–3	6–1	6–9	6–5	7–5	8–4	7–5	8–7	9–8
mentionnées		(3,6)	(1,61)	(1,86)	(2,08)	(1,97)	(2,28)	(2,55)	(2,29)	(2,65)	(2,96)
dans les		14	4–10	5–7	6–3	5–11	6–10	7–8	6–11	8–0	8–11
normes de		(4,2)	(1,49)	(1,73)	(1,93)	(1,83)	(2,11)	(2,36)	(2,12)	(2,45)	(2,74)
classification		16	4–7	5–3	5–11	5–7	6–5	7–2	6–6	7–5	8–4
de la NLGA)		(4,8)	(1,40)	(1,61)	(1,81)	(1,71)	(1,97)	(2,21)	(1,98)	(2,29)	(2,56)
		18	4–3	4–11	5–6	5–3	6–1	6–9	6–1	7–0	7–10
		(5,4)	(1,32)	(1,52)	(1,70)	(1,61)	(1,86)	(2,08)	(1,87)	(2,16)	(2,42)
		20	4–1	4–8	5–3	5–0	5–9	6–5	5–9	6–8	7–5
		(6,0)	(1,25)	(1,44)	(1,61)	(1,53)	(1,77)	(1,97)	(1,77)	(2,05)	(2,29)

Portée maximale, en pi po (m)[2,3]. Dimensions des poutres composées, en po (mm). Nombre d'éléments.

Remarques

1. Les portées ne visent que les planchers qui desservent des aires résidentielles.
2. Les portées sont les distances nettes entre les appuis. Pour obtenir la portée totale, additionner les deux longueurs d'appui.
3. Prévoir au moins 3½ po (89 mm) d'appui.
4. La longueur supportée correspond à la moitié de la somme des portées des solives de part et d'autre de la poutre.
5. Pour les autres longueurs supportées, la portée peut être déterminée par interpolation directe.

Tableau 13
Portées maximales des poutres composées supportant 3 planchers[1]

			Portée maximale, en pi po (m)[2,3]								
			Dimensions des poutres composées, en po (mm)								
		Longueur de solive supportée	2 x 8 (38 x 184)			2 x 10 (38 x 235)			2 x 12 (38 x 286)		
Nom commercial	Qualité	en pi (m)[4,5]	3	4	5	Nombre d'éléments 3	4	5	3	4	5
Douglas Fir	N° 1	8	6–2	7–2	8–0	7–7	8–9	9–9	8–9	10–2	11–4
– Larch	et	(2,4)	(1,90)	(2,19)	(2,45)	(2,32)	(2,68)	(3,00)	(2,70)	(3,11)	(3,48)
(inclut	n° 2	10	5–6	6–5	7–2	6–9	7–10	8–9	7–10	9–1	10–2
sapin de		(3,0)	(1,70)	(1,96)	(2,19)	(2,08)	(2,40)	(2,68)	(2,41)	(2,79)	(3,11)
Douglas et		12	5–1	5–10	6–6	6–2	7–2	8–0	7–2	8–3	9–3
mélèze		(3,6)	(1,55)	(1,79)	(2,00)	(1,90)	(2,19)	(2,45)	(2,20)	(2,54)	(2,84)
occidental)		14	4–8	5–5	6–0	5–9	6–7	7–5	6–8	7–8	8–7
		(4,2)	(1,44)	(1,66)	(1,86)	(1,76)	(2,03)	(2,27)	(2,04)	(2,35)	(2,63)
		16	4–4	5–1	5–8	5–4	6–2	6–11	6–2	7–2	8–0
		(4,8)	(1,34)	(1,55)	(1,74)	(1,64)	(1,90)	(2,12)	(1,91)	(2,20)	(2,46)
		18	4–1	4–9	5–4	5–1	5–10	6–6	5–10	6–9	7–7
		(5,4)	(1,27)	(1,46)	(1,64)	(1,55)	(1,79)	(2,00)	(1,80)	(2,08)	(2,32)
		20	3–11	4–6	5–1	4–9	5–6	6–2	5–6	6–5	7–2
		(6,0)	(1,20)	(1,39)	(1,55)	(1,47)	(1,70)	(1,90)	(1,69)	(1,97)	(2,20)
Hem – Fir	N° 1	8	6–6	7–6	8–5	7–11	9–2	10–3	9–2	10–8	11–11
(inclut	et	(2,4)	(1,99)	(2,30)	(2,57)	(2,44)	(2,81)	(3,15)	(2,83)	(3,27)	(3,65)
pruche de	n° 2	10	5–9	6–8	7–6	6–11	8–2	9–2	7–9	9–6	10–8
l'Ouest et		(3,0)	(1,78)	(2,06)	(2,30)	(2,13)	(2,52)	(2,81)	(2,40)	(2,92)	(3,27)
sapin		12	5–0	6–1	6–10	6–0	7–6	8–4	6–10	8–5	9–8
gracieux)		(3,6)	(1,55)	(1,88)	(2,10)	(1,85)	(2,30)	(2,57)	(2,10)	(2,61)	(2,98)
		14	4–6	5–7	6–4	5–4	6–8	7–9	6–1	7–6	8–11
		(4,2)	(1,38)	(1,71)	(1,95)	(1,65)	(2,05)	(2,38)	(1,88)	(2,32)	(2,75)
		16	4–1	5–0	5–11	4–11	6–0	7–1	5–7	6–10	8–0
		(4,8)	(1,25)	(1,55)	(1,82)	(1,50)	(1,85)	(2,19)	(1,72)	(2,10)	(2,48)
		18	3–9	4–7	5–5	4–6	5–6	6–6	5–2	6–3	7–4
		(5,4)	(1,15)	(1,42)	(1,68)	(1,39)	(1,70)	(2,00)	(1,59)	(1,93)	(2,27)
		20	3–6	4–3	5–0	4–3	5–1	6–0	4–10	5–10	6–10
		(6,0)	(1,07)	(1,31)	(1,55)	(1,30)	(1,57)	(1,85)	(1,49)	(1,79)	(2,10)
Spruce –	N° 1	8	6–9	7–9	8–8	8–3	9–6	10–7	9–6	11–0	12–4
Pine – Fir	et	(2,4)	(2,06)	(2,38)	(2,67)	(2,52)	(2,92)	(3,26)	(2,93)	(3,38)	(3,78)
(inclut	n° 2	10	6–0	6–11	7–9	7–4	8–6	9–6	8–5	9–10	11–0
épinette		(3,0)	(1,85)	(2,13)	(2,38)	(2,26)	(2,61)	(2,92)	(2,61)	(3,03)	(3,38)
[toutes les		12	5–5	6–4	7–1	6–6	7–9	8–8	7–4	9–0	10–1
essences		(3,6)	(1,68)	(1,95)	(2,18)	(2,00)	(2,38)	(2,66)	(2,27)	(2,76)	(3,09)
sauf l'épinette		14	4–10	5–10	6–7	5–9	7–2	8–0	6–7	8–2	9–4
de Sitka]		(4,2)	(1,49)	(1,80)	(2,02)	(1,78)	(2,20)	(2,46)	(2,03)	(2,51)	(2,86)
pin gris,		16	4–5	5–5	6–2	5–3	6–6	7–6	6–0	7–4	8–8
pin de Murray,		(4,8)	(1,35)	(1,68)	(1,88)	(1,62)	(2,00)	(2,30)	(1,84)	(2,27)	(2,67)
sapin baumier		18	4–0	5–0	5–9	4–10	5–11	7–0	5–6	6–9	8–0
et sapin		(5,4)	(1,24)	(1,53)	(1,78)	(1,49)	(1,83)	(2,17)	(1,70)	(2,08)	(2,46)
concolore)		20	3–9	4–7	5–5	4–6	5–6	6–6	5–2	6–3	7–4
		(6,0)	(1,15)	(1,42)	(1,68)	(1,39)	(1,70)	(2,00)	(1,59)	(1,93)	(2,27)

Tableau 13 (suite)
Portées maximales des poutres composées supportant 3 planchers[1]

			Portée maximale, en pi po (m)[2,3]								
			Dimensions des poutres composées, en po (mm)								
		Longueur de solive supportée	2 x 8 (38 x 184)			2 x 10 (38 x 235)			2 x 12 (38 x 286)		
Nom commercial	Qualité	en pi (m)[4,5]	3	4	5	Nombre d'éléments 3	4	5	3	4	5
Northern	N° 1	8	5–5	6–3	7–0	6–7	7–7	8–6	7–8	8–10	9–11
Species	et	(2,4)	(1,66)	(1,91)	(2,14)	(2,03)	(2,34)	(2,62)	(2,35)	(2,72)	(3,04)
(inclut	n° 2	10	4–10	5–7	6–3	5–11	6–10	7–7	6–10	7–11	8–10
toutes les		(3,0)	(1,48)	(1,71)	(1,91)	(1,81)	(2,09)	(2,34)	(2,10)	(2,43)	(2,72)
essences		12	4–5	5–1	5–8	5–5	6–3	6–11	6–3	7–3	8–1
mentionnées		(3,6)	(1,35)	(1,56)	(1,75)	(1,65)	(1,91)	(2,14)	(1,92)	(2,22)	(2,48)
dans les		14	4–1	4–8	5–3	5–0	5–9	6–5	5–9	6–8	7–6
normes de		(4,2)	(1,25)	(1,45)	(1,62)	(1,53)	(1,77)	(1,98)	(1,78)	(2,05)	(2,29)
classification		16	3–10	4–5	4–11	4–8	5–5	6–0	5–5	6–3	7–0
de la NLGA)		(4,8)	(1,17)	(1,35)	(1,51)	(1,43)	(1,65)	(1,85)	(1,66)	(1,92)	(2,15)
		18	3–7	4–2	4–8	4–5	5–1	5–8	5–1	5–11	6–7
		(5,4)	(1,10)	(1,28)	(1,43)	(1,35)	(1,56)	(1,74)	(1,57)	(1,81)	(2,02)
		20	3–5	3–11	4–5	4–2	4–10	5–5	4–10	5–7	6–3
		(6,0)	(1,05)	(1,21)	(1,35)	(1,28)	(1,48)	(1,65)	(1,49)	(1,72)	(1,92)

Remarques

1. Les portées ne visent que les planchers qui desservent des aires résidentielles.
2. Les portées sont les distances nettes entre les appuis. Pour obtenir la portée totale, additionner les deux longueurs d'appui.
3. Prévoir au moins 3½ po (89 mm) d'appui.
4. La longueur supportée correspond à la moitié de la somme des portées des solives de part et d'autre de la poutre.
5. Pour les autres longueurs supportées, la portée peut être déterminée par interpolation directe.

Tableau 14
Portées maximales des poutres lamellées-collées catégorie 2of-E supportant les planchers[1]

			Portée maximale, en pi po (m)[2,3,4,5]						
		Longueur	Profondeur des poutres, en po (mm)						
Nombre d'étages supportés	Largeur des poutres, en po (mm)	de solives supportée en pi (m)[6,7]	9 (228)	10½ (266)	12 (304)	13½ (342)	15 (380)	16½ (418)	18 (456)
1	3 (80)	8 (2,4)	14–1 (4,32)	16–5 (5,04)	18–9 (5,76)	21–1 (6,48)	23–5 (7,20)	25–9 (7,92)	28–2 (8,64)
		10 (3,0)	12–7 (3,87)	14–8 (4,51)	16–9 (5,15)	18–10 (5,80)	21–0 (6,44)	23–1 (7,09)	25–2 (7,73)
		12 (3,6)	11–6 (3,53)	13–5 (4,12)	15–4 (4,70)	17–3 (5,29)	19–2 (5,88)	21–1 (6,47)	23–0 (7,06)
		14 (4,2)	10–8 (3,27)	12–5 (3,81)	14–2 (4,36)	15–11 (4,90)	17–9 (5,44)	19–6 (5,99)	21–3 (6,53)
		16 (4,8)	9–11 (3,06)	11–7 (3,57)	13–3 (4,07)	14–11 (4,58)	16–7 (5,09)	18–3 (5,60)	19–11 (6,11)
		18 (5,4)	9–5 (2,88)	10–11 (3,36)	12–6 (3,84)	14–1 (4,32)	15–8 (4,80)	17–2 (5,28)	18–9 (5,76)
		20 (6,0)	8–11 (2,73)	10–5 (3,19)	11–10 (3,64)	13–4 (4,10)	14–10 (4,56)	16–4 (5,01)	17–10 (5,47)
1	5 (130)	8 (2,4)	17–11 (5,51)	20–11 (6,43)	23–11 (7,35)	26–11 (8,26)	29–11 (9,18)	32–11 (10,10)	35–10 (11,02)
		10 (3,0)	16–0 (4,93)	18–9 (5,75)	21–5 (6,57)	24–1 (7,39)	26–9 (8,21)	29–5 (9,03)	32–1 (9,86)
		12 (3,6)	14–8 (4,50)	17–1 (5,25)	19–6 (6,00)	22–0 (6,75)	24–5 (7,50)	26–10 (8,25)	29–3 (9,00)
		14 (4,2)	13–7 (4,16)	15–10 (4,86)	18–1 (5,55)	20–4 (6,25)	22–7 (6,94)	24–10 (7,64)	27–1 (8,33)
		16 (4,8)	12–8 (3,90)	14–10 (4,54)	16–11 (5,19)	19–0 (5,84)	21–2 (6,49)	23–3 (7,14)	25–4 (7,79)
		18 (5,4)	11–11 (3,67)	13–11 (4,28)	15–11 (4,90)	17–11 (5,51)	19–11 (6,12)	21–11 (6,73)	23–11 (7,35)
		20 (6,0)	11–4 (3,48)	13–3 (4,07)	15–1 (4,65)	17–0 (5,23)	18–11 (5,81)	20–10 (6,39)	22–8 (6,97)
2	3 (80)	8 (2,4)	10–8 (3,28)	12–5 (3,83)	14–3 (4,37)	16–0 (4,92)	17–9 (5,47)	19–7 (6,01)	21–4 (6,56)
		10 (3,0)	9–7 (2,93)	11–2 (3,42)	12–9 (3,91)	14–4 (4,40)	15–11 (4,89)	17–6 (5,38)	19–1 (5,87)
		12 (3,6)	8–9 (2,68)	10–2 (3,12)	11–7 (3,57)	13–1 (4,02)	14–6 (4,46)	16–0 (4,91)	17–5 (5,36)
		14 (4,2)	8–1 (2,48)	9–5 (2,89)	10–9 (3,31)	12–1 (3,72)	13–5 (4,13)	14–10 (4,54)	16–2 (4,96)
		16 (4,8)	7–7 (2,32)	8–10 (2,71)	10–1 (3,09)	11–4 (3,48)	12–7 (3,86)	13–10 (4,25)	15–1 (4,64)
		18 (5,4)	7–1 (2,19)	8–4 (2,55)	9–6 (2,91)	10–8 (3,28)	11–10 (3,64)	13–1 (4,01)	14–3 (4,37)
		20 (6,0)	6–9 (2,07)	7–11 (2,42)	9–0 (2,77)	10–2 (3,11)	11–3 (3,46)	12–5 (3,80)	13–6 (4,15)

Tableau 14 (suite)
Portées maximales des poutres lamellées-collées catégorie 20f-E supportant les planchers[1]

Nombre d'étages supportés	Largeur des poutres, en po (mm)	Longueur de solives supportée en pi (m)[6, 7]	Portée maximale, en pi po (m)[2, 3, 4, 5]						
			Profondeur des poutres, en po (mm)						
			9 (228)	10½ (266)	12 (304)	13½ (342)	15 (380)	16½ (418)	18 (456)
2	5 (130)	8 (2,4)	13–7 (4,18)	15–10 (4,88)	18–2 (5,57)	20–5 (6,27)	22–8 (6,97)	24–11 (7,66)	27–3 (8,36)
		10 (3,0)	12–2 (3,74)	14–2 (4,36)	16–3 (4,99)	18–3 (5,61)	20–3 (6,23)	22–4 (6,85)	24–4 (7,48)
		12 (3,6)	11–1 (3,41)	13–0 (3,98)	14–10 (4,55)	16–8 (5,12)	18–6 (5,69)	20–4 (6,26)	22–3 (6,83)
		14 (4,2)	10–3 (3,16)	12–0 (3,69)	13–9 (4,21)	15–5 (4,74)	17–2 (5,27)	18–10 (5,79)	20–7 (6,32)
		16 (4,8)	9–7 (2,96)	11–3 (3,45)	12–10 (3,94)	14–5 (4,43)	16–0 (4,93)	17–8 (5,42)	19–3 (5,91)
		18 (5,4)	9–1 (2,79)	10–7 (3,25)	12–1 (3,72)	13–7 (4,18)	15–1 (4,64)	16–8 (5,11)	18–2 (5,57)
		20 (6,0)	8–7 (2,64)	10–0 (3,08)	11–6 (3,53)	12–11 (3,97)	14–4 (4,41)	15–9 (4,85)	17–3 (5,29)
3	3 (80)	8 (2,4)	8–11 (2,75)	10–5 (3,21)	11–11 (3,66)	13–5 (4,12)	14–11 (4,58)	16–5 (5,04)	17–11 (5,50)
		10 (3,0)	8–0 (2,46)	9–4 (2,87)	10–8 (3,28)	12–0 (3,69)	13–4 (4,10)	14–8 (4,51)	16–0 (4,92)
		12 (3,6)	7–4 (2,24)	8–6 (2,62)	9–9 (2,99)	10–11 (3,37)	12–2 (3,74)	13–5 (4,11)	14–7 (4,49)
		14 (4,2)	6–9 (2,08)	7–11 (2,42)	9–0 (2,77)	10–2 (3,12)	11–3 (3,46)	12–5 (3,81)	13–6 (4,15)
		16 (4,8)	6–4 (1,94)	7–5 (2,27)	8–5 (2,59)	9–6 (2,91)	10–6 (3,24)	11–7 (3,56)	12–8 (3,89)
		18 (5,4)	6–0 (1,83)	6–11 (2,14)	7–11 (2,44)	8–11 (2,75)	9–11 (3,05)	10–11 (3,36)	11–11 (3,66)
		20 (6,0)	5–8 (1,74)	6–7 (2,03)	7–7 (2,32)	8–6 (2,61)	9–5 (2,90)	10–4 (3,19)	11–4 (3,48)
3	5 (130)	8 (2,4)	11–5 (3,50)	13–4 (4,09)	15–2 (4,67)	17–1 (5,25)	19–0 (5,84)	20–11 (6,42)	22–10 (7,01)
		10 (3,0)	10–2 (3,13)	11–11 (3,66)	13–7 (4,18)	15–4 (4,70)	17–0 (5,22)	18–8 (5,74)	20–5 (6,27)
		12 (3,6)	9–4 (2,86)	10–10 (3,34)	12–5 (3,81)	14–0 (4,29)	15–6 (4,77)	17–1 (5,24)	18–7 (5,72)
		14 (4,2)	8–7 (2,65)	10–1 (3,09)	11–6 (3,53)	12–11 (3,97)	14–4 (4,41)	15–10 (4,85)	17–3 (5,30)
		16 (4,8)	8–1 (2,48)	9–5 (2,89)	10–9 (3,30)	12–1 (3,72)	13–5 (4,13)	14–9 (4,54)	16–1 (4,95)
		18 (5,4)	7–7 (2,34)	8–10 (2,72)	10–2 (3,11)	11–5 (3,50)	12–8 (3,89)	13–11 (4,28)	15–2 (4,67)
		20 (6,0)	7–3 (2,22)	8–5 (2,58)	9–7 (2,95)	10–10 (3,32)	12–0 (3,69)	13–3 (4,06)	14–5 (4,43)

Remarques

1. Les portées ne visent que les planchers qui desservent des aires résidentielles.
2. Les portées sont valables pour les poutres lamellées-collées conformes aux normes CAN/CSA-O122-M et CAN/CSA-O177-M.
3. Les portées sont les distances nettes entre les appuis. Pour obtenir la portée totale, additionner les deux longueurs d'appui.
4. Prévoir au moins 3½ po (89 mm) d'appui.
5. On suppose que l'appui latéral fourni par les solives s'exerce sur tout le chant supérieur de la poutre.
6. La longueur supportée correspond à la moitié de la somme des portées des solives de part et d'autre de la poutre.
7. Pour les autres longueurs supportées, la portée peut être déterminée par interpolation directe.

Tableau 15
Portées maximales des solives de plancher — cas généraux[1, 2]

			Portée maximale, en pi po (m)[2, 3]								
			Espacement des solives, en po (mm)								
Nom com- mercial	Qualité	Dimensions des solives en pi (m)	Lattes continues			Entretoises			Lattes continues et entretoises		
			12 (300)	16 (400)	24 (600)	12 (300)	16 (400)	24 (600)	12 (300)	16 (400)	24 (600)
Douglas Fir – Larch (inclut sapin de Douglas et mélèze occidental)	N⁰ 1 et n⁰ 2	2x6 (38x140)	10–2 (3,09)	9–7 (2,91)	8–7 (2,62)	10–10 (3,29)	9–10 (2,99)	8–7 (2,62)	10–10 (3,29)	9–10 (2,99)	8–7 (2,62)
		2x8 (38x184)	12–2 (3,71)	11–7 (3,53)	11–0 (3,36)	13–1 (4,00)	12–4 (3,76)	11–3 (3,44)	13–9 (4,19)	12–10 (3,90)	11–3 (3,44)
		2x10 (38x235)	14–4 (4,38)	13–8 (4,16)	13–0 (3,96)	15–3 (4,66)	14–4 (4,38)	13–6 (4,11)	15–10 (4,84)	14–10 (4,51)	13–10 (4,20)
		2x12 (38x286)	16–5 (4,99)	15–7 (4,75)	14–10 (4,52)	17–2 (5,26)	16–2 (4,94)	15–3 (4,65)	17–10 (5,43)	16–7 (5,06)	15–6 (4,72)
Hem – Fir (inclut pruche de l'Ouest et sapin garcieux)	N⁰ 1 et n⁰ 2	2x6 (38x140)	10-2 (3,09)	9–7 (2,91)	8–7 (2,62)	10–10 (3,29)	9–10 (2,99)	8–7 (2,62)	10–10 (3,29)	9–10 (2,99)	8–7 (2,62)
		2x8 (38x184)	12–2 (3,71)	11–7 (3,53)	11–0 (3,36)	13–1 (4,00)	12–4 (3,76)	11–3 (3,44)	13–9 (4,19)	12–10 (3,90)	11–3 (3,44)
		2x10 (38x235)	14–4 (4,38)	13–8 (4,16)	13–0 (3,96)	15–3 (4,66)	14–4 (4,38)	13–6 (4,11)	15–10 (4,84)	14–10 (4,51)	13–10 (4,20)
		2x12 (38x286)	16–5 (4,99)	15–7 (4,75)	14–10 (4,52)	17–2 (5,26)	16–2 (4,94)	15–3 (4,65)	17–10 (5,43)	16–7 (5,06)	15–6 (4,72)
Spruce – Pine – Fir (inclut épinette [toutes les essences sauf l'épinette de Sitka] pin gris, pin de Murray, sapin baumier et sapin concolore)	N⁰ 1 et n⁰ 2	2x6 (38x140)	9–7 (2,92)	8–11 (2,71)	8–2 (2,49)	10–4 (3,14)	9–4 (2,85)	8–2 (2,49)	10–4 (3,14)	9–4 (2,85)	8–2 (2,49)
		2x8 (38x184)	11–7 (3,54)	11–0 (3,36)	10–6 (3,20)	12–5 (3,81)	11–9 (3,58)	10–9 (3,27)	13–1 (3,99)	12–2 (3,72)	10–9 (3,27)
		2x10 (38x235)	13–8 (4,17)	13–0 (3,96)	12–4 (3,77)	14–6 (4,44)	13–8 (4,17)	12–10 (3,92)	15–1 (4,60)	14–1 (4,29)	13–2 (4,00)
		2x12 (38x286)	15–7 (4,75)	14–10 (4,52)	14–1 (4,30)	16–4 (5,01)	15–5 (4,71)	14–6 (4,42)	17–0 (5,17)	15–10 (4,82)	14–9 (4,49)
Northern Species (inclut toutes les essences mentionnées dans les normes de classification de la NLGA)	N⁰ 1 et n⁰ 2	2x6 (38x140)	8–3 (2,51)	7–8 (2,33)	7–1 (2,16)	9–3 (2,83)	8–5 (2,57)	7–5 (2,25)	9–4 (2,83)	8–5 (2,57)	7–5 (2,25)
		2x8 (38x184)	10–6 (3,19)	10–0 (3,04)	9–4 (2,84)	11–3 (3,44)	10–7 (3,23)	9–8 (2,96)	11–10 (3,60)	11–0 (3,36)	9–8 (2,96)
		2x10 (38x235)	12–4 (3,76)	11–9 (3,58)	11–2 (3,41)	13–1 (4,01)	12–4 (3,77)	11–7 (3,54)	13–8 (4,16)	12–9 (3,88)	11–10 (3,62)
		2x12 (38x286)	14–1 (4,29)	13–5 (4,08)	12–9 (3,88)	14–9 (4,53)	13–11 (4,25)	13–1 (4,00)	15–4 (4,67)	14–4 (4,35)	13–4 (4,06)

Remarques
1. Les portées ne visent que les planchers qui desservent des aires résidentielles.
2. Le support de revêtement de sol doit être conforme aux exigences minimales des tableaux 17 et 18.

Tableau 16
Portées maximales des solives de plancher — cas particuliers[1, 2]

Nom com– mercial	Qualité	Dimensions des solives en pi (m)	Portée maximale, en pi po (m)								
			Solives de plancher avec plafond fixé aux fourrures de bois						Solives de plancher avec chape de béton		
			Espacement des solives, en po (mm)						Espacement des solives, en po (mm)		
			Sans entretoises			Avec entretoises			Avec ou sans entretoises[3]		
			12 (300)	16 (400)	24 (600)	12 (300)	16 (400)	24 (600)	12 (300)	16 (400)	24 (600)
Douglas Fir – Larch (inclut sapin de Douglas et mélèlze occidental)	N⁰ 1 et n⁰ 2	2x6 (38x140)	10-10 (3,29)	9-10 (2,99)	8-7 (2,62)	10-10 (3,29)	9-10 (2,99)	8-7 (2,62)	10-10 (3,29)	9-10 (2,99)	8-5 (2,55)
		2x8 (38x184)	13-4 (4,06)	12-7 (3,83)	11-3 (3,44)	14-2 (4,33)	12-11 (3,93)	11-3 (3,44)	14-2 (4,33)	12-6 (3,81)	10-2 (3,11)
		2x10 (38x235)	15-8 (4,78)	14-9 (4,50)	13-6 (4,11)	17-2 (5,24)	16-4 (4,98)	14-2 (4,31)	17-8 (5,37)	15-3 (4,65)	12-6 (3,80)
		2x12 (38x286)	17-10 (5,44)	16-10 (5,12)	15-4 (4,68)	19-5 (5,93)	18-6 (5,64)	16-5 (5,00)	20-6 (6,24)	17-9 (5,40)	14-6 (4,41)
Hem – Fir (inclut pruche de l'Ouest et sapin gracieux)	N⁰ 1 et n⁰ 2	2x6 (38x140)	10-10 (3,29)	9-10 (2,99)	8-7 (2,62)	10-10 (3,29)	9-10 (2,99)	8-7 (2,62)	10-10 (3,29)	9-10 (2,99)	8-7 (2,62)
		2x8 (38x184)	13-4 (4,06)	12-7 (3,83)	11-3 (3,44)	14-2 (4,33)	12-11 (3,93)	11-3 (3,44)	14-2 (4,33)	12-11 (3,93)	10-8 (3,26)
		2x10 (38x235)	15-8 (4,78)	14-9 (4,50)	13-6 (4,11)	17-2 (5,24)	16-4 (4,98)	14-5 (4,39)	18-2 (5,53)	16-0 (4,88)	13-1 (3,99)
		2x12 (38x286)	17-10 (5,44)	16-10 (5,12)	15-4 (4,68)	19-5 (5,93)	18-6 (5,64)	17-3 (5,25)	21-6 (6,54)	18-7 (5,66)	15-2 (4,63)
Spruce – Pine – Fir (inclut épinette [toutes les essences sauf l'épinette de Sitka] pin gris, pin de Murray, sapin baumier et sapin concolore)	N⁰ 1 et n⁰ 2	2x6 (38x140)	10-4 (3,14)	9-4 (2,85)	8-2 (2,49)	10-4 (3,14)	9-4 (2,85)	8-2 (2,49)	10-4 (3,14)	9-4 (2,85)	8-2 (2,49)
		2x8 (38x184)	12-8 (3,87)	11-11 (3,64)	10-9 (3,27)	13-6 (4,12)	12-4 (3,75)	10-9 (3,27)	13-6 (4,12)	12-4 (3,75)	10-9 (3,27)
		2x10 (38x235)	14-11 (4,55)	14-1 (4,28)	12-10 (3,91)	16-4 (4,99)	15-7 (4,75)	13-9 (4,18)	17-3 (5,27)	15-8 (4,79)	13-7 (4,13)
		2x12 (38x286)	17-0 (5,18)	16-0 (4,88)	14-7 (4,46)	18-6 (5,65)	17-7 (5,37)	16-7 (5,06)	20-5 (6,23)	19-1 (5,81)	15-9 (4,79)
Northern Species (inclut toutes les essences mentionnées dans les normes de classification de la NLGA)	N⁰ 1 et n⁰ 2	2x6 (38x140)	9-4 (2,83)	8-5 (2,57)	7-5 (2,25)	9-4 (2,83)	8-5 (2,57)	7-5 (2,25)	9-4 (2,83)	8-5 (2,57)	7-4 (2,23)
		2x8 (38x184)	11-6 (3,50)	10-10 (3,29)	9-8 (2,96)	12-3 (3,72)	11-1 (3,38)	9-8 (2,96)	12-3 (3,72)	10-11 (3,32)	8-11 (2,71)
		2x10 (38x235)	13-6 (4,11)	12-8 (3,87)	11-7 (3,54)	14-9 (4,51)	14-1 (4,29)	12-4 (3,76)	15-4 (4,69)	13-4 (4,06)	10-10 (3,31)
		2x12 (38x286)	15-4 (4,68)	14-5 (4,40)	13-2 (4,03)	16-9 (5,10)	15-11 (4,85)	14-4 (4,36)	17-10 (5,44)	15-5 (4,71)	12-7 (3,84)

Remarques

1. Les portées ne visent que les planchers qui desservent des aires résidentielles.
2. Le support de revêtement de sol doit être conforme aux exigences minimales des tableaux 17 et 18.
3. On suppose qu'il n'y a pas d'entretoises dans le calcul des portées des solives de plancher avec chape de béton.

Tableau 17
Épaisseur minimale des supports de revêtement de sol

	Épaisseur minimale du support de revêtement de sol, en po (mm), selon un espacement maximal des solives de		
	16 (400)	20 (500)	24 (600)
Contreplaqué et panneau de copeaux orientés (OSB), catégorie 0-2	$5/8$ (15,5)	$5/8$ (15,5)	$23/32$ (18,5)
Panneau de copeaux orientés (OSB), catégorie 0-1 et panneau de copeaux ordinaires, catégorie R-1	$5/8$ (15,9)	$5/8$ (15,9)	$3/4$ (19,0)
Panneau de particules	$5/8$ (15,9)	$3/4$ (19,0)	1 (25,4)
Bois de construction	$11/16$ (17,0)	$3/4$ (19,0)	$3/4$ (19,0)

Tableau 18
Dispositifs de fixation des revêtements muraux intermédiaires et des supports de couverture et de revêtement de sol

	Longueur minimale des dispositifs, en po (mm)				
Matériau de revêtement	Clous ordinaires ou torsadés	Clous annelés ou vis	Clous pour toitures	Agrafes	Quantité min. ou espacement max. des dispositifs de fixation
Contreplaqué, panneaux de copeaux orientés (OSB) ou panneaux de copeaux ordinaires d'au plus $3/8$ po (10 mm)	2 (51)	$13/4$ (45)	S/O	$11/2$ (38)	
Contreplaqué, panneaux de copeaux orientés (OSB) ou panneaux de copeaux ordinaires de $3/8$ po (10 mm) à $13/16$ po (20 mm)	2 (51)	$13/4$ (45)	S/O	2 (51)	À entraxes de 6 po (150 mm) le long des rives et de 12 po (300 mm) le long des appuis intermédiaires
Contreplaqué, panneaux de copeaux orientés (OSB) ou panneaux de copeaux ordinaires de $13/16$ po (20 mm)	$21/4$ (57)	2 (51)	S/O	S/O	
Panneaux de fibres d'au plus $1/2$ po, (13 mm)	S/O	S/O	$13/4$ (44)	$11/8$ (28)	
Plaque de plâtre d'au plus $1/2$ po (13 mm)	S/O	S/O	$13/4$ (44)	S/O	
Planche d'une largeur d'au plus 8 po (184 mm)	2 (51)	$13/4$ (45)	S/O	2 (51)	2 par appui
Planche d'une largeur de plus 8 po (184 mm)	2 (51)	$13/4$ (45)	S/O	2 (51)	3 par appui

Tableau 19
Clouage des éléments d'ossature[1]

Détails d'exécution	Longueur minimale des clous, en po (mm)		Quantité min. ou espacement max. des clous
Solive de plancher à la lisse et à la sablière — clouage en biais	3¼	(82)	2
Latte continue ou bande de métal à la sous-face des solives de plancher	2¼	(57)	2
Croix de St-André ou entretoises croisées aux solives	2¼	(57)	2 à chaque extrémité
Chevêtres ou solives d'enchevêtrure jumelés	3	(76)	à entraxes de 12 po (300 mm)
Solive de plancher à un poteau (charpente à claire-voie)	3	(76)	2
Lambourde d'appui à une poutre en bois	3¼	(82)	2 par solive
Éclisse de solives (voir le tableau 29)	3	(76)	2 à chaque extrémité
Solive boiteuse au chevêtre autour de l'ouverture — clouage en extrémité	3¼ / 4	(82) / (101)	5 / 3
Chevêtre à la solive d'enchevêtrure autour de l'ouverture — clouage en extrémité	3¼ / 4	(82) / (101)	5 / 3
Poteaux aux lisses et sablière (aux deux extrémités) — clouage en biais ou clouage en extrémité	2½ / 3¼	(63) / (82)	4 / 2
Poteaux jumelés aux ouvertures, ou poteaux aux angles ou intersections de murs	3	(76)	à entraxes de 30 po (750 mm)
Sablières jumelées	3	(76)	à entraxes de 24 po (600 mm)
Lisse ou lisse d'assise aux solives ou à des étrésillons (murs extérieurs)[1]	3¼	(82)	à entraxes de 16 po (400 mm)
Mur intérieur à un élément d'ossature ou au support de revêtement de sol	3¼	(82)	à entraxes de 24 po (600 mm)
Élément d'ossature formant linteau au-dessus d'une ouverture pratiquée dans un mur non porteur — clouage aux deux extrémités	3¼	(82)	2
Linteau aux poteaux	3¼	(82)	2 à chaque extrémité
Solive de plafond — clouage en biais aux deux extrémités	3¼	(82)	2
Chevron, ferme ou solive de toit à la sablière — clouage en biais	3¼	(82)	3
Lisse de chevrons à chacune des solives de plafond	4	(101)	2

298

Tableau 19 (suite)
Clouage des éléments d'ossature[1]

Détails d'exécution	Longueur minimale des clous, en po (mm)		Quantité min. ou espacement max. des clous
Chevron à une solive (panne faîtière supportée)	3	(76)	3
Chevron à une solive (panne faîtière non supportée)	3	(76)	Voir le tableau 29
Gousset d'assemblage à l'extrémité supérieure des chevrons	2¼	(57)	4
Chevron à la faîtière — clouage – en biais — clouage en extrémité	3¼	(82)	3
Faux-entrait au chevron — clouage à chaque extrémité	3	(76)	3
Faux-entrait à son appui latéral	2¼	(57)	2
Empannon à l'arêtier ou au chevron de noue	3¼	(82)	2
Poinçon ou contre-fiche au chevron	3	(76)	3
Poinçon ou contre-fiche à un mur porteur — clouage en biais	3¼	(82)	2
Platelage en madriers d'au plus 2 x 6 po (38 x 140 mm) au support	3¼	(82)	2
Platelage en madriers de plus de 2 x 6 po (38 x 140 mm) au support	3¼	(82)	3
Platelage en madriers de 2 po (38 mm) sur chant au support (clouage en biais)	3	(76)	1
Platelage en madriers de 2 po (38 mm) sur chant assujettis l'un à l'autre	3	(76)	À entraxes de 18 po (450 mm)

Remarque

1. Si la lisse ou la lisse d'assise d'un mur extérieur n'est pas clouée à une solive ou à un calage, il est permis de fixer le mur extérieur à l'ossature du plancher en prolongeant le revêtement intermédiaire en contreplaqué ou en panneaux de copeaux orientés (OSB) ou de copeaux ordinaires jusqu'à cette ossature et en le fixant à cette dernière au moyen de clous ou d'agrafes. L'ossature du mur peut également être fixée à celle du plancher au moyen de bandes en métal galvanisé de 2 po (50 mm) de largeur, d'au moins 0,016 po (0,41 mm) d'épaisseur, espacées d'au plus 48 po (1,2 m) et clouées à chaque extrémité avec au moins 2 clous de 2½ po (63 mm).

Tableau 20
Dimensions et espacement des poteaux

Type de mur	Charges supportées (charges permanentes incluses)	Dimensions minimales des poteaux, en po (mm)	Espacement maximal des poteaux, en po (mm)	Hauteur maximale sans appui, en pi po (m)
Intérieur	Aucune charge	2 x 2 (38 x 38) 2 x 4 (38 x 89) face large[1]	16 (400) 16 (400)	8–0 (2,4) 11–10 (3,6)
	Comble inaccessible par escalier	2 x 3 (38 x 64) 2 x 3 (38 x 64) face large[1] 2 x 4 (38 x 89) 2 x 4 (38 x 89) face large[1]	24 (600) 16 (400) 24 (600) 16 (400)	9–10 (3,0) 8–0 (2,4) 11–10 (3,6) 8–0 (2,4)
	Comble accessible par escalier plus 1 étage Toit plus 1 étage Comble inaccessible par escalier plus 2 étages	2 x 4 (38 x 89)	16 (400)	11–10 (3,6)
	Toit Comble accessible par escalier Comble inaccesible par escalier plus 1 étage	2 x 3 (38 x 64) 2 x 4 (38 x 89)	16 (400) 24 (600)	8–0 (2,4) 11–10 (3,6)
	Comble accessible par escalier plus 2 étages Toit plus 2 étages	2 x 4 (38 x 89) 2 x 6 (38 x 140)	12 (300) 16 (400)	11–10 (3,6) 13–9 (4,2)
	Comble accessible par escalier plus 3 étages	2 x 6 (38 x 140)	12 (300)	13–9 (4,2)
Extérieur	Toit plus comble (avec ou sans espace de rangement)	2 x 3 (38 x 64) 2 x 4 (38 x 89)	16 (400) 24 (600)	8–0 (2,4) 9–10 (3,0)
	Toit plus comble (avec ou sans espace de rangement) plus 1 étage	2 x 4 (38 x 89) 2 x 6 (38 x 140)	16 (400) 24 (600)	9–10 (3,0) 9–10 (3,0)
	Toit plus comble (avec ou sans espace de rangement) plus 2 étages	2 x 4 (38 x 89) 2 x 6 (38 x 140)	12 (300) 16 (400)	9–10 (3,0) 11–10 (3,6)
	Toit plus comble (avec ou sans espace de rangement) plus 3 étages	2 x 6 (38 x 140)	12 (300)	6–0 (1,8)

Remarque

1. Il est permis de poser la face large d'un poteau d'ossature parallèle au mur dans le cas d'un pignon si le toit ne contient que des espaces non aménagés ou de murs intérieurs non porteurs dans les limites prescrites par le Code national du bâtiment. Les poteaux ne supportant que des charges imposées par des combles inaccessibles par escalier, il est permis de les poser avec la face parallèle au mur, conformément au présent tableau, si un revêtement intermédiaire en contreplaqué ou en panneaux de copeaux ordinaires ou de copeaux orientés (OSB) est collé sur au moins un côté des poteaux et retenu au moyen d'un adhésif de qualité structurale, et si la partie du toit supportée par les poteaux a au plus 6 pi 10 po (2,1 m) de largeur.

Tableau 21
Portées maximales des linteaux en Spruce — Pine — Fir, catégorie n° 1 ou n° 2 — avec revêtement intermédiaire non structural

Éléments supportés	Dimensions des linteaux, en po (mm)[4], – 2 éléments	Portée maximale, en pi po (m)[1, 2, 3]					
		Murs extérieurs					
		Surcharges spécifiées dues à la neige, en lb/pi^2 (kPa)[6]					Murs intérieurs
		20,9 (1,0)	31,3 (1,5)	41,8 (2,0)	52,2 (2,5)	62,7 (3,0)	
Comble avec espace de rangement limité et plafond	2 x 4 (38 x 89)	Espace laissé vide intentionnellement					4–2 (1,27)
	2 x 6 (38 x 140)						6–6 (1,99)
	2 x 8 (38 x 184)						8–3 (2,51)
	2 x 10 (38 x 235)						10–1 (3,07)
	2 x 12 (38 x 286)						11–9 (3,57)
Toit et plafond seulement	2 x 4 (38 x 89)	4–2 (1,27)	3–8 (1,11)	3–4 (1,01)	3–1 (0,93)	2–10 (0,87)	3–1 (0,93)
	2 x 6 (38 x 140)	6–4 (1,93)	5–5 (1,66)	4–10 (1,48)	4–5 (1,35)	4–1 (1,25)	4–5 (1,35)
	2 x 8 (38 x 184)	7–9 (2,35)	6–8 (2,02)	5–11 (1,80)	5–5 (1,64)	5–0 (1,52)	5–5 (1,64)
	2 x 10 (38 x 235)	9–5 (2,88)	8–1 (2,47)	7–3 (2,20)	6–7 (2,01)	6–0 (1,84)	6–7 (2,01)
	2 x 12 (38x286)	10–11 (3,34)	9–5 (2,87)	8–5 (2,56)	7–8 (2,33)	6–10 (2,09)	7–8 (2,33)
Toit, plafond et 1 étage[5]	2 x 4 (38 x 89)	3–5 (1,05)	3–2 (0,96)	2–11 (0,89)	2–9 (0,84)	2–7 (0,79)	2–5 (0,74)
	2 x 6 (38 x 140)	4–11 (1,49)	4–6 (1,37)	4–2 (1,27)	3–11 (1,19)	3–8 (1,13)	3–4 (1,02)
	2 x 8 (38 x 184)	6–0 (1,82)	5–6 (1,67)	5–1 (1,55)	4–9 (1,44)	4–4 (1,33)	3–11 (1,20)
	2 x 10 (38 x 235)	7–3 (2,22)	6–8 (2,04)	6–2 (1,89)	5–8 (1,73)	5–3 (1,59)	4–9 (1,45)
	2 x 12 (38 x 286)	8–5 (2,58)	7–9 (2,36)	7–1 (2,15)	6–5 (1,96)	5–11 (1,81)	5–5 (1,66)
Toit, plafond et 2 étages[5]	2 x 4 (38 x 89)	3–1 (0,94)	2–11 (0,88)	2–9 (0,83)	2–7 (0,79)	2–6 (0,76)	2–1 (0,64)
	2 x 6 (38 x 140)	4–5 (1,34)	4–2 (1,26)	3–11 (1,19)	3–8 (1,13)	3–6 (1,06)	2–11 (0,88)
	2 x 8 (38 x 184)	5–4 (1,63)	5–0 (1,53)	4–9 (1,44)	4–4 (1,33)	4–1 (1,25)	3–5 (1,05)
	2 x 10 (38 x 235)	6–6 (1,99)	6–2 (1,87)	5–8 (1,72)	5–3 (1,60)	4–11 (1,50)	4–2 (1,27)
	2 x 12 (38 x 286)	7–7 (2,31)	6–11 (2,12)	6–5 (1,96)	6–0 (1,82)	5–7 (1,71)	4–9 (1,45)

Tableau 21 (suite)
Portées maximales des linteaux en Spruce — Pine — Fir, catégorie n° 1 ou n° 2 — avec revêtement intermédiaire non structural

		Portée maximale, en pi po (m)[1, 2, 3]					
		Murs extérieurs					
Éléments supportés	Dimensions des linteaux, en po (mm)[4] − 2 éléments	Surcharges spécifiées dues à la neige, en lb/pi^2 (kPa)[6]					Murs intérieurs
		20,9 (1,0)	31,3 (1,5)	41,8 (2,0)	52,2 (2,5)	62,7 (3,0)	
Toit, plafond et 3 étages[5]	2 x 4 (3 x 89)	2–11 (0,88)	2–9 (0,83)	2–8 (0,80)	2–6 (0,77)	2–5 (0,74)	1–11 (0,59)
	2 x 6 (38 x 140)	4–1 (1,25)	3–11 (1,19)	3–9 (1,14)	3–6 (1,08)	3–4 (1,02)	2–8 (0,81)
	2 x 8 (38 x 184)	5–0 (1,52)	4–9 (1,44)	4–5 (1,35)	4–2 (1,27)	4–0 (1,21)	3–2 (0,97)
	2 x 10 (38 x 235)	6–1 (1,86)	5–8 (1,73)	5–4 (1,62)	5–0 (1,53)	4–9 (1,45)	3–10 (1,17)
	2 x 12 (38 x 286)	6–11 (2,11)	6–5 (1,96)	6–0 (1,84)	5–9 (1,74)	5–5 (1,66)	4–5 (1,35)

Remarques

1. Les portées sont calculées pour une longueur supportée maximale de 16 pi (4,9 m) pour les solives et les chevrons et de 32 pi (9,8 m) pour les solives triangulées. Elles peuvent être augmentées de 5 % si la longueur supportée est d'au plus 14 pi 1 po (4,3 m) ou de 10 % si cette dernière est d'au plus 12 pi 1 po (3,7 m). La longueur supportée correspond à la moitié de la portée des éléments supportés les plus longs.
2. Si la portée des solives de plancher est égale à la largeur du bâtiment, la portée des linteaux supportant le toit et 1 étage doit être réduite de 15 %, celles des linteaux supportant le toit et 2 étages de 20 % et celle des linteaux supportant le toit et 3 étages de 25 %.
3. Prévoir au moins 1½ po (38 mm) d'appui en about pour les linteaux dont la portée est d'au plus 9 pi 10 po (3 m), ou une longueur d'appui d'au moins 3 po (76 mm) si leur portée est supérieure à 9 pi 10 po (3 m).
4. Un élément en bois de construction d'une épaisseur de 3½ po (89 mm) peut remplacer deux éléments en bois de construction de 1½ po (38 mm) posés sur chant.
5. Les portées ne visent que les planchers qui desservent des aires résidentielles.
6. Pour déterminer la surcharge spécifiée due à la neige de votre localité, veuillez communiquer avec votre service municipal du bâtiment.

Tableau 22
Portées maximales des linteaux en Spruce — Pine — Fir, catégorie n° 1 ou n° 2 — avec revêtement intermédiaire structural[1]

		Portée maximale, en pi po (m)[1, 2, 3]				
		Murs extérieurs				
Éléments supportés	Dimensions des linteaux, en po (mm)[4], − 2 éléments	Surcharges spécifiées dues à la neige, en lb/pi^2 (kPa)[7]				
		20,9 (1,0)	31,3 (1,5)	41,8 (2,0)	52,2 (2,5)	62,7 (3,0)
Toit et plafond seulement	2 x 4 (38 x 89)	4–7 (1,40)	4–0 (1,23)	3–8 (1,11)	3–5 (1,03)	3–2 (0,97)
	2 x 6 (38 x 140)	7–3 (2,21)	6–4 (1,93)	5–8 (1,73)	5–2 (1,57)	4–9 (1,45)
	2 x 8 (38 x 184)	9–0 (2,75)	7–9 (2,36)	6–11 (2,10)	6–4 (1,92)	5–10 (1,77)
	2 x 10 (38 x 235)	11–0 (3,36)	9–6 (2,89)	8–5 (2,57)	7–8 (2,34)	7–1 (2,16)
	2 x 12 (38 x 286)	12–10 (3,90)	11–0 (3,35)	9–10 (2,99)	8–11 (2,72)	8–3 (2,51)

Tableau 22 (suite)
Portées maximales des linteaux en Spruce — Pine — Fir,
catégorie n° 1 ou n° 2 — avec revêtement intermédiaire structural[1]

		Portée maximale, en pi po (m)[1, 2, 3]				
		Murs extérieurs				
	Dimensions des linteaux, en po (mm)[4],	Surcharges spécifiées dues à la neige, en lb/pi^2 (kPa)[7]				
Éléments supportés	– 2 éléments	20,9 (1,0)	31,3 (1,5)	41,8 (2,0)	52,2 (2,5)	62,7 (3,0)
Toit, plafond et 1 étage[6]	2 x 4 (38 x 89)	3–10 (1,16)	3–6 (1,08)	3–4 (1,01)	3–2 (0,96)	3–0 (0,92)
	2 x 6 (38 x 140)	5–9 (1,74)	5–3 (1,60)	4–10 (1,48)	4–7 (1,39)	4–4 (1,32)
	2 x 8 (38 x 184)	6–11 (2,12)	6–5 (1,95)	5–11 (1,81)	5–6 (1,69)	5–3 (1,60)
	2 x 10 (38 x 235)	8–6 (2,59)	7–10 (2,38)	7–3 (2,21)	6–9 (2,07)	6–4 (1,93)
	2 x 12 (38 x 286)	9–10 (3,01)	9–1 (2,76)	8–5 (2,56)	7–10 (2,38)	7–2 (2,19)
Toit, plafond et 2 étages[6]	2 x 4 (38 x 89)	3–7 (1,09)	3–5 (1,03)	3–2 (0,97)	3–0 (0,92)	2–11 (0,88)
	2 x 6 (38 x 140)	5–1 (1,56)	4–10 (1,47)	4–7 (1,39)	4–4 (1,32)	4–2 (1,26)
	2 x 8 (38 x 184)	6–3 (1,90)	5–10 (1,79)	5–6 (1,69)	5–3 (1,61)	4–11 (1,51)
	2 x 10 (38 x 235)	7–8 (2,33)	7–2 (2,19)	6–9 (2,07)	6–4 (1,94)	5–11 (1,81)
	2 x 12 (38 x 286)	8–10 (2,70)	8–4 (2,54)	2–9 (2,37)	7–3 (2,20)	6–9 (2,05)
Toit, plafond et 3 étages[6]	2 x 4 (38 x 89)	3–4 (1,02)	3–2 (0,97)	3–1 (0,93)	2–11 (0,89)	2–10 (0,86)
	2 x 6 (38 x 140)	4–9 (1,46)	4–7 (1,39)	4–4 (1,33)	4–2 (1,28)	4–0 (1,23)
	2 x 8 (38 x 184)	5–10 (1,78)	5–6 (1,69)	5–4 (1,62)	5–1 (1,54)	4–9 (1,46)
	2 x 10 (38 x 235)	7–1 (2,17)	6–9 (2,07)	6–5 (1,96)	6–0 (1,84)	5–9 (1,74)
	2 x 12 (38 x 286)	8–3 (2,52)	7–10 (2,38)	7–3 (2,22)	6–10 (2,09)	6–6 (1,98)

Remarques
1. Le revêtement intermédiaire doit être constitué de panneaux de ⅜ po (9,5 mm) conformes aux normes CSA-O121-M, CSA-O151-M, CAN/CSA-O325.0 ou CSA-O437.0 fixés à la face extérieure des linteaux au moyen de deux rangées d'attaches conformes au tableau 19 et à la sablière et aux poteaux au moyen d'une seule rangée d'attaches.
2. Les portées sont calculées pour une longueur supportée maximale de 16 pi (4,9 m) pour les solives et les chevrons et de 32 pi (9,8 m) pour les solives triangulées. Elles peuvent être augmentées de 5 % si la longueur supportée est d'au plus 14 pi 1 po (4,3 m) ou de 10 % si cette dernière est d'au plus 12 pi 1 po (3,7 m). La longueur supportée correspond à la moitié de la portée des éléments supportés les plus longs.
3. Si la portée des solives de plancher est égale à la largeur du bâtiment, la portée des linteaux supportant le toit et 1 étage doit être réduite de 15 %, celles des linteaux supportant le toit et 2 étages de 20 % et celle des linteaux supportant le toit et 3 étages de 25 %.
4. Prévoir au moins 1½ po (38 mm) d'appui en about pour les linteaux dont la portée est d'au plus 9 pi 10 po (3 m), ou une longueur d'appui d'au moins 3 po (76 mm) si leur portée est supérieure à 9 pi 10 po (3 m).
5. Un élément en bois de construction d'une épaisseur de 3½ po (89 mm) peut remplacer deux éléments en bois de construction de 1½ po (38 mm) posés sur chant.
6. Les portées ne visent que les planchers qui desservent des aires résidentielles
7. Pour déterminer la surcharge spécifiée due à la neige de votre localité, veuillez communiquer avec votre service municipal du bâtiment.

Tableau 23
Portées maximales des linteaux composés ne supportant que les charges du toit et du plafond, catégorie n° 1 ou n° 2

Nom commercial	Dimensions des linteaux en po (mm)		Portée maximale, en pi po (m)[1,2] — Surcharges spécifiées dues à la neige, en lb/pi² (kPa)[3]				
			20,9 (1,0)	31,3 (1,5)	41,8 (2,0)	52,2 (2,5)	62,7 (3,0)
Spruce – Pine – Fir (inclut épinette [toutes les essences sauf l'épinette de Sitka] pin gris, pin de Murray, sapin baumier et sapin concolore)	2 x 8 (38 x 184)	3 éléments	9–10 (3,00)	8–5 (2,58)	7–7 (2,30)	6–10 (2,09)	6–4 (1,93)
		4 éléments	10–10 (3,30)	9–5 (2,88)	8–7 (2,62)	7–11 (2,42)	7–4 (2,23)
		5 éléments	11–8 (3,55)	10–2 (3,10)	9–3 (2,82)	8–7 (2,62)	8–1 (2,46)
	2 x 10 (38 x 235)	3 éléments	12–0 (3,67)	10–4 (3,15)	9–3 (2,81)	8–5 (2,56)	7–9 (2,36)
		4 éléments	13–10 (4,21)	11–11 (3,64)	10–8 (3,24)	9–8 (2,95)	8–11 (2,73)
		5 éléments	14–11 (4,54)	13–0 (3,96)	11–10 (3,60)	10–10 (3,30)	10–0 (3,05)
	2 x 12 (38 x 286)	3 éléments	14–0 (4,26)	12–0 (3,66)	10–8 (3,26)	9–9 (2,97)	9–0 (2,74)
		4 éléments	16–2 (4,92)	13–11 (4,23)	12–4 (3,76)	11–3 (3,43)	10–5 (3,17)
		5 éléments	18–0 (5,49)	15–6 (4,73)	13–10 (4,21)	12–7 (3,83)	11–7 (3,54)

Remarques

1. Les portées sont calculées pour une longueur supportée maximale de 16 pi (4,9 m) pour les solives et les chevrons et de 32 pi (9,8 m) pour les solives triangulées. Elles peuvent être augmentées de 15 % si la longueur supportée est d'au plus 12 pi 1 po (3,7 m) ou de 35 % si cette dernière est d'au plus 8 pi (2,4 m). La longueur supportée correspond à la moitié de la somme des portées des fermes, des solives de plancher ou des chevrons supportés par les linteaux et la longueur de la partie en porte-à-faux.
2. Prévoir au moins 1½ po (38 mm) d'appui en about pour les linteaux dont la portée est d'au plus 9 pi 10 po (3 m) qui sont entièrement supportés par les murs, ou une longueur d'appui d'au moins 3 po (76 mm) si leur portée est supérieure à 9 pi 10 po (3 m).
3. Pour déterminer la surcharge spécifiée due à la neige de votre localité, veuillez communiquer avec votre service municipal du bâtiment.

Tableau 24
Portées maximales des solives de toit — Surcharges spécifiées dues à la neige de 20,9 à 41,8 lb/pi² (1,0 to 2,0 kPa)

Portée maximale, en pi po (m)

Surcharges spécifiées dues à la neige, en lb/pi² (kPa)[1]

Nom commercial	Qualité	Dimensions des solives en pi (m)	20,9 (1,0)			31,3 (1,5)			41,8 (2,0)		
			12 (300)	16 (400)	24 (600)	12 (300)	16 (400)	24 (600)	12 (300)	16 (400)	24 (600)
			Espacement des solives, en po (mm)			Espacement des solives, en po (mm)			Espacement des solives, en po (mm)		
Douglas Fir – Larch (inclut sapin de Douglas et mélèze occidental)	Nº 1 et nº 2	2x4 (38x89)	8–6 (2,59)	7–9 (2,36)	6–9 (2,06)	7–5 (2,27)	6–9 (2,06)	5–11 (1,80)	6–9 (2,06)	6–2 (1,87)	5–4 (1,63)
		2x6 (38x140)	13–5 (4,08)	12–2 (3,71)	10–8 (3,24)	11–8 (3,57)	10–8 (3,24)	9–3 (2,83)	10–8 (3,24)	9–8 (2,94)	8–5 (2,57)
		2x8 (38x184)	17–7 (5,36)	16–0 (4,87)	14–0 (4,26)	15–4 (4,69)	14–0 (4,26)	12–2 (3,72)	14–0 (4,26)	12–8 (3,87)	11–1 (3,38)
		2x10 (38x235)	22–6 (6,85)	20–5 (6,22)	17–10 (5,44)	19–8 (5,98)	17–10 (5,44)	15–7 (4,74)	17–10 (5,44)	16–2 (4,94)	13–10 (4,22)
		2x12 (38x286)	27–4 (8,34)	24–10 (7,57)	21–0 (6,40)	23–11 (7,28)	21–9 (6,62)	18–1 (5,50)	21–9 (6,62)	19–8 (6,00)	16–1 (4,90)
Hem – Fir (inclut pruche de l'Ouest et sapin gracieux)	Nº 1 et nº 2	2x4 (38x89)	8–6 (2,59)	7–9 (2,36)	6–9 (2,06)	7–5 (2,27)	6–9 (2,06)	5–11 (1,80)	6–9 (2,06)	6–2 (1,87)	5–4 (1,63)
		2x6 (38x140)	13–5 (4,08)	12–2 (3,71)	10–8 (3,24)	11–8 (3,57)	10–8 (3,24)	9–3 (2,83)	10–8 (3,24)	9–8 (2,94)	8–5 (2,57)
		2x8 (38x184)	17–7 (5,36)	16–0 (4,87)	14–0 (4,26)	15–4 (4,69)	14–0 (4,26)	12–2 (3,72)	14–0 (4,26)	12–8 (3,87)	11–1 (3,38)
		2x10 (38x235)	22–6 (6,85)	20–5 (6,22)	17–10 (5,44)	19–8 (5,98)	17–10 (5,44)	15–7 (4,75)	17–10 (5,44)	16–2 (4,94)	14–2 (4,32)
		2x12 (38x286)	27–4 (8,34)	24–10 (7,57)	21–9 (6,62)	23–11 (7,28)	21–9 (6,62)	18–11 (5,77)	21–9 (6,62)	19–9 (6,01)	16–10 (5,25)
Spruce – Pine – Fir (inclut épinette [toutes les essences sauf l'épinette de Sitka] pin gris, pin de Murray, sapin baumier et sapin concolore)	Nº 1 et nº 2	2x4 (38x89)	8–1 (2,47)	7–4 (2,24)	6–5 (1,96)	7–1 (2,16)	6–5 (1,96)	5–7 (1,71)	6–5 (1,96)	5–10 (1,78)	5–1 (1,56)
		2x6 (38x140)	12–9 (3,89)	11–7 (3,53)	10–1 (3,08)	11–2 (3,40)	10–1 (3,08)	8–10 (2,69)	10–1 (3,08)	9–2 (2,80)	8–0 (2,45)
		2x8 (38x184)	16–9 (5,11)	15–3 (4,64)	13–4 (4,05)	14–8 (4,46)	13–4 (4,05)	11–7 (3,54)	13–4 (4,05)	12–1 (3,68)	10–7 (3,22)
		2x10 (38x35)	21–5 (6,52)	19–5 (5,93)	17–0 (5,18)	18–8 (5,70)	17–0 (5,18)	14–10 (4,52)	17–0 (5,18)	15–5 (4,70)	13–6 (4,11)
		2x12 (38x286)	26–1 (7,94)	23–8 (7,21)	20–8 (6,30)	22–9 (6,94)	20–8 (6,30)	18–1 (5,50)	20–8 (6,30)	18–9 (5,73)	16–5 (5,00)
Northern Species (inclut toutes les essences mentionnées dans les normes de classification de la NLGA)	Nº 1 et nº 2	2x4 (38x89)	7–4 (2,23)	6–8 (2,03)	5–10 (1,77)	6–5 (1,95)	5–10 (1,77)	5–1 (1,55)	5–10 (1,77)	5–3 (1,61)	4–7 (1,41)
		2x6 (38x140)	11–6 (3,51)	10–6 (3,19)	9–2 (2,79)	10–1 (3,07)	9–2 (2,79)	8–0 (2,43)	9–2 (2,79)	8–4 (2,53)	7–3 (2,21)
		2x8 (38x184)	15–2 (4,61)	13–9 (4,19)	12–0 (3,66)	13–3 (4,03)	12–0 (3,66)	10–6 (3,20)	12–0 (3,66)	10–11 (3,33)	9–6 (2,91)
		2x10 (38x235)	19–4 (5,89)	17–7 (5,35)	15–4 (4,68)	16–11 (5,15)	15–4 (4,68)	13–5 (4,09)	15–4 (4,68)	13–11 (4,25)	12–1 (3,68)
		2x12 (38x286)	23–6 (7,17)	21–5 (6,52)	18–4 (5,58)	20–7 (6,26)	18–8 (5,69)	15–9 (4,80)	18–8 (5,69)	17–0 (5,17)	14–0 (4,27)

Remarque

1. Pour déterminer la surcharge spécifiée due à la neige de votre localité, veuillez communiquer avec votre service municipal du bâtiment.

Tableau 25
Portées maximales des solives de toit — Surcharges spécifiées dues à la neige de 52,2 à 62,7 lb/pi² (2,5 à 3,0 kPa)

			Portée maximale, en pi po (m)					
			Surcharges spécifiées dues à la neige, en lb/pi² (kPa)[1]					
			52,2 (2,5)			62,7 (3,0)		
			Espacement des solives en po (mm)			Espacement des solives en po (mm)		
Nom com-mercial	Qualité	Dimensions des solives en pi (m)	12 (300)	16 (400)	24 (600)	12 (300)	16 (400)	24 (600)
Douglas Fir – Larch (inclut sapin de Douglas et mélèze occidental)	Nº 1 et nº 2	2x4 (38x89)	6–3 (1,91)	5–8 (1,74)	5–0 (1,52)	5–11 (1,80)	5–4 (1,63)	4–8 (1,43)
		2x6 (38x140)	9–10 (3,01)	9–0 (2,73)	7–10 (2,39)	9–3 (2,83)	8–5 (2,57)	7–4 (2,25)
		2x8 (38x184)	13–0 (3,95)	11–9 (3,59)	10–3 (3,14)	12–2 (3,72)	11–1 (3,38)	9–6 (2,90)
		2x10 (38x235)	16–7 (5,05)	15–1 (4,59)	12–7 (3,84)	15–7 (4,75)	14–2 (4,32)	11–8 (3,55)
		2x12 (38x286)	20–2 (6,14)	17–11 (5,46)	14–8 (4,46)	19–0 (5,78)	16–7 (5,05)	13–6 (4,12)
Hem – Fir (inclut pruche de l'Ouest et sapin gracieux)	Nº 1 et nº 2	2x4 (38x89)	6–3 (1,91)	5–8 (1,74)	5–0 (1,52)	5–11 (1,80)	5–4 (1,63)	4–8 (1,43)
		2x6 (38x140)	9–10 (3,01)	9–0 (2,73)	7–10 (2,39)	9–3 (2,83)	8–5 (2,57)	7–4 (2,25)
		2x8 (38x184)	13–0 (3,95)	11–9 (3,59)	10–3 (3,14)	12–2 (3,72)	11–1 (3,38)	9–8 (2,95)
		2x10 (38x235)	16–7 (5,05)	15–1 (4,59)	13–2 (4,01)	15–7 (4,75)	14–2 (4,32)	12–3 (3,72)
		2x12 (38x286)	20–2 (6,14)	18–4 (5,58)	15–4 (4,68)	19–0 (5,78)	17–3 (5,25)	14–2 (4,32)
Spruce – Pine – Fir (inclut épinette [toutes les essences sauf l'épinette de Sitka] pin gris, pin de Murray sapin baumier, et sapin concolore)	Nº 1 et nº 2	2x4 (38x89)	6–0 (1,82)	5–5 (1,65)	4–9 (1,44)	5–7 (1,71)	5–1 (1,56)	4–6 (1,36)
		2x6 (38x140)	9–5 (2,86)	8–6 (2,60)	7–5 (2,27)	8–10 (2,69)	8–0 (2,45)	7–0 (2,14)
		2x8 (38x184)	12–4 (3,76)	11–3 (3,42)	9–10 (2,99)	11–7 (3,54)	10–7 (3,22)	9–3 (2,81)
		2x10 (38x235)	15–9 (4,81)	14–4 (4,37)	12–6 (3,82)	14–10 (4,52)	13–6 (4,11)	11–9 (3,59)
		2x12 (38x286)	19–2 (5,85)	17–5 (5,31)	15–3 (4,64)	18–1 (5,50)	16–5 (5,00)	14–4 (4,37)
Northern Species (inclut toutes les essences mentionnées dans les normes de classification de la NLGA)	Nº 1 et nº 2	2x4 (38x89)	5–5 (1,64)	4–11 (1,49)	4–3 (1,31)	5–1 (1,55)	4–7 (1,41)	4–0 (1,23)
		2x6 (38x140)	8–6 (2,59)	7–9 (2,35)	6–9 (2,05)	8–0 (2,43)	7–3 (2,21)	6–4 (1,93)
		2x8 (38x184)	11–2 (3,40)	10–2 (3,09)	8–10 (2,70)	10–6 (3,20)	9–6 (2,91)	8–4 (2,53)
		2x10 (38x235)	14–3 (4,34)	12–11 (3,94)	11–0 (3,35)	13–5 (4,09)	12–2 (3,71)	10–2 (3,10)
		2x12 (38x286)	17–4 (5,28)	15–7 (4,76)	12–9 (3,89)	16–4 (4,97)	14–5 (4,40)	11–9 (3,59)

Remarque

1. Pour déterminer la surcharge spécifiée due à la neige de votre localité, veuillez communiquer avec votre service municipal du bâtiment.

Tableau 26
Portées maximales des chevrons de toit — Surcharges spécifiées dues à la neige de 20,9 à 41,8 lb/pi² (1,0 à 2,0 kPa)

Portée maximale, en pi po (m)

Surcharges spécifiées dues à la neige, en lb/pi² (kPa)[1]

Nom com- mercial	Qualité	Dimensions des chevrons, en po (mm)	20,9 (1,0)			31,3 (1,5)			41,8 (2,0)		
			12 (300)	16 (400)	24 (600)	12 (300)	16 (400)	24 (600)	12 (300)	16 (400)	24 (600)
			Espacement des chevrons en po (mm)			Espacement des chevrons en po (mm)			Espacement des chevrons en po (mm)		
Douglas Fir – Larch (inclut sapin de Douglas et mélèze occidental)	Nº 1 et nº 2	2x4 (38x89)	10–9 (3,27)	9–9 (2,97)	8–6 (2,59)	9–4 (2,86)	8–6 (2,59)	7–5 (2,27)	8–6 (2,59)	7–9 (2,36)	6–9 (2,06)
		2x6 (38x140)	16–10 (5,14)	15–4 (4,67)	12–11 (3,95)	14–9 (4,49)	13–5 (4,08)	10–11 (3,34)	13–5 (4,08)	11–10 (3,60)	9–8 (2,94)
		2x8 (38x184)	22–2 (6,76)	19–4 (5,88)	15–9 (4,80)	18–10 (5,74)	16–4 (4,97)	13–4 (4,06)	16–7 (5,06)	14–5 (4,38)	11–9 (3,58)
		2x10 (38x235)	27–3 (8,30)	23–7 (7,19)	19–3 (5,87)	23–0 (7,02)	19–11 (6,08)	16–3 (4,96)	20–4 (6,19)	17–7 (5,36)	14–4 (4,38)
		2x12 (38x286)	31–7 (9,63)	27–5 (8,34)	22–4 (6,81)	26–9 (8,14)	23–2 (7,05)	18–11 (5,76)	23–7 (7,18)	20–5 (6,22)	16–8 (5,08)
Hem – Fir (inclut pruche de l'Ouest et sapin gracieux)	Nº 1 et nº 2	2x4 (38x89)	10–9 (3,27)	9–9 (2,97)	8–6 (2,59)	9–4 (2,86)	8–6 (2,59)	7–5 (2,27)	8–6 (2,59)	7–9 (2,36)	6–9 (2,06)
		2x6 (38x140)	16–10 (5,14)	15–4 (4,67)	13–5 (4,08)	14–9 (4,49)	13–5 (4,08)	11–6 (3,50)	13–5 (4,08)	12–2 (3,71)	10–1 (3,08)
		2x8 (38x184)	22–2 (6,76)	20–2 (6,14)	16–6 (5,04)	19–4 (5,90)	17–1 (5,21)	14–0 (4,26)	17–5 (5,31)	15–1 (4,60)	12–4 (3,75)
		2x10 (38x235)	28–4 (8,63)	24–9 (7,54)	20–2 (6,16)	24–2 (7,36)	20–11 (6,37)	17–1 (5,20)	21–4 (6,49)	18–5 (5,62)	15–1 (4,59)
		2x12 (38x286)	33–2 (10,11)	28–9 (8,75)	23–5 (7,15)	28–0 (8,54)	24–3 (7,40)	19–10 (6,04)	24–9 (7,53)	21–5 (6,52)	17–6 (5,33)
Spruce – Pine – Fir (inclut épinette [toutes les essences sauf l'épinette de Sitka] pin gris, pin de Murray, sapin baumier, et sapin concolore)	Nº 1 et nº 2	2x4 (38x89)	10–3 (3,11)	9–3 (2,83)	8–1 (2,47)	8–11 (2,72)	8–1 (2,47)	7–1 (2,16)	8–1 (2,47)	7–4 (2,24)	6–5 (1,96)
		2x6 (38x140)	16–1 (4,90)	14–7 (4,45)	12–9 (3,89)	14–0 (4,28)	12–9 (3,89)	11–2 (3,40)	12–9 (3,89)	11–7 (3,53)	10–1 (3,08)
		2x8 (38x184)	21–1 (6,44)	19–2 (5,85)	16–9 (5,11)	18–5 (5,62)	16–9 (5,11)	14–6 (4,41)	16–9 (5,11)	15–3 (4,64)	12–9 (3,89)
		2x10 (38x235)	27–0 (8,22)	24–6 (7,47)	20–11 (6,38)	23–7 (7,18)	21–5 (6,52)	17–8 (5,39)	21–5 (6,52)	19–1 (5,82)	15–7 (4,75)
		2x12 (38x286)	32–10 (10,00)	29–9 (9,06)	24–3 (7,40)	28–8 (8,74)	25–2 (7,66)	20–6 (6,25)	25–7 (7,80)	22–2 (6,76)	18–1 (5,52)
Northern Species (inclut toutes les essences mentionnées dans les normes de classification de la NLGA)	Nº 1 et nº 2	2x4 (38x89)	9–3 (2,81)	8–5 (2,55)	7–4 (2,23)	8–1 (2,46)	7–4 (2,23)	6–5 (1,95)	7–4 (2,23)	6–8 (2,03)	5–10 (1,77)
		2x6 (38x140)	14–6 (4,42)	13–2 (4,02)	11–3 (3,44)	12–8 (3,86)	11–6 (3,51)	9–6 (2,91)	11–6 (3,51)	10–4 (3,14)	8–5 (2,56)
		2x8 (38x184)	19–1 (5,81)	16–10 (5,13)	13–9 (4,19)	16–5 (5,00)	14–3 (4,35)	11–7 (3,54)	14–6 (4,41)	12–6 (3,82)	10–3 (3,12)
		2x10 (38x235)	23–9 (7,24)	20–7 (6,27)	16–10 (5,12)	20–1 (6,12)	17–5 (5,30)	14–2 (4,33)	17–8 (5,40)	15–4 (4,67)	12–6 (3,82)
		2x12 (38x286)	27–7 (8,40)	23–10 (7,27)	19–6 (5,94)	23–3 (7,10)	20–2 (6,15)	16–6 (5,02)	20–6 (6,26)	17–9 (5,42)	14–6 (4,43)

Remarque
1. Pour déterminer la surcharge spécifiée due à la neige de votre localité, veuillez communiquer avec votre service municipal du bâtiment.

Tableau 27
Portées maximales des chevrons de toit — Surcharges spécifiées dues à la neige de 52,2 à 62,7 lb/pi² (2,5 à 3,0 kPa)

			Portée maximale, en pi po (m)					
			Surcharges spécifiées dues à la neige, en lb/pi² (kPa)[1]					
			52,2 (2,5)			62,7 (3,0)		
			Espacement des chevrons en po (mm)			Espacement des chevrons en po (mm)		
Nom commercial	Qualité	Dimensions des chevrons en pi (m)	12 (300)	16 (400)	24 (600)	12 (300)	16 (400)	24 (600)
Douglas Fir – Larch (inclut sapin de Douglas et mélèze occidental)	No 1 et no 2	2x4 (38x89)	7–11 (2,41)	7–2 (2,19)	6–1 (1,86)	7–5 (2,27)	6–9 (2,06)	5–7 (1,71)
		2x6 (38x140)	12–4 (3,76)	10–8 (3,26)	8–9 (2,66)	11–4 (3,46)	9–10 (3,00)	8–0 (2,45)
		2x8 (38x184)	15–0 (4,58)	13–0 (3,96)	10–7 (3,24)	13–10 (4,21)	12–0 (3,65)	9–9 (2,98)
		2x10 (38x235)	18–4 (5,60)	15–11 (4,85)	13–0 (3,96)	16–11 (5,15)	14–8 (4,46)	11–11 (3,64)
		2x12 (38x 286)	21–4 (6,50)	18–5 (5,63)	15–1 (4,59)	19–7 (5,98)	17–0 (5,17)	13–10 (4,23)
Hem – Fir (inclut pruche de l'Ouest et sapin gracieux)	No 1 et no 2	2x4 (38x89)	7–11 (2,41)	7–2 (2,19)	6–3 (1,91)	7–5 (2,27)	6–9 (2,06)	5–11 (1,80)
		2x6 (38x140)	12–5 (3,79)	11–3 (3,42)	9–2 (2,79)	11–8 (3,57)	10–4 (3,14)	8–5 (2,57)
		2x8 (38x184)	15–9 (4,80)	13–8 (4,16)	11–2 (3,40)	14–6 (4,42)	12–7 (3,83)	10–3 (3,12)
		2x10 (38x235)	19–3 (5,87)	16–8 (5,08)	13–7 (4,15)	17–9 (5,40)	15–4 (4,68)	12–6 (3,82)
		2x12 (38x286)	22–4 (6,81)	19–4 (5,90)	15–10 (4,82)	20–7 (6,27)	17–10 (5,43)	14–6 (4,43)
Spruce – Pine – Fir (inclut épinette [toutes les essences sauf l'épinette de Sitka] pin gris, pin de Murray, sapin baumier et sapin concolore)	No 1 et no 2	2x4 (38x89)	7–6 (2,29)	6–10 (2,08)	6–0 (1,82)	7–1 (2,16)	6–5 (1,96)	5–7 (1,71)
		2x6 (38x140)	11–10 (3,61)	10–9 (3,28)	9–5 (2,86)	11–2 (3,40)	10–1 (3,08)	8–9 (2,66)
		2x8 (38x184)	15–7 (4,74)	14–2 (4,31)	11–6 (3,52)	14–8 (4,46)	13–0 (3,96)	10–7 (3,23)
		2x10 (38x235)	19–10 (6,06)	17–3 (5,27)	14–1 (4,30)	18–4 (5,59)	15–11 (4,84)	13–0 (3,96)
		2x12 (38x286)	23–2 (7,06)	20–1 (6,11)	16–4 (4,99)	21–4 (6,49)	18–5 (5,62)	15–1 (4,59)
Northern Species (inclut toutes les essences mentionnées dans les normes de classification de la NLGA)	No 1 et no 2	2x4 (38x89)	6–10 (2,07)	6–2 (1,88)	5–4 (1,62)	6–5 (1,95)	5–10 (1,77)	4–11 (1,49)
		2x6 (38x140)	10–8 (3,26)	9–4 (2,84)	7–7 (2,32)	9–11 (3,02)	8–7 (2,61)	7–0 (2,13)
		2x8 (38x184)	13–1 (3,99)	11–4 (3,46)	9–3 (2,82)	12–1 (3,67)	10–5 (3,18)	8–6 (2,60)
		2x10 (38x235)	16–0 (4,88)	13–10 (4,23)	11–4 (3,45)	14–9 (4,49)	12–9 (3,89)	10–5 (3,17)
		2x12 (38x286)	18–7 (5,66)	16–1 (4,90)	13–2 (4,00)	17–1 (5,21)	14–10 (4,51)	12–1 (3,68)

Remarque
1. Pour déterminer la surcharge spécifiée due à la neige de votre localité, veuillez communiquer avec votre service municipal du bâtiment.

Tableau 28
Portées maximales des solives de toit — Combles inaccessibles
par un escalier

Nom commercial	Qualité	Dimensions des solives, en po (mm)	Portée maximale, en pi po (m)		
			Espacement des solives, en po (mm)		
			12 (300)	16 (400)	24 (600)
Douglas Fir	Nº1	2x4 (38x89)	10–9 (3,27)	9–9 (2,97)	8–6 (2,59)
– Larch	et	2x6 (38x140)	16–10 (5,14)	15–4 (4,67)	13–5 (4,08)
(inclut sapin de	nº 2	2x8 (38x184)	22–2 (6,76)	20–2 (6,14)	17–7 (5,36)
Douglas et mélèze		2x10 (38x235)	28–4 (8,63)	25–9 (7,84)	22–6 (6,85)
occidental)		2x12 (38x286)	34–5 (10,50)	31–3 (9,54)	27–4 (8,34)
Hem – Fir	Nº 1	2x4 (38x89)	10–9 (3,27)	9–9 (2,97)	8–6 (2,59)
(inclut pruche	et	2x6 (38x140)	16–10 (5,14)	15–4 (4,67)	13–5 (4,08)
de l'Ouest et	nº 2	2x8 (38x184)	22–2 (6,76)	20–2 (6,14)	17–7 (5,36)
sapin gracieux		2x10 (38x235)	28–4 (8,63)	25–9 (7,84)	22–6 (6,85)
		2x12 (38x286)	34–5 (10,50)	31–3 (9,54)	27–4 (8,34)
Spruce – Pine – Fir	Nº 1	2x4 (38x89)	10–3 (3,11)	9–3 (2,83)	8–1 (2,47)
(inclut épinette	et	2x6 (38x140)	16–1 (4,90)	14–7 (4,45)	12–9 (3,89)
[toutes les	nº 2	2x8 (38x184)	21–1 (6,44)	19–2 (5,85)	16–9 (5,11)
essences sauf		2x10 (38x235)	27–0 (8,22)	24–6 (7,47)	21–5 (6,52)
l'épinette de Sitka]		2x12 (38x286)	32–10 (10,00)	29–10 (9,09)	26–1 (7,94)
pin gris, pin de					
Murray, sapin					
baumier et sapin					
concolore)					
Northern Species	Nº 1	2x4 (38x89)	9–3 (2,81)	8–5 (2,55)	7–4 (2,23)
(inclut toutes	et	2x6 (38–140)	14–6 (4,42)	13–2 (4,02)	11–6 (3,51)
les essences	nº 2	2x8 (38x184)	19–1 (5,81)	17–4 (5,28)	15–2 (4,61)
mentionnées dans		2x10 (38x235)	24–4 (7,42)	22–2 (6,74)	19–4 (5,89)
les normes de		2x12 (38x286)	29–8 (9,03)	26–11 (8,21)	23–6 (7,17)
classification					
de la NLGA)					

Tableau 29
Clouage minimal des chevrons aux solives

		Chevrons assemblés à chaque solive						Chevrons assemblés aux solives tous les 3 pi 11 po (1,2 m)					
		Largeur du bâtiment						Largeur du bâtiment					
		≤26 pi 3 po (8 m)			≤32 pi 2 po (9,8 m)			≤26 pi 3 po (8 m)			≤32 pi 2 po (9,8 m)		
		Charge de neige sur les toits, en lb/pi^2(kPa)[3]						Charge de neige sur les toits, en lb/pi^2(kPa)[3]					
Pente du Toit	Espacement des chevrons en po (mm	20 (1) ou moins	30 (1,5)	40 (2,0) ou plus	20 (1) ou moins	30 (1,5)	40 (2,0) ou plus	20 (1) ou moins	30 (1,5)	40 (2,0) ou plus	20 (1) ou moins	30 (1,5)	40 (2,0) ou plus
1:3	16 (400)	4	5	6	5	7	8	11	–	–	–	–	–
	24 (600)	6	8	9	8	–	–	11	–	–	–	–	–
1:2,4	16 (400)	4	4	5	5	6	7	7	10	–	9	–	–
	24 (600)	5	7	8	7	9	11	7	10	–	–	–	–
1:2	16 (400)	4	4	4	4	4	5	6	8	9	8	–	–
	24 (600)	4	5	6	5	7	8	6	8	9	8	–	–
1:1,71	16 (400)	4	4	4	4	4	4	5	7	8	7	9	11
	24 (600)	4	4	5	5	6	7	5	7	8	7	9	11
1:1,33	16 (400)	4	4	4	4	4	4	4	5	6	5	6	7
	24 (600)	4	4	4	4	4	5	4	5	6	5	6	7
1:1	16 (400)	4	4	4	4	4	4	4	4	4	4	4	5
	24 (600)	4	4	4	4	4	4	4	4	4	4	4	5

Remarques

1. Employer des clous d'au moins 3⅛ po (79 mm) de longueur.
2. Fixer les solives de plafond avec au moins 1 clou de plus par joint que requiert le clouage des chevrons aux solives.
3. Pour déterminer la surcharge spécifiée due à la neige de votre localité, veuillez communiquer avec votre service municipal du bâtiment.

Tableau 30
Portées maximales des poutres composées faîtières en bois de catégorie n° 1 ou n° 2

Nom commercial	Dimensions de la poutre, en po (mm)		Portée maximale, en pi po (m)[1, 2]				
			Surcharges spécifiées dues à la neige, en lb/pi² (kPa)[3]				
			20,9 (1,0)	31,3 (1,5)	41,8 (2,0)	52,2 (2,5)	62,7 (3,0)
Spruce – Pine – Fir (inclut épinette [toutes les essences sauf l'épinette de Sitka] pin gris, pin de Murray, sapin baumier et sapin concolore)	2x8 (38x184)	3 éléments	8–7 (2,63)	7–5 (2,26)	6–7 (2,02)	6–0 (1,83)	5–6 (1,69)
		4 éléments	10–0 (3,04)	8–7 (2,61)	7–8 (2,33)	6–11 (2,12)	6–5 (1,96)
		5 éléments	11–0 (3,40)	9–6 (2,92)	8–6 (2,60)	7–9 (2,37)	7–2 (2,19)
	2x10 (38x235)	3 éléments	10–7 (3,22)	9–1 (2,77)	8–1 (2,46)	7–4 (2,24)	6–9 (2,07)
		4 éléments	12–2 (3,72)	10–6 (3,20)	9–4 (2,85)	8–6 (2,59)	7–10 (2,39)
		5 éléments	13–8 (4,16)	11–8 (3,57)	10–5 (3,18)	9–6 (2,90)	8–9 (2,68)
	2x12 (38x286)	3 éléments	12–3 (3,73)	10–6 (3,21)	9–4 (2,86)	8–6 (2,60)	7–10 (2,40)
		4 éléments	14–2 (4,31)	12–2 (3,71)	10–10 (3,30)	9–10 (3,01)	9–1 (2,78)
		5 éléments	15–10 (4,82)	13–7 (4,15)	12–1 (3,69)	11–0 (3,36)	10–2 (3,10)

Remarques

1. Les portées sont calculées pour une longueur supportée maximale de 16 pi (4,9 m), la portée supportée étant égale à la moitié de la somme des portées des chevrons, solives ou fermes de part et d'autre de la poutre. Les portées peuvent être augmentées de 5 % si les longueurs supportées sont d'au plus 14 pi 1 po (4,3 m) ou de 10 % si ces dernières sont d'au plus 12 pi 1 po (3,7 m).
2. Prévoir au moins 3½ po (89 mm) d'appui.
3. Pour déterminer la surcharge spécifiée due à la neige de votre localité, veuillez communiquer avec votre service municipal du bâtiment.

Tableau 31
Épaisseur minimale du matériau à solin

Matériau	Épaisseur minimale, en po (mm)			
	Solin pour toiture	Solin mural		
		Parement	Maçonnerie au-dessus du niveau du sol	
			Solin apparent	Solin dissimulé
Aluminum	0,019 (0,48)	0,019 (0,48)	0,019 (0,48)	–
Cuivre	0,018 (0,46)	0,018 (0,46)	0,014 (0,36)	0,014 (0,36)
Cuivre ou aluminum doublé de papier kraft	–	–	–	0,002 (0,05)
Acier galvanisé	0,013 (0,33)	0,013 (0,33)	0,013 (0,33)	0,013 (0,33)
Plomb	0,068 (1,73)	0,068 (1,73)	0,068 (1,73)	0,068 (1,73)
Polyéthylène	–	–	–	0,02 (0,50)
Matériau de couverture en rouleau, type	–	–	–	standard
Zinc	0,018 (0,46)	0,018 (0,46)	0,018 (0,46)	0,018 (0,46)
Vinyle	–	0,04 (1,02)	–	–

Tableau 32
Épaisseur minimale des supports de couverture de toits en pente[1]

		Épaisseur du support, en po (mm) selon un entraxe des fermes ou des chevrons de		
		12 (300)	16 (400)	24 (600)
Contreplaqué et panneaux de copeaux orientés (OSB), catégorie 0-2	Rives appuyées[2] Rives non appuyées	$5/16$ (7,5) $5/16$ (7,5)	$5/16$ (7,5) $3/8$ (9,5)	$3/8$ (9,5) $1/2$ (12,7)
Panneaux de copeaux orientés (OSB), catégorie 0-1 panneaux de copeaux ordinaires, catégorie R-1	Rives appuyées Rives non appuyées	$3/8$ (9,5) $3/8$ (9,5)	$3/8$ (9,5) $7/16$ (11,1)	$7/16$ (11,1) $1/2$ (12,7)
Bois de construction[3]		$11/16$ (17)	$11/16$ (17)	$3/4$ (19)

Remarques

1. L'épaisseur du support de couverture d'une toiture-terrasse est la même que pour les supports de revêtement de sol.
2. L'appui des panneaux aux rives doit être assuré par des agrafes métalliques en H ou par des calages de 2 x 2 po (38 x 38 mm) entre les fermes ou les chevrons.
3. Pour le pin blanc et le pin argenté, la qualité minimale est le «N° 4 Common». Pour toutes les autres essences, les qualités minimales correspondent à «Standard» ou à «N° 3 Common»

Tableau 33
Agrafes, en po (mm)

A) Bardeaux d'asphalte à un platelage de bois
1) tige d'épaisseur 16 (1,6 mm), longueur de $7/8$ po (22,2 mm) et
couronne de $7/16$ po (11,1 mm)
protégées contre la corrosion
$1/3$ plus d'agrafes que le nombre de clous requis
2) tige d'épaisseur 16 (1,6 mm), longueur de $3/4$ po (19 mm) et
couronne de 1 po (25,4 mm)
protégées contre la corrosion
nombre d'agrafes égal au nombre de clous requis

B) Bardeaux de cèdre à un platelage de bois
tige d'épaisseur 16 (1,6 mm), longueur de, $1^1/8$ po (28,6 mm) et
couronne de $3/8$ po (9,5 mm)
protégées contre la corrosion

C) Lattis en plâtre de $3/8$ po (9,5 mm) d'épaisseur
tige d'épaisseur 16 (1,6 mm), longueur de 1 po (25,4 mm) et
couronne de $3/4$ po (19 mm)
Lattis en plâtre de $3/8$ po (9,5) d'épaisseur
tige d'épaisseur 16 (1,6 mm), longueur de $1^1/8$ po (28,6 mm) et
couronne de $3/4$ po (19 mm)

D) Revêtement mural intermédiaire en contreplaqué
de $5/16$ and $3/8$ po (7,5 et 9,5 mm) d'épaisseur
tige d'épaisseur 16 (1,6 mm), longueur de $1^1/2$ (38,1 mm) et
couronne de $3/8$ po (9,5 mm)

E) Support de couverture en contreplaqué de $3/8$ po (9,5 mm) d'épaisseur
tige d'épaisseur 16 (1,6 mm), longueur de $1^1/2$ (38,1 mm) et
couronne de $3/8$ po (9,5 mm)

F) Revêtement mural intermédiaire en panneau de fibres dur
de $7/16$ and $1/2$ po (11,1 et 12,7 mm)
tige d'épaisseur 16 (1,6 mm), longueur de $1^1/2$ (38,1 mm) et
couronne de $3/8$ po (9,5 mm)

G) Couche de pose de $1/4$ po (6,4 mm)
tige d'épaisseur 18 (1,2 mm), longueur de $1^1/8$ (28,6 mm) et
couronne de $3/8$ po (9,5 mm)

H) Couche de pose en panneau de fibres dur de $5/16$ et $3/8$ po (7,9 et 9,5 mm)
tige d'épaisseur 18 (1,2 mm), longueur de $1^1/8$ (28,6 mm) et
couronne de $5/16$ po (7,9 mm)

I) Lattis métallique
tige d'épaisseur 14 (2mm), longueur de $1^1/2$ (38,1 mm) et
couronne de $3/4$ po (19 mm)

Tableau 34
Types de couverture et pentes admissibles

	Pente	
Type de couverture	minimale	maximale
Couverture (étanchéité) multicouche		
Enduit d'asphalte (avec gravillons)	1 : 50	1 : 4
Enduit d'asphalte (sans gravillons)	1 : 25	1 : 2
Enduit de goudron (avec gravillons)	1 : 50	1 : 25
Enduit d'application à froid	1 : 25	1 : 1,33
Bardeaux d'asphalte		
Pour pente courante	1 : 3	Aucune limite
Pour faible pente	1 : 6	Aucune limite
Matériau de couverture en rouleau		
Lisse ou à surfaçage minéral	1 : 4	Aucune limite
Bitumé, recouvrement de 19 po (480 mm)	1 : 6	Aucune limite
Feutre (enduit d'application à froid)	1 : 50	1 : 1,33
Bardeaux en bois	1 : 4	Aucune limite
Bardeaux de fente	1 : 3	Aucune limite
Plaques ondulées d'amiante-ciment	1 : 4	Aucune limite
Tôles ondulées	1 : 4	Aucune limite
Bardeaux en tôle	1 : 4	Aucune limite
Ardoises	1 : 2	Aucune limite
Tuiles d'argile	1 : 2	Aucune limite
Plaques de polyester renforcé de fibres de verre	1 : 4	Aucune limite

Tableau 35
Épaisseur minimale des revêtements muraux intermédiaires

| | Épaisseur minimale, en po (mm) | | |
| | Avec support à entraxes de | Avec supports à entraxes de | |
Genre de revêtement	16 (400)	24 (600)	Normes applicables
Structural			
Panneaux de fibres (isolants)	3/8 (9,5)	7/16 (11,1)	CAN/CSA-A247
Revêtement intermédiaire en plaque de plâtre	3/8 (9,5)	1/2 (12,7)	CAN/CSA-A82.27-M
Contreplaqué (usage extérieur)	1/4 (6,0)	5/16 (7,5)	CSA O121-M
			CSA O151-M
			CSA O153-M
Panneaux de copeaux orientés (OSB), catégorie O-1 et panneaux de copeaux ordinaires, catégorie R-1	1/4 (6,35)	5/16 (7,9)	CSA O437.0
Bois de construction	11/16 (17,0)	11/16 (17,0)	Voir le tableau 6
Panneaux rigides de fibres minérales, de type 2	1 (25)	1 (25)	CSA A101-M
Panneaux de copeaux orientés (OSB), catégorie O-2	1/4 (6,0)	5/16 (7,5)	CSA O437,0
Isolant phénolique, avec revêtement	1 (25)	1 (25)	CAN/CGSB-51.25-M
Non structural			
Polystyrène expansé (types 1 et 2)	11/2 (38)	11/2 (38)	CAN/CGSB-51.20-M
Polystyrène expansé (types 3 et 4)	1 (25)	1 (25)	CAN/CGSB-51.20-M
Uréthane et isocyanurate (types 1, 2 et 4)	11/2 (38)	11/2 (38)	CGSB 51-GP-21M
Uréthane and isocyanurate (type 3)	1 (25)	1 (25)	CGSB 51-GP-21M
Uréthane and isocyanurate (types 1 et 2), avec revêtement	1 (25)	1 (25)	CAN/CGSB-51.26-M

Tableau 36
Pureau et épaisseur des bardeaux de sciage (de bois) et des bardeaux de fente rainurés mécaniquement — Pour revêtement mural

| | Pureau maximal, en po (mm) | | |
Longueur du bardeau, en po (mm)	Simple épaisseur	Double épaisseur	Épaisseur minimale de la rive inférieure, en po (mm)
16 (400)	71/2 (190)	12 (305)	3/8 (10)
18 (450)	81/2 (216)	14 (356)	7/16 (11)
24 (600)	111/2 (292)	16 (406)	1/2 (13)

Tableau 37
Mélanges pour stucco (en volume)

Ciment portland	Ciment à maçonner, de type H	Chaux	Granulats
1	–	1/4 à 1	31/4 à 4 parties pour
1	1	1	1 partie de matériau cimentaire

Tableau 38
Dimensions pour les parquets à lames

Type de revêtement de sol	Espacement maximal des solives, en po (mm)	Épaisseur minimale du revêtement de sol, en po (mm), avec support	sans support
Lames bouvetées en bois dur (utilisation intérieure seulement)	16 (400) 24 (600)	$5/16$ (7,9) $5/16$ (7,9)	$3/4$ (19,0) $15/16$ (33,3)
Lames bouvetées en bois tendre (utilisation intérieure ou extérieure)	16 (400) 24 (600)	$3/4$ (19,0) $3/4$ (19,0)	$3/4$ (19,0) $11/4$ (31,7)
Lames non bouvetées en bois tendre (utilisation extérieure seulement)	16 (400) 24 (600)	– –	1 (25,4) $11/2$ (38,1)

Tableau 39
Clouage des lames de parquet

Épaisseur du parquet, en po (mm)	Longueur minimale des clous, en po (mm)	Espacement maximal des clous, en po (mm)
$5/16$ (7,9)	$11/2$ (38)	8 (200)
$7/16$ (11,1)	2 (51)	12 (300)
$3/4$ (19,0)	$21/4$ (57)	16 (400)
1 (25,4)	$21/2$ (63)	16 (400)
1 $1/4$ (31,7)	$23/4$ (70)	24 (600)
1 $1/2$ (38,1)	$31/4$ (83)	24 (600)

Remarques

1. Des agrafes peuvent servir à fixer les lames de parquet d'au plus $5/16$ po (7,9 mm) d'épaisseur pourvu qu'elles aient au moins $13/16$ po (29 mm) de longueur, 0,047 po (1,19 mm) de diamètre de tige et $3/16$ po (4,7 mm) de couronne.

INDEX

317